Para

Minhas Filhas

Barbara Delinsky

Para
Minhas Filhas

5ª EDIÇÃO

Tradução
Jacqueline Klimeck Gouvêa Gama

BERTRAND BRASIL

Copyright © 1994 *by* Barbara Delinsky

Capa: projeto gráfico de Leonardo Carvalho

Editoração eletrônica: Imagem Virtual, Nova Friburgo, RJ

2003
Impresso no Brasil
Printed in Brazil

CIP-Brasil. Catalogação-na-fonte
Sindicato Nacional dos Editores de Livros, RJ.

D395p
5ª ed.
	Delinsky, Barbara
	    Para minhas filhas / Barbara Delinsky; tradução
	Jacqueline Klimeck Gouvêa Gama. – 5ª ed. – Rio de Janeiro:
	Bertrand Brasil, 2003.
	    416p.
	    Tradução de: For my daughters
	
	    ISBN 85-286-0570-1
	
	    1. Romance norte-americano. I. Gama, Jacqueline Klimeck
	Gouvêa. II. Título.

96-0610	CDD – 813 CDU – 820(73)-3

Todos os direitos reservados pela
EDITORA BERTRAND BRASIL LTDA.
Rua Argentina, 171 – 1º andar – São Cristóvão
20921-380 – Rio de Janeiro – RJ
Tel.: (0xx21) 2585-2070 – Fax: (0xx21) 2585-2087

Atendemos pelo Reembolso Postal

Para Karen e Amy por lutarem.

Para Steve, Eric, Andrew e Jeremy por me amarem.

Aos leitores por acreditarem, como eu.

Para
Minhas Filhas

Prólogo

A última vez que o vi foi tão furtiva quanto todas as outras, mas nem por isso menos preciosa. Amanhecia. O vento litorâneo soprava frio e rescendia a maresia. Senti sua umidade em minha pele e em meus cabelos, e seu cheiro intenso deixaria uma marca indelével em minhas lembranças. Setembro mal havia começado, e a friagem prematura dava indícios de que o verão chegava ao fim. Com ele ir-se-ia um brilho que jamais vira e tornaria a ver.

Ele estava parado à porta do chalé, emoldurado pelo bosque cor de granito coberto pelo líquen que se derramava ribanceira abaixo até o mar. O chalé, como o homem, se opunha à brisa fria de inverno. Era ali que ele morava, e durante as noites de verão que compartilhamos, o lugar provara ser um lar muito mais do que qualquer uma de minhas casas elegantes e caras.

Ele era uma figura irresistível. Alguns centímetros mais alto do que eu, esbelto e forte, como convinha ao seu trabalho. Sua postura era ereta, os ombros, nivelados, a pele, bronzeada. Os olhos, que a princípio eu achara misteriosamente escuros, possuíam agora um misto de censura e desejo ao encontrarem os meus pela última vez. Tudo nele lembrava o estoicismo da vida que se estendia pela costa escarpada do Maine.

Algum desavisado poderia achar que ele estava zangado, e talvez houvesse mesmo um ligeiro toque de zanga em seu olhar. Concordáramos que não tornaríamos a nos encontrar, que seria demasiadamente difícil após aquela noite. Mas não resisti. Precisava de uma referência derradeira, à luz do dia, algo que perdurasse em mim para sempre.

Zangado, talvez. Mas era mais como se estivesse morrendo por dentro, como eu. Dilacerado por saber que havíamos encontrado algo precioso, que estávamos deixando escapar. Por vontade própria.

Por vontade própria.

Mas será que somos verdadeiramente livres? Há alguma época, na vida de um ser humano responsável, em que as escolhas são feitas sem a interferência do passado ou do futuro? Infelizmente, eu era uma pessoa responsável. E não poderia ter optado por outro caminho.

Na casa principal, minha bagagem esperava, na varanda da frente, pelo velho carro que servia de táxi em Downlee. Também na casa principal estava Dominick St. Clair, meu marido há quatro anos, o homem a quem eu prometera amar, honrar e obedecer em troca de sua magnanimidade — e era esse o meu desafio. O verão, que deveria nos relaxar e refazer, servira a seus propósitos, mas de um modo inesperado e dolorido. Meu objetivo, então, passou a ser juntar os cacos da vida que eu havia escolhido para mim.

Não levei nada de Will comigo, nem as rosas que ele cultivava, e que eu aceitava, cheirava e esmagava; nem as fotografias que agitaram a pequena e provinciana Downlee; nem mesmo o delicado anel de couro que ele trançara para mim. Hoje, eu usava uma sólida aliança de ouro e brilhantes, símbolo do mundo ao qual estava retornando.

Naquele verão eu completara vinte e sete anos e estava ciente das necessidades materiais da vida, mas, era também ingênua demais para acreditar que sairia inteira dali.

Como me enganei. Meu coração permaneceu junto a Will Cray, ao cheiro do mar, dos pinhos e das madressilvas, às dálias carmins que ele cultivava. Senti um nó na garganta ao olhar para ele pela última vez, e me derreti ao lembrar de seu calor, enquanto chorava por dentro. Aquela separação dilacerava o que havia de melhor, de mais sensível em mim.

Lutando contra as lágrimas e dúvidas que sabia que me afligiriam por anos, virei-me e iniciei a descida pela vereda. Quando tudo se turvou à minha frente, imaginei que a sirene que anuncia o nevoeiro nas montanhas Houkabee soavam um aviso fúnebre, mas ainda assim continuei. Tropecei uma vez, e mais uma, e poderia ter culpado o destino e corrido de volta para seus braços, se meu senso de dever não fosse tão forte.

Tardiamente, percebo agora que fui levada por algo muito menos nobre do que o dever, e por causa disso sofri severa punição. As lágrimas que não chorei na manhã em que o deixei congelaram em minha garganta e, duras como pedras, transformaram-se numa barreira que a ternura jamais conseguiu transpor. Ao abandonar Will, eu me sentenciara a uma vida desprovida de emoção.

E é isso que agora pretendo reparar.

Um

$\mathcal{A}$ notícia não era boa. Caroline St. Clair leu o veredicto diante dos jurados antes de entregá-lo ao juiz. Nenhum dos doze pôde olhar para ela. Seu cliente fora considerado culpado.

Seu lado racional sabia que havia sido melhor assim. O homem seqüestrara a ex-esposa, mantivera-a em cárcere privado por três dias e a estuprara diversas vezes. O respeitável deputado estadual sem antecedentes criminais cumpriria sua pena numa prisão federal relativamente confortável, receberia a ajuda psiquiátrica necessária e ganharia a condicional ainda jovem o bastante para refazer a vida. Sob esse aspecto, uma absolvição teria sido ainda mais cruel, pois o lançaria na mídia que o exploraria numa fase em que estava tão vulnerável quanto a ex-mulher.

Mas para Caroline cada ganho de causa era crucial. Os ganhos geravam fama, a fama gerava novos casos, e os novos casos engordavam os lucros obsessivos da sociedade predominantemente masculina da Holten, Wills e Duluth. Como tantas outras, tal sociedade passara boa parte das duas últimas décadas excedendo seus limites de crédito. Porém, enquanto outras firmas esmoreciam, a Holten, Wills e Duluth decidiu-se pela solvência. O resultado foi uma fixação em cortar o peso morto, limitar as mordomias e dinamizar as operações —além da preocupação excessiva com as contas a receber.

Caroline era uma das sócias mais novas do grupo e, mesmo aos quarenta, uma das mais jovens. O futuro da firma pesava em seus ombros. Instruía colegas mais antigos, que, por sua vez, a atormentavam com perguntas acerca de seus honorários. Não gostavam de dividir a opulência. Pior, não gostavam de mulheres. Caroline precisava trabalhar duas vezes mais e ser duas vezes melhor para obter o mesmo reconhecimento. Precisava ser mais hábil quanto à manipulação da teoria legal, mais agressiva na negociação com os promotores, mais eficaz com os jurados.

Precisava muito, muito ter ganho a causa.

—Ação difícil —observou um de seus sócios juniores da porta do escritório. —As relações políticas de seu cliente teriam sido úteis, se não tivesse perdido.

Caroline lançou-lhe um olhar que teria sido mais severo caso ele fosse outra pessoa. Mas ela e Doug tinham entrado para a firma ao mesmo tempo, tendo sido nomeados paralelamente, e embora Doug se tivesse tornado sócio da firma dois anos antes de Caroline, ela nunca usara isso contra ele. Não podia dar-se esse luxo. Doug era seu mais forte aliado.

— Obrigada — disse ela de modo arrastado. — Era tudo o que eu precisava ouvir.

—Sinto muito. Mas é verdade.

— E acha que não perdi o sono por conta disso na noite passada? — perguntou ela, tamborilando com os dedos sobre a mesa. — Sabia que o caso tinha potencial quando o peguei. Achei que havia uma chance de vencer.

— É difícil provar insanidade.

— Mas antes de ter cometido aberração, John Baretta viveu uma vida exemplar — argumentou, de forma mais eloqüente e profunda do que fizera aos jurados. — Achei que isso fissesse alguma diferença.

— Então acredita que ele estava temporariamente insano?

Caroline precisava acreditar. Era a única forma de apresentar sua defesa. Passado o julgamento, contudo, o que teria sido um "Completamente! ", tornou-se um "Provavelmente". Seus dedos continuaram a tamborilar sobre a mesa. — O homem era louco pela esposa. Não conseguiu aceitar a separação. Mas não havia história de violência em sua vida. Parecia envergonhado e arrependido. Não oferece perigo para a sociedade. Precisa de tratamento. Só isso.

— E você precisa de um cigarro.

Os dedos pararam. — Pode apostar, mas não vou fumar. Não vou me esconder novamente, e não vou fazer nada que me faça sentir pior. Pense no que a firma faria comigo. — Respirou fundo. — Meus amigos não entendem. Acham que fazer parte de uma sociedade me dá algum tipo de garantia. Se eu engravidasse amanhã, eles me colocariam para fora, é o que fariam. Encontrariam uma maneira de driblar a lei e me atirar para fora daqui. — Suspirou, sentindo-se subitamente cansada. — É tão frágil o que chamamos de carreira. Será que vale a pena?

— Talvez. Porém, o que mais podemos fazer?

— Não sei. Mas há algo errado, Doug. Sinto-me pior por ter perdido a causa do que por meu cliente, e é ele quem vai para a cadeia. Meus valores estão distorcidos. Os de todos nós.

Mal terminou de falar e um segundo rosto apareceu na porta. Era um dos sócios seniores. — Você permitiu mulheres demais no júri — avaliou ele. — Elas tomaram o partido da vítima.

Doug fugiu assim que Caroline retrucou: — Sexo não é motivo para exclusão.

— Devia ter encontrado uma maneira de tirá-las do caso — respondeu ele, entrando na sala.

Caroline começava a pensar numa resposta quando surgiu outro sócio. — Não deveria tê-lo deixado depor. Foi lastimável. Desde o princípio ele pareceu pouco sincero.

— Pois eu achei o contrário.

— O júri não achou — veio a censura.

— É fácil avaliar os fatos depois que tudo aconteceu — ponderou Caroline —, mas a verdade é que nenhum de nós sabe por que o júri chegou a tal decisão.

Ainda remoía o assunto quando mais um sócio surgiu, mostrando-se mais incentivador do que os outros. — Esqueça o assunto, Caroline. Você precisa de uma vitória. Dê uma olhada em seus processos, escolha um que seja bom, e derrote o adversário.

Caroline fitou a pilha de pastas em sua mesa. Em cada uma estava anexada uma mensagem telefônica e um memorando, acumulados durante suas visitas ao tribunal. Imaginou que teria que respondê-los, mas faltava-lhe vontade. Foi então que outro sócio disse da porta: — Tente não mencionar o nome da firma quando falar com a imprensa, está bem?

Após alguns segundos, ela se viu olhando para a porta vazia, à beira do desespero. Subitamente, seus confusos valores lhe pareceram pouco importantes. Estava em jogo o egoísmo, a ganância, o proselitismo. Sem mencionar a imponência. A vaidade. A condescendência.

E, mais ainda, a crueldade. Naquele momento, ela não conseguiu entender por que estava trabalhando com aquelas pessoas.

Sem se importar em suscitar a ira dos sócios por deixar o escritório com o sol a pino, encheu sua maleta com as pastas que estavam sobre a mesa, as quais leria durante a noite, uma vez que não conseguiria pegar no sono, instruiu a secretária acerca dos compromissos do dia seguinte e seguiu para casa.

Chicago, no mês de abril, estava tipicamente fria. Entretanto, o vento que batia em seu rosto era um lenitivo após tantos dias de tensão no tribunal e tantas noites enfadonhas no escritório. Em vez de tomar um táxi, como o fizera durante a correria das semanas anteriores, abotoou o sobretudo, enrolou a *écharpe* no pescoço e partiu a pé.

Após quinze minutos de vigorosa caminhada, sentiu-se capaz de esboçar um sorriso e endereçá-lo ao porteiro, que a cumprimentou pelo nome, segurou a porta e chamou o elevador, enquanto ela recolhia a correspondência.

Seu apartamento ficava no décimo oitavo andar e tinha vista para o lago. Do sofá da sala de estar, era possível encontrar um ângulo privilegiado que deixava de fora qualquer vestígio da cidade e formava uma pintura de velas ao vento. Em dias claros, parecia cenário de um sonho. Mas o dia estava nublado. Jogou suas coisas na poltrona ao lado da porta e vasculhou a correspondência. Não havia nada importante, exceto um envelope pesado cujo selo da Filadélfia e a letra manuscrita lhe eram familiares.

Não seria de estranhar que uma carta de sua mãe chegasse num dia como aquele. Ginny nunca quisera que ela fosse advogada, considerava uma ocupação fatal para uma mulher. Perder uma causa, como acabara de acontecer a Caroline, era prova disso, bem como o fato de não haver marido nem filhos para saudar sua chegada.

Caroline e Ginny St. Clair nunca haviam concordado sobre os direitos das mulheres. Nunca concordavam em nada. Ginny não aprovava o corte curto dos cabelos negros de Caroline nem seu modo de se vestir. Não gostava do fato de Caroline não fazer as unhas e de não usar perfume. Não compreendia o fato de Caroline não possuir o instinto materno de sua irmã Annette ou o talento social de sua irmã Leah.

A única coisa em que as duas concordavam era a falta de propósito em discutir tais assuntos. Por isso, estabeleceram uma relação em que ambas representavam seus papéis e trocavam brincadeiras superficiais. Viam-se em ocasiões familiares e às vezes conversavam ao telefone, e para Caroline aquilo bastava. Há muito tempo desistira de buscar em Ginny afeto e compreensão.

Com um suspiro, jogou a carta sob a pilha de correspondências e atravessou o corredor até seu quarto, despindo-se do *tailleur* escuro que não impressionara o júri. Então, descalça, usando *jeans* e um blusão velho com as mangas enroladas até os cotovelos, voltou à sala de estar e afundou-se no sofá.

O mundo atrás da janela estava cinza, um tanto deprimente, e o brilho de seu apartamento, com a predominância de cromados e vidros, em nada ajudava. Sentia-se gelada, vencida, frustrada — nada daquilo fazia sentido ao nível racional. Era uma advogada de sucesso, sócia de uma firma de prestígio. Ganhara um número suficiente de casos para fazer daquele dia uma aberração, e certamente tornaria a ganhar muitos mais. Não havia motivo para desânimo. Motivo algum. Ainda assim, sentia-se mal.

O telefone tocou. Com o queixo apoiado na palma da mão, aguardou até que secretária eletrônica atendesse.

— Aqui é Mark Spence, *Sun-Times*, aguardando uma declaração sua para a edição da manhã. Ligue para o número...

Caroline deixou que o aparelho gravasse o número, embora duvidasse que fosse usá-lo. Já havia dado declarações à imprensa na saída do tribunal, após o veredicto. Fizera a obrigatória menção de fé em seu cliente, no sistema judiciário e no processo de apelação. Nada tinha a acrescentar.

A secretária eletrônica desligou-se. A campainha da frente soou. Fechou os olhos e desejou que fosse embora quem quer que estivesse lá fora, mas a campainha tornou a tocar. Resmungando alguma coisa sobre privacidade e amaldiçoando a imprensa, ela se arrastou até o interfone e disse entre dentes:

— Pronto.

— Oi, linda.

Após um instante, sorriu, encostou a testa na parede e soltou a respiração tensa que estava segurando.

Era Ben. O seu Ben, que sempre estava por perto quando mais ela precisava, ao contrário da mãe.

— Olá, Ben.

— Precisa de ajuda?

— Pode apostar.

— Abra a porta para mim.

Caroline correu para a porta da frente com um vigor que não sentia há dias. Ben Hammer, com seu sorriso vagaroso e seu jeito sereno, tudo que ela não era, e embora não conseguisse se ligar a ele, nos momentos de tensão, ele agia como um vinho suave e doce.

Recostada na porta aberta quando ele saiu do elevador, os braços soltos ao longo do corpo, as costas arqueadas — vestindo roupas de couro, com seus cabelos ruivos desalinhados pelo capacete que trazia na mão —, como sempre, sua aparência não inspirava confiança.

— É perigoso — ele a repreendeu enquanto percorria o corredor — abrir a porta antes de olhar pelo olho-mágico.

— Sua voz é inconfundível — respondeu ela. Essa era uma das poucas e simples verdades da vida. — Como vai, Ben?

Ele lhe estendeu um buquê de margaridas que escondera atrás das costas. — Melhor que você, aposto. Ouvi as notícias. Que chato.

Ela pegou as flores, fez com que ele entrasse e fechou a porta. — Obrigada. São lindas. Prêmio de consolação?

— Nada disso. São para parabenizá-la.

— Mas eu perdi a causa.

— E daí? Ganhando ou perdendo, você fez tudo que pôde.

— Mas parece que não fiz o bastante — murmurou ela, enquanto caminhava para a cozinha. Colocou as margaridas num vaso retangular e o levou para a mesinha de vidro da sala de estar. A decoração exigia flores mais sofisticadas, mas nada seria mais alegre.

Ben recostou-se na passagem em arco, a jaqueta aberta, para observá-la. Vendo-o ali, ela se sentia aliviada. — Não sabia que você viria. Sempre vem quando preciso. — Ela apanhou seu capacete.

— Imaginei que seus estimados sócios não ficariam nada emocionados com o que aconteceu.

— Nem um pouco. — Concordou ela, colocando o capacete de Ben sobre sua maleta, em sinal de protesto aos estimados sócios. — Compaixão não faz parte das regras da diretoria. É sinal de fraqueza.

— Não acredito nisso.

— Mas eles sim, e é isso que conta.

— Enquanto trabalhar lá. Como pode agüentar tudo isso?

— Trabalhei duro para chegar onde cheguei.

— É verdade. Mas você tem coração. Ou teria, se eles também não considerassem isso uma bobagem. Não são pessoas decentes. Isso não a incomoda?

— Claro que sim. Até que um caso chegue às minhas mãos e eu me lembre que isso só foi possível por eu fazer parte da firma; ou quando a droga da firma me dá a chance de defender seus clientes; e então percebo que é uma troca.

—Essa foi, precisamente, a conclusão que Caroline chegara durante sua caminhada do escritório para casa. —Nós nos retroalimentamos, a firma e eu.

— Eles ficam com a melhor parte.

— Está sendo tendencioso.

— Estou — disse ele, sorrindo.

O vigor que Caroline sentira havia se esvaído. Cruzou os braços em torno do pescoço e respirou aliviada.

Ben não se conformava com seu jeito de ser. Enquanto outro homem teria recuado diante de seu frenesi na faculdade de direito, de sua dedicação ao escritório de promotoria pública e de sua auto-sujeição à Holten, Wills e Duluth, ele permanecia indômito desde que se conheceram, há dez anos.

Não havia gostado dela na época. Caroline era assistente do procurador da comarca que enviara seu irmão mais moço para a prisão por violação de uma rede de computadores. Mas ela era justa, dissera ele, com um sorriso que a derrubara. Quando Ben a convidou para jantar, Caroline aceitou, e terem terminado a noite na cama pareceu-lhe a coisa mais natural do mundo.

Sua vida era a antítese da dela. Artista que era, ele passava semanas viajando e fotografando o mundo, e meses traduzindo tais imagens em belíssimas impressões em *silk-screen* que, como seu sorriso, roubavam o fôlego de Caroline. Especialistas compravam coleções inteiras de suas gravuras. Seus trabalhos eram facilmente vendidos nas galerias de arte locais. Mas quando Caroline lhe sugeriu que ampliasse seu horizonte e fizesse uma exposição em San Francisco, Boston ou Nova Iorque, ele apenas deu de ombros. Não tinha tanta ambição quanto ela. Sempre que completava uma nova série de impressões, passava longo tempo sem fazer absolutamente nada.

Caroline nunca ficava parada. Não estava certa se conseguiria. O mesmo acontecia em relação ao casamento, que ele sugerira dezenas de vezes. Dezenas de vezes ela o recusara, e ainda assim ele voltava, e era por isso também que ela o amava. Ele era irrepreensível. E a fazia sorrir.

Estava sorrindo agora, balançando a cabeça, não para negar o inevitável, mas em alegre resignação. Beijou-a de leve na boca, jogou o braço sobre seu ombro e a guiou pelo corredor. No quarto, ele a beijou até que a tensão em seu corpo cessasse.

Como de costume, despiu-se primeiro. Caroline sempre suspeitou que ele se sentia mais à vontade nu quando excitado, mas se havia aí algum tipo de egoísmo, ela não se queixava. Observá-lo a excitava, e quando terminou de despi-la, ela estava querendo mais do que apenas um olhar.

Ben a possuiu sem reservas, amando cada parte do seu corpo até perder a noção do tempo durante os breves e preciosos momentos de suspensão orgásmica. Apesar de todas as diferenças, nisso eles se afinavam, e quando terminaram, quando a respiração voltou ao normal e seus corpos começaram a esfriar, havia o arrebol da tarde plena para envolvê-los.

— Você teria vindo me ver se eu não tivesse perdido? — ela inquiriu num sussurro que resvalou nos pêlos dourados do peito dele.

— Teria vindo de qualquer maneira. Fiquei grudado na televisão à espera do veredicto. Saí assim que o

ouvi. — Ele olhou para ela. — Quer passar o fim de semana comigo?

Ela meneou a cabeça. — Não posso. Tenho muito trabalho para pôr em dia.

— Leve-o com você.

Ben morava ao norte, a uma hora da cidade, num chalé na floresta, entre o aroma dos pinheiros, a abundância
dos sons da natureza e a predominância de vidros que faziam do lugar um estúdio. Caroline relutou. — Não consigo
me concentrar na sua casa.

— Porque adora aquele lugar. Confesse.

— Adoro aquele lugar.

— Então por que não se muda para lá? Venda este
apartamento, mande seus sócios insensíveis para o inferno
e viva com o meu dinheiro.

Ela riu. Dos dois, era ela quem tinha dinheiro. Não
que ele não pudesse sustentá-la. — Não nasci para isso.
Sou uma mulher urbana.

— Você é masoquista.

— Sou viciada em trabalho.

— Não quando está comigo.

— Sei disso. Você é uma péssima influência.

— Mas eu a mantenho sã.

Caroline sabia que era verdade. — Tem razão.

Ben suspirou. — Então não quer se casar comigo?

— Essa semana, não. Tenho muito a fazer.

Contudo, Caroline não tinha pressa agora. Sentia-se
levemente embriagada nos braços de Ben e ainda não estava pronta para afastar-se dele.

Cedo demais para o seu gosto, ele a beijou calidamente e saiu da cama. Ela o viu se vestir, alcançou o robe e o levou até a porta, onde ganhou outro beijo. Com o cheiro almiscarado do corpo de Ben em sua pele, ela preparou um bule de chá e serviu-se de uma xícara. Sorveu a bebida e um segundo depois sentiu-se suficientemente fortalecida para abrir o envelope que sua mãe lhe enviara.

Querida Caroline, escreveu Virginia St. Clair. *Uma vez que não tenho recebido notícias suas, nem mesmo por intermédio de suas irmãs, presumo que esta a encontre bem.*

Caroline soltou um triste gemido. Suas irmãs nada saberiam caso ficasse doente. Havia semanas que não falava com elas.

Cheguei de Palm Springs na terça-feira passada. O tempo lá estava perfeito, e a companhia, agradável como sempre, mas é bom estar em casa. Só aqui consigo descansar. Creio que agora estou começando a sentir o peso da idade. Não tenho mais energia para levar a vida social de antes. Lillian diz que estou me tornando uma eremita. Talvez ela tenha razão.

Caroline duvidava disso. Sua mãe sempre fora uma criatura social. Passava as manhãs em encontros beneficentes, as tardes jogando golfe, e as noites, bridge. Quando não estava em algum jantar no clube, estava oferecendo um. A morte do marido — Dominick, o pai de suas três filhas, um homem extremamente paciente e inofensivo —, há três anos, não chegou a interromper seus compromissos sociais.

Ginny lamentou sua morte. Estava casada com Nick há quarenta e quatro anos e sofrera a perda do companheiro. Ficara inconsolável? Nem tanto. Não era do seu feitio. Nem do feitio de Nick. A complacência o acompanhara desde o seu nascimento, em berço de ouro. Era um homem alegre, pacífico e nada exigente.

Caroline ressentia-se do fato de Nick não exigir mais, assim como ressentia-se de sua mãe não lhe dar mais. Mas Nick não sabia exigir, e a maior doação de Ginny era para as reuniões sociais. Caroline não acreditava que a idade a paralisasse.

Foi, portanto, com surpresa que leu: *Vendi minha casa e em junho estarei me mudando. Minha nova casa fica ao norte — na verdade, no extremo norte — numa cidadezinha chamada Downlee, na costa do Maine.*

Caroline não entendeu. Sua mãe nunca visitara Maine. Não conhecia ninguém em Maine.

Será o meu presente de aniversário, para descansar e relaxar. Sabia que farei setenta anos em junho?

Sim, Caroline sabia. Havia pelo menos trinta anos entre sua mãe e ela, o que significava que as duas haviam compartilhado grandes aniversários. Algumas famílias fariam uma farra. Não os St. Clairs.

A casa em si é velha e está precisando de reformas, mas o lugar é de tirar o fôlego. A vista dá para o oceano e se espalha terra adentro, com uma piscina de água salgada e jardins de urze, rosas silvestres, prímulas, peônias e íris — ah, mas você não se interessa por flores. Sei disso. E sei o quanto você é ocupada, por isso vou direto ao assunto.

Quero lhe pedir um favor, Caroline, e estou ciente de que poderá recusá-lo. Sei que pensa que não lhe dei o bastante. Por isso lhe pedi, deliberadamente, muito pouco no passado. Mas gosto muito dessa nova casa, e é por isso que estou lhe escreven-

do. É chegada a hora de aproveitar o pouco do amor que você possa ter por mim.

Caroline surpreendeu-se com o discernimento de Ginny, e sentiu uma pontada de culpa.

Gostaria que me ajudasse a ajeitá-la.

Ir até lá?

Você tem um dom especial em colocar as coisas nos lugares certos. Meu gosto é um tanto antiquado e adorei o que você fez em seu apartamento.

Não adianta me bajular, mãe.

Caroline continuou a ler. *Você entende de arte. As peças que escolheu para o seu apartamento alegraram o ambiente. Lembro-me particularmente do óleo que está pendurado em sua sala. Creio que foi feito por um amigo seu.*

Os olhos de Caroline cruzaram a sala e encontraram a pintura. Ben o havia pintado diante de seus olhos numa única tarde, uma tela grande com borrifos de verdes, azuis e dourados, que lembravam um prado não muito longe dali. Caroline achava que a pintura simbolizava a genialidade de Ben. Adorava a simplicidade e os tons vivos da obra. Mas era mais abstrata do que realista, um desvio explícito do gosto de Ginny.

Você usa a arte para suavizar as linhas duras da decoração moderna que tanto estima. Tais linhas não são muito diferentes dos promontórios de Downlee. Creio que você poderia operar maravilhas em Star's End.

Caroline teve um pressentimento e olhou novamente para o envelope volumoso do qual retirara a carta da mãe.

Junto à carta vai uma passagem de avião que a trará de O'Hare para cá, no dia quinze de junho, e a levará de volta no final do mês.

Ela estava boquiaberta.

Sim, eu sei, duas semanas é muito tempo, e você tem o seu trabalho. É por isso que estou lhe escrevendo agora. Com dois meses de antecedência terá tempo o suficiente para arranjar tudo. Certamente já alcançou um patamar profissional em que lhe é permitido sair de férias quando quiser, e se não o alcançou, poderá dizer que se trata de uma emergência familiar. E de certo modo o é. Não sou mais jovem. Não sei quanto tempo ainda me resta.

— Ora, por favor — queixou-se Caroline, deixando o papel cair em seu colo. Duas semanas de ausência deixariam sua clientela furiosa. Aquilo não seria possível, apesar da insistência de Ginny.

A mulher tinha fel. Caroline precisava lhe ensinar a lição. Não fora uma boa mãe em sua infância, quase sempre preocupada, fisicamente presente, porém distante. Não envolvera-se emocionalmente o bastante quando Caroline terminou com seu primeiro namorado ou quando foi recusada pela faculdade que escolhera, e no dia de sua formatura no curso de direito, Ginny pegara uma gripe. Ah, ela se oferecera para assistir à cerimônia assim mesmo, mas com tão pouco interesse que Caroline não insistiu.

Não devia nada a Ginny.

Nada.

Mas setenta anos eram setenta anos.

E Ginny era sua mãe. Deixando de lado o melodrama, Caroline teria que ser totalmente insensível para não sentir remorso diante da idéia da morte da mãe. Afinal, seu pai havia morrido e só lhe restava ela.

Sentindo-se frustrada de um modo diferente do que sentira antes naquele dia, continuou a ler. Ginny, a empregada e a mobília chegariam apenas um dia antes de Caroline — o que significava, embora Ginny nada tivesse dito a esse respeito, que Caroline seria obrigada a ajudar na mudança.

Ah, claro, Ginny era matreira. E egoísta. E presunçosa. Certamente achava que sua casa era mais importante do que o trabalho de Caroline.

Suspirou. Dado o veredicto do dia, talvez ela tivesse razão.

Talvez o veredicto do dia fosse prova de que estivesse precisando de férias. A idéia de passar um tempo perto do mar, longe do escritório, com uma empregada para cuidar de tudo e, exceto pela mudança, sem nada a fazer além de ajudar na decoração, era tentadora.

O pessoal do escritório engoliria a história da emergência familiar.

Não tirara mais do que três dias de folga seguidos desde que entrara para a firma. Do jeito que estava indo, em meados de junho teria acumulado o maior número de honorários recebidos no escritório, e se isso não era bom para seus sócios seniores na Holten, Wills e Duluth, ela não sabia o que mais poderia ser. Além disso, eles próprios sairiam de férias em junho, para suas mansões à beira do lago.

Então, apesar do fato de sua mãe ter ousado pedir para que se ausentasse durante duas preciosas semanas, havia esse atrativo. Havia também um tênue orgulho, inoportuno mas inevitável, por sua mãe admirar seu gosto. Ginny não pedira ajuda a Annette nem a Leah.

E então leu as últimas linhas. *Faz tempo que não ficamos juntas, você e eu. Gostaria de retificar isso, se for possível. Seria uma ótima oportunidade para conversarmos. O que acha?*

O que Caroline achava era que Ginny era muito astuta. Oferecera a única coisa que Caroline não podia recusar.

Não era justo. Não estava *certo*. Ginny merecia que Caroline recusasse sua oferta com desprezo.

Acreditava que se as posições fossem invertidas e que se o convite tivesse partido dela, Ginny arranjaria uma boa desculpa e recusaria o convite polidamente. Mas ela não era Ginny. Jamais faria isso. Até onde se lembrava, além de querer sua atenção, desejava ser diferente da mãe. E não iria mudar agora.

Dois

A última coisa de que Annette St. Clair podia ser acusada era de lembrar sua mãe. Virginia era pequena, Annette, alta; Virginia era loura, Annette, morena; Virginia era fria, Annette, calorosa.

Fisicamente, Annette se parecia muito com a irmã mais velha, Caroline, coisa que detestava. Caroline fora uma aluna aplicada, uma líder estudantil, uma vencedora. Acompanhá-la, tinha sido um pesadelo para Annette, que possuía mais aptidão para a amizade do que para a vida acadêmica. Era a queridinha da turma; os colegas a procuravam para obter conforto e apoio. Era boa ouvinte e conselheira, e todos a adoravam.

Infelizmente, as pessoas não são premiadas pela nobreza de caráter, nem existe espaço para tal qualidade num currículo. De qualquer forma, Annette nunca precisou de currículo. Mãe em tempo integral, isso era, ao seu ver, a coisa mais importante do mundo. Tinha orgulho de ser assim e gastava dezesseis horas do dia dedicando-se à família, e os frutos ela colhia tendo um marido carinhoso e cinco filhos adoráveis.

Caroline não tinha nada disso. Apesar de todas as vezes que, em criança, a invejara, não trocaria de lugar com ela agora.

Tampouco trocaria de lugar com Leah — a pobre e patética Leah, cuja vida era tão fútil quanto a de Ginny. Enamorada da idéia de se apaixonar, Leah correra para um casamento aos dezenove anos e se divorciara aos vinte, casando-se de novo aos vinte e um e divorciando-se três anos mais tarde. Agora, aos trinta e quatro, vivia para a noite, e embora levasse uma vida tão festeira, continuava solteira.

Annette era bem casada, e esse foi o motivo pelo qual ignorou o envelope volumoso que jazia sobre a bancada da cozinha, junto ao resto da correspondência. O carimbo da Filadélfia e a letra elegante que o endereçava a St. Louis e à Sra. Jean-Paul Maxime, não deixava em dúvida sua procedência. E podia esperar. Podia esperar um bocado de tempo, o mesmo tempo que Annette havia esperado para que sua mãe lhe abraçasse e lhe dirigisse um doce e sincero "Eu a amo".

Não, Ginny não possuía o direito de tomar o tempo de Annette, quando tinha tantos afazeres. Iniciara a manhã acompanhando a turma de Thomas, de doze anos, a uma excursão ao campo, e então parara na Neiman Marcus para comprar vestidos para as gêmeas de dezesseis usarem numa ocasião especial que se daria dentro de duas semanas. Ao mesmo tempo, aproveitara para escolher os sapatos que combinassem e as roupas íntimas adequadas. Agora, com o relógio da ante-sala marcando uma hora da tarde, ela se apressava em vencer os degraus da escada em espiral, levando consigo os embrulhos.

— Deixe-me ajudá-la, Sra. M. — disse a empregada Charlene, enquanto tentava alcançá-la.

Annette entregou-lhe os embrulhos que ameaçavam cair e dirigiu-se ao quarto das meninas, onde desembrulhou os vestidos e os deitou sobre as camas.

Charlene os fitou. — São lindos.

Annette concordou. — Acho que ficarão perfeitos: azul para Nicole e vermelho para Devon. É claro que elas prefiririam preto. Dirão que todo mundo usa preto. Felizmente não têm tempo de escolher suas próprias roupas e terão que se conformar. Caso não os queiram, se realmente os detestarem, posso tentar trocá-los, mas pelo menos já temos alguma coisa com o que começar. — Satisfeita, ela consultou seu relógio. — Vou comer alguma coisa. Tenho um encontro com as professoras do segundo ano — da turma de Nat, o caçula — às duas, e o jogo de Robbie começa às três.

Tornou a descer as escadas. Quando o telefone tocou, ela apertou o passo em direção à cozinha.

— Oi, mãe, sou eu.

— Robbie. Estava justamente falando no seu jogo.

— É por isso que estou ligando. Não venha, mãe.

— Por que não?

— Porque eu não vou jogar.

— Por que *não*?

— Porque o treinador acabou de me dizer.

— Mas você se saiu tão bem na temporada do ano passado.

— Aquela era a equipe de juniores. Essa é a dos titulares.

— Você é um primeira-base extraordinário.

— Hans Dwyer é melhor, e é o titular. Sou apenas um reserva.

Annette estava com o coração apertado. — Quer dizer que não vai jogar?

— Talvez jogue no último turno, se estivermos vencendo.

— Mas isso não é justo.

— Acontece o tempo todo.

— Então irei assisti-lo de qualquer maneira — decidiu ela.

— Não, por favor, mãe.

— Não me importo — ela insistiu. — De verdade.

— Mas eu sim. Não *quero* que venha. Já vai ser ruim ter que esquentar o banco, mas fazer isso com você olhando será dez vezes pior.

— Mas irei torcer por seu time.

— Não, mãe.

— Olhe — começou ela, tentando acalmá-lo. — Vá ao seu jogo e dê o melhor de si. Se eu for, muito bem; se não for muito bem da mesma forma. — Ela sabia que iria. Teria de estar fisicamente debilitada para perder um evento em que um de seus filhos estivesse envolvido, ainda que eles, como no caso de Robbie, tivessem breve participação. Estar junto dos filhos era para Annette a razão de sua vida. Ela nunca, *nunca* quisera que seus filhos soubessem o que é ver os pais de seus amigos na arquibancada e não ver os seus. Jean-Paul tentava. Ele comparecia a jogos, concertos e recitais sempre que podia, o que não era freqüente, mas por uma boa razão. Era neurocirurgião. Seu trabalho ia das sete da manhã às sete da noite, e quando chegava em casa sempre tinha algum material para ler.

Por isso, era duplamente importante que Annette assistisse a coisas como jogos de beisebol. Estava certa de que os protestos de Robbie eram próprios de um rapaz de dezessete anos, e que no fundo concordava com ela.

Por essa razão, Annette não ficou desconcertada quando Robbie ignorou sua presença na arquibancada e passou por ela com um rápido aceno ao final da partida. Ela também não se demorou; ele voltaria para casa sozinho quando estivesse pronto. Além do mais, precisava buscar Thomas na aula de clarim e deixá-lo no explicador de matemática, e então buscar Nat na casa de um coleguinha e levá-lo para casa para jantar.

Mal terminara de se trocar para o jantar quando as gêmeas apareceram para contar como fora o dia delas. Não se mostraram muito entusiasmadas com os vestidos, mas não por não serem pretos. — Combinamos de fazer compras com Susie e Beth amanhã depois do colégio — protestou Nicole.

Annette discordou. — Vocês não terão tempo. Terão dois testes depois de amanhã.

— Mas já estudamos — assegurou-lhe Devon.

— Já estudaram?

— Bem, um pouco, mas poderemos estudar depois das compras.

— Mãezinha — insistiu Nicole — estamos planejando isso há séculos.

— E o que farei com estes vestidos? — inquiriu Annette, apontando para a cama.

— São maravilhosos.

— Mas se parecem com você, não conosco.

— Não é verdade — argumentou Annette. — São espetaculares.

— Mas queríamos escolhê-los nós mesmas.

— Você nunca nos deixa fazer isso, mãe.

— Adoro fazer compras para vocês.

— Porque a vovó nunca fez isso para você, e você ficava magoada. Mas sempre faz para nós.

— Por falar na vovó — perguntou Devon —, o que foi que ela escreveu na carta?

Annette lembrou-se imediatamente da carta que permanecia no andar de baixo. — Não sei.

— Não a abriu?

— Ainda não.

— Não está curiosa?

— Nem tanto — respondeu Annette com um sorriso nos lábios e estendendo a mão para as filhas. Os toques eram importantes. Ainda que breves. — Minhas filhas me interessam muito mais. Querem comer agora ou mais tarde?

Elas resolveram jantar. Annette lhes fez companhia, e fez o mesmo quando Robbie chegou. Ela mesma não jantou até Jean-Paul chegar, e estava colocando os últimos pratos na lavalouça quando a carta da Filadélfia surgiu à sua frente.

— Está ignorando isso deliberadamente? — inquiriu Jean-Paul em seu tom sereno e leve sotaque. Sua voz calma e segura inspirava confiança em seus pacientes e conforto na esposa.

— Creio que sim.

— Pagando na mesma moeda?

Ela riu suave, mas pesarosamente.

Ele balançou a carta na mão. Annette a pegou com os dedos molhados e a atirou sobre a bancada. — Mais tarde. Quando terminar o que estou fazendo. — Sua prioridade eram as crianças. Não queria que nada tomasse o tempo delas.

A comunicação com a mãe era assim. Sempre fora. Preocupava-se mais com as irmãs do que com Ginny. Guardava ainda muitos ressentimentos, lembranças de pouca intimidade e de uma vida familiar extravagante. Ginny estava lá, sem nunca ter estado. O maior objetivo da vida de Annette era estar sempre por perto.

Só estando louca é que deixaria que sua mãe interferisse nisso agora.

Mas o dia havia terminado. Nat e Thomas já estavam na cama, e os três mais velhos estariam estudando ou falando ao telefone. Cada um deles lhe dera um beijo caloroso de boa-noite.

Annette vestiu a camisola e escorregou para a cama ao lado de Jean-Paul. Ele estava recostado nos travesseiros, os óculos de leitura pousados no aristocrático nariz gaulês que as gêmeas herdaram generosamente, as longas pernas nuas relaxadas sob os lençóis.

Só então, com a promessa do conforto do marido ao seu alcance, ela abriu a carta e começou a lê-la. Quase imediatamente ela bufou.

— *Quoi?* — quis saber Jean-Paul.

— Ela começa dizendo que presume que nós sete estamos bem, uma vez que não ouviu o contrário de minhas irmãs. Coitada. Ainda finge que somos uma família feliz. Mas nem Caroline nem Leah saberiam se um de nós estivesse doente. Não falo com elas há meses.

— É triste — disse ele, pensativo. — Como se sentiria se nossos filhos crescessem e nos considerassem dois estranhos?

— Péssima, é por isso que eu os crio para serem amigos. Não precisam implorar tempo e atenção a mim, como minhas irmãs e eu tínhamos que fazer com Ginny. Tenho vários motivos para agir assim.

Voltou-se para a carta, apenas para resmungar um minuto depois. — Ela voltou de Palm Springs, dizendo que a Filadélfia é mais calma... — Annette suspirou. — Oh, meu Deus. Ela vendeu a casa. E comprou outra no *Maine*? — Franziu a testa para Jean-Paul. — Isso não faz sentido.

— Por que não?

— Mamãe é antes de tudo muito ligada à sociedade. Não conhece *ninguém* no Maine. —Continuou a ler a meia-voz. — E nem ao menos é em Portland. É uma cidadezinha costeira e, pelo que ela diz, parece que é uma espécie de colônia de artistas. Vai fazer setenta anos. — Novamente, Annette ergueu os olhos para o marido, dessa vez para que ele a tranqüilizasse, pois, por mais que desaprovasse o comportamento de Ginny como mãe, a questão da idade era perturbadora. — Setenta anos é o fim da vida.

— Seu pai era mais velho quando morreu.

— Mas a mamãe é diferente. Não aparenta ter nem sessenta.

— Ela é mulher, e você se parece com ela.

— Eu não. Não me pareço nem um pouco com ela. — Voltando-se para a carta, Annette escapou do olhar contestador de Jean-Paul, e em seguida teceu um comentário ameno. — Star's End, o nome do lugar, é um presente de aniversário que ela está se dando. Diz que tem um lindo jardim. Leah vai vibrar com a notícia. Vai poder podá-lo e ajeitá-lo como bem entender. Obviamente não vai haver ninguém no Maine para admirar a incrível paisagista que ela é.

— Annette... — ele ralhou.

Mas Annette tinha suas queixas. — Não importa. A mamãe vai estar lá para bajulá-la. Leah sempre foi sua favorita.

— Já chega.

— É verdade. Leah era a única de nós que gostava de ir ao Country Club. Ah, não. Ela diz que quer me pedir um favor. — Annette soltou um risinho nervoso. — Diz que sabe que eu posso recusá-lo. Que intuição a sua, Ginny.

— *Annette.*

Finalmente sentiu uma pontada de culpa. — Desculpe. Tenho dificuldade em ser generosa quando se trata da minha mãe. — Continuou a ler em silêncio. O silêncio se estendeu, até que Jean-Paul o quebrou com o farfalhar dos papéis ao colocá-los de lado.

— *Quoi?*

— Ela é inacreditável. Sério. — Examinou o conteúdo do envelope e o jogou aos pés da cama. — É uma passagem aérea. Quer que eu passe as duas últimas semanas de junho ajudando-a a arrumar a casa. Diz que sempre achou nossa casa acolhedora. Como se a decoração a fizesse assim. Será que ela não compreende que isso vem dos seus moradores e não das coisas?

— Quer que você *decore* a casa que ela comprou?

— Não é exatamente decorar. É mais para inaugurar o lugar.

— Parece divertido. — A observação de Jean-Paul foi tão séria que Annette virou-se e olhou para ele, estupefata.

— Eu não vou!

— Por que não?

— Tenho meus compromissos aqui, muito mais importantes para mim do que fazer um favor para minha mãe. Não posso simplesmente arrumar a mala e me ausentar por duas semanas. Não lhe devo nada. Ela nunca fez isso por mim. Além do mais, seria diferente se ela também mandasse passagens para você e as crianças, mas isso não é do seu feitio. Ela não faz *idéia* do que a minha família significa para mim.

— Deve ter imaginado que as crianças estariam na escola.

— O fato de ela ter imaginado errado demonstra o quanto é indiferente. Será exatamente o período de férias das crianças. Thomas e Nat ficarão impossíveis até que saiam para o acampamento, e nem Robbie nem as meninas começarão a trabalhar antes do fim do mês. Essas duas semanas seriam as *piores* para eu viajar. Não que eu queira ir, é claro.

—Sua mãe admira o seu bom gosto.

—Ah, sei.

—Do contrário não lhe pediria esse favor. Não pediu para Caroline ou Leah.

Annette tinha que admitir que estava orgulhosa. Das três, ela era a que mais personificava o que Ginny tentara ser, sem sucesso.

Jean-Paul ficou em silêncio. Como não voltou à sua leitura, ela lhe deu uma cotovelada. O marido pôs de lado os óculos e disse:

—Acho que devia ir.

—Está fora de questão.

—Ela está lhe pedindo um favor. Sim, eu sei que você não lhe deve nada, mas ela lhe deu a vida. Do contrário, eu não teria você, e nossos filhos nunca teriam nascido. Ela é sua mãe, Annette.

—Mas precisam de mim *aqui*.

— Ora, é o que todos acreditamos — disse ele com um suspiro — mas não seria bom descobrirmos que podemos sobreviver por duas semanas sem você?

—Claro que podem.

—Podemos? Não saberemos até tentarmos.

—Mas é uma *época ruim*.

— Na verdade — disse ele pausadamente — não é uma época ruim. Rob e as meninas estarão aqui para olharem Thomas e Nat. Podem se revezar planejando atividades para mantê-los ocupados.

Annette apoiou-se sobre o cotovelo e se pôs a estudá-lo. — Está falando sério?

Algum tempo depois ele lhe respondeu com um ponderado "sim".

— Mas é minha *mãe*, Jean-Paul. Sabe como me sinto a seu respeito.

— É, eu sei. Mas nunca entendi por quê. O que ela fez de tão terrível?

Annette empurrou o travesseiro contra a cabeceira da cama. — É o que ela não fez. — E deixou o corpo pesar contra o travesseiro, privando o marido de sua intimidade como punição por duvidar dela. — Ela foi uma mãe autômata. Fez tudo o que tinha de fazer, mas nunca se envolveu emocionalmente. Intensamente. Contei a você sobre o episódio do quarto. É um exemplo perfeito.

— Nunca achei nada de errado no que ela fez.

— Jean-Paul — reclamou ela — ela me tratou como se eu fosse nada!

— Por que ela redecorou o seu quarto enquanto você estava no acampamento de verão?

— Porque ela não me consultou. Não perguntou o que eu achava da idéia. Não perguntou se eu *queria* que fosse modificado. Não, *ela* decidiu o quê e quando deveria ser feito, e não foi só comigo. O mesmo aconteceu com Caroline e Leah. Ela invadiu nossos quartos naquele verão sem a menor consideração, sem respeitar quem éramos. Voltamos para casa e encontramos quartos novos, lindos, quase idênticos, e completamente sem personalidade.

— Ela só queria que seus quartos ficassem mais bonitos.

— Ela fez o que *ela* queria, não o que *nós* queríamos. Não se importava com isso, e é aí que quero chegar. Ela nunca esteve em sintonia conosco, com nossas vidas. Nunca deixou que fizéssemos parte de sua vida. Quando crianças, sempre achamos que ela não nos aprovava, que não despertávamos o seu interesse. Que havíamos feito alguma coisa errada.

— Talvez esse fosse o seu jeito. Nem todo mundo é caloroso como você. Nem todo mundo consegue se envolver emocionalmente com a família.

— Mas nos custou caro essa constante sensação de não conseguirmos agradá-la. Caroline ficou obcecada em ser a melhor advogada do mundo, e pode até ser mesmo, embora ainda que tenha se tornado uma pessoa fria. Leah ficou obcecada em ser amada, e pode ter conseguido, por uma ou outra noite.

— E você ficou obcecada em ser a melhor mãe do mundo.

— Obcecada, não. É uma palavra muito forte.

— Mas exata. É o que você mais quer na vida.

— Pode ser — admitiu ela — mas o que há de errado nisso?

— Nada. Só que tem medo de nos deixar por duas semanas.

— Não tenho medo.

— Acho que tem.

Annette ficaria ofendida se não tivesse certeza do

amor de Jean-Paul. Mas, acima de tudo, eles eram amigos.

— Explique-se melhor — pediu.

Ele levou um segundo e então falou com sua voz macia: —Nós somos a sua vida. Você se dedica exclusivamente a nós. O amor nessa família caracteriza tudo o que você não teve quando menina. Tem medo de perdê-lo.

Annette sacudiu a cabeça, mas ele prosseguiu.

— Acha que estará sendo negligente, como sua mãe, se não estiver aqui para nos alcançar um lenço quando espirrarmos. Tem medo que deixemos de amá-la.

Ela resfolegou. — Não sou tão má assim.

— Mas tem medo. Tem medo de que se não estiver emocionalmente envolvida nas vidas de nossos filhos, eles irão se ressentir e se afastar de você, do mesmo modo que você se afastou de sua mãe.

— Toda mulher teme o dia em que os filhos voarão do ninho.

— Mas você não precisa temer — disse ele com veemência. — Seus filhos a amam. Reconhecem o seu amor e tudo o que faz por eles. A experiência que têm com você é totalmente diferente da experiência que você teve com Virginia. Estão ligados a você, Annette. Se não estiver presente, sentirão sua falta.

— Aí está. É por isso que não vou aceitar o convite de minha mãe.

Sua voz assumiu um tom grave. —Mas eles precisam saber que podem sentir sua falta e continuar vivendo. Faz parte do crescimento. Precisam aprender a viver sem você, para então se sentirem felizes com a sua volta.

— Mas por que tenho que deixá-los quando não é preciso?

— É preciso. Às vezes você se envolve demais, Annette. Precisa deixar as crianças respirarem.

— E você? — inquiriu, aflita. — Também precisa respirar?

Ele sorriu. — Ah, eu respiro bem com você ao meu lado. — Mas o sorriso em seu rosto foi sumindo lentamente. — Mas *você* está precisando respirar.

— Eu respiro quando estou com minha família.

— Você precisa entender que é um indivíduo. Todo mundo o é. Eu tenho o meu trabalho. Mas para você, o trabalho é a casa, a casa é o trabalho e não existe distinção, não existe um meio de colocar tudo isso em perspectiva. E há ainda a sua mãe. Você tem razão. Ela está ficando velha. Chegar aos setenta é uma dádiva. Não se sabe quanto tempo ela ainda terá pela frente.

— Foi o que ela disse — murmurou Annette —, implorando por compaixão.

— Precisa fazer as pazes com ela.

— Estamos em paz.

Ele a estudou, sacudiu lentamente a cabeça e se calou.

— Ora, é um tipo de paz — contra-atacou Annette, embora não parecesse concordar com o encerramento da carta de Ginny. *Não fomos muito íntimas no passado, mas isso não significa que não podemos nos dar bem. Seria maravilhoso passarmos algum tempo juntas. Precisamos conversar.*

— Pode melhorar a situação.

— Mas eu não quero ir.

Ele suspirou. — Eu sei. — Ele a alcançou e puxou para

si. Ela não ofereceu resistência. — Então pense no assunto. Pense em como se sentiria se estivesse com setenta anos e se eu não estivesse mais aqui...

Ela cobriu a boca. — Nem pense nisso.

Jean-Paul pegou sua mão e segurou-a com força. — Mas vai acontecer um dia. Imagine-se com setenta anos, pedindo a um de nossos filhos para ir visitá-la. Como se sentiria se algum deles recusasse?

— Ficaria *arrasada*, mas eu não sou minha mãe. Duvido que ela se importe muito se eu vou ou não.

— Se ela chegou ao ponto de mandar a passagem, é porque se importa.

Annette suspeitou que ele estivesse com a razão. Jean-Paul sempre tinha razão nas raras vezes em que discordavam, mas era tão doce ao fazê-lo que Annette só conseguia amá-lo ainda mais.

Claro que as crianças sobreviveriam sem ela. *Claro* que não passariam a odiá-la por passar duas semanas com a mãe idosa. Seria só aquela vez. Não haveria nenhuma formatura, nenhum recital, nenhum jogo durante aquelas semanas. Estaria de volta antes que eles se dessem conta. *Claro* que seu amor por ela não pereceria.

Sua mente sabia de tudo isso, mas, e seu coração? Ah, isso era outra coisa. E, novamente, Jean-Paul tinha razão. Ela estava com medo. Só um pouquinho. De ser como sua mãe.

Três

*L*eah St. Clair morava no elegante Woodley Park. De dia, eram comuns as visitas às embaixadas, ao Departamento de Estado, à Casa Branca e ao Capitólio. À noite, costumava tomar um drinque com alguém de um desses lugares. Lá se encontravam seus amigos, sua roda social. Não que fosse o único círculo de Washington, entretanto, era bastante seleto. Era preciso pertencer ao grupo, freqüentar as festas, quaisquer que fossem seus propósitos — políticos, beneficentes ou apenas sociais. Leah sabia exatamente com quem conversar e o que dizer. Articulada, ela dominava qualquer assunto com desembaraço.

Naquela noite, havia oferecido um jantar para vinte e quatro convidados. Quando os últimos se foram e os responsáveis pelo serviço de *catering* juntavam a louça na cozinha, ela vasculhou a sala de estar, catando migalhas, limpando marcas de copos molhados e líquidos derramados sobre os mármores, vidros e madeiras.

Grande festa, Leah. Ótima comida. Lindas flores.

Parou um instante para admirar os lírios escarlates e brancos que cravejavam os jarros de cristal em elegantes trincas. Aproximando-se, deixou-se envolver por seu perfume. Não era o seu favorito; preferia o do lilás ou o da madressilva. Entretanto, o aroma dos buquês de lírios era mais agradável do que o cheiro de charuto que pairava nos cantos da sala.

Resistiu à vontade de escancarar as janelas. Seria uma tentativa inútil. O ar noturno de abril era quente e úmido, e não possuía o frescor renovador de que necessitava.

Recolheu os restolhos das velas dos castiçais de prata e raspou os pingos de cera, escorrendo-os para a palma da mão, junto com os enfeites de prata que decoravam a mesa.

Apresentação impecável, Leah. Simples, mas alegre. Reluzente. Sofisticada.

E a comida estivera *excelente* — o filé preparado na manteiga estava macio, o molho *béarnaise* perfeitamente picante. Mesmo a elaborada salada verde, cuja preparação teve que supervisionar ela mesma, estava divina.

Leah franziu a testa diante da mancha cor-de-rosa no tapete oriental do gabinete. O que antes fora um bom Bordeaux transformar-se-ia numa mancha permanente. Relutando em deixar que isso acontecesse, arregaçou o vestido longo e ajoelhou-se. Borrifou a mancha com um produto de limpeza e esfregou-a com um pano, repetindo o gesto várias vezes. Pouco a pouco a nódoa começou a desaparecer. Continuou a borrifar e esfregar até que ficasse apenas uma sombra. Então sentou-se aliviada.

— Estamos indo, Srta. St. Clair — chamou o responsável pelo *catering*.

Satisfeita, sorriu para ele e acenou, sem se levantar. Já havia agradecido e oferecido uma boa gorjeta aos seus auxiliares. A experiência lhe ensinara que a conta pesada chegaria pelo correio no dia seguinte.

A porta foi fechada. No súbito silêncio que se seguiu, seu contentamento se desfez.

Retornou à mancha no tapete a fim de mensurá-la, em seguida se levantou e olhou à sua volta. Aquela era a sua casa, no entanto, passada a invasão dos estranhos da noite, encontrava-se agora um tanto diferente. O vazio era árido, os vestígios da festa, tristes. Sentia-se desamparada, abandonada num lugar de sorrisos congelados.

Uma boa limpeza daria um jeito na situação. Quando a empregada terminasse tudo na manhã seguinte, a festa ficaria no passado, a fumaça de charuto teria se dissipado, o lugar voltaria a ser o seu lar, e ela teria chance de relaxar.

Leah ajeitou uma poltrona fora do lugar, endireitou os porta-retratos, juntou alguns guardanapos de papel esquecidos pelos cantos.

Fora uma festa e tanto. Uma festa e tanto. As conversas fluíram, algumas intrigantes, outras divertidas. As pessoas aborrecidas do grupo mantiveram-se surpreendentemente caladas. Leah tentou se lembrar do ponto alto da noite, mas os detalhes confundiam-se com outras festas, em outras ocasiões.

Sentindo-se subitamente desnorteada e precisando de descanso, apagou as luzes e venceu os dois lances de escada até o quarto. Ali, no escuro, despiu-se do longo e elegante vestido branco que alegrara a noite, e, apenas com a combinação de seda que usava por baixo, parou diante da janela. Lá embaixo, o pátio não passava de um brilho âmbar por entre os ramos de flores em botão, uma imagem difusa de bancos e cadeiras de ferro fundido dispostos de forma a favorecer o jardim urbano.

A idéia de poder trabalhar no jardim no fim de semana lhe trouxe uma certa tranqüilidade.

Deixou-se cair sobre o parapeito da janela, apoiando as costas na parede pintada de verde. Adorava aquele quarto, o contraste das paredes com a mobília de vime branco, adorava a vista para o jardim. Os vizinhos costumavam reclamar do pouco espaço nos cômodos do terceiro andar, mas ela não era da mesma opinião. A pequenez do ambiente lhe trazia conforto. Achava o lugar aconchegante, acolhedor. As paredes definiam um segmento do mundo abençoadamente familiar e seguro.

Lentamente, ela moveu a cabeça para frente e retirou os grampos que prendiam seus cabelos num coque há tantas horas. Correu os dedos entre os fios soltos. Livres, seus cachos louros ganharam volume e acolchoaram sua cabeça quando tornou a recostar-se na parede.

Pensou na festa, enquanto fitava o jardim. Escutou o silêncio.

Suspirou uma vez, e mais uma, e quando se cansou de olhar a vista, Leah fechou os olhos. Estava cansada. Era isso. E às vésperas do período que sempre a deixava deprimida. Por isso, é claro, não pôde evitar o abatimento. Tarefa cumprida. Nada mais tinha a fazer senão planejar a próxima festa.

Abriu os olhos diante da incrível idéia. Iria redecorar a casa. Seria bom para reanimá-la. A sala de estar ganharia um novo papel de parede. Não, a cozinha. Um fogão mais moderno. Dessa vez, um maior, profissional. Adorava cozinhar. Se oferecesse três jantares pequenos para oito pessoas, ao invés de uma grande festa para vinte e quatro, poderia cozinhar ela mesma.

Não que seus amigos fossem apreciar. As mulheres do grupo sentir-se-iam ameaçadas, o que certamente atrairia comentários maldosos. Leah não precisava daquilo. Já era bastante insegura.

Ainda assim, investiria no fogão. Poderia cozinhar para si. Ou preparar a sopa dos pobres.

Dirigiu-se à poltrona no canto do quarto. Um xale de *cashmere* jazia sobre o encosto. Transferiu-o para as suas costas, mergulhou na almofada macia da poltrona e encolheu os braços e as pernas. Cobriu o corpo com o xale, deixando apenas a cabeça de fora.

Talvez um fogão.

Mas o fogão podia esperar. O verão se aproximava, e ela partiria — presumindo que podia decidir sobre seu destino. Ponderara sobre as sugestões de seu agente de viagem, mas Hong Kong era agitada demais, Costa Rica, quente demais, e Paris era para os amantes. O Alasca era uma possibilidade; o cruzeiro marítimo que o agente propusera seria curto e pessoal. Talvez não se sentisse tão perdida quanto numa viagem mais longa.

O que realmente queria era fazer uma excursão rural. Os romances do Velho Oeste exerciam uma certa atração sobre ela.

Mas nunca fora uma exímia amazona, e duvidava se sobreviveria a uma viagem desse tipo, ainda que fosse com um amigo, embora nenhum dos seus quisesse acompanhá-la. Suspeitava que tais excursões, mesmo as luxuosas, eram para serem sonhadas e não vivenciadas.

Ainda assim, não haveria problema em dar uma olhada. Havia solicitado informações. Imaginou quando chegariam.

Pensando nisso, lembrou-se de que não havia verificado a correspondência. O carteiro havia passado mais tarde, quando ela se preparava para a noite.

Segurando o xale contra o corpo, desceu descalça os dois lances de escada até a cozinha, onde ficava a correspondência, escorada entre duas reluzentes latas de cobre. A expectativa a animou. Adorava olhar a correspondência. Sempre havia a chance de receber alguma carta, alguma notícia totalmente inesperada. Esperava que sua vida desse uma excitante guinada.

Correu as cartas com os dedos. A informação sobre a excursão não havia chegado. Nem tampouco havia carta de algum admirador secreto que resolvera se declarar. A única comunicação que chegara naquele dia com um quê de surpresa era de sua mãe.

A experiência lhe ensinara que daquela fonte viriam poucas palavras de carinho. Mas a esperança era a última a morrer, mesmo após anos de frieza. Excitada, apesar de tudo, rasgou o envelope pesado e leu o seu conteúdo. Parou no meio da leitura a fim de retirar as passagens de avião. Ao terminar a carta, Leah a enfiou de volta no envelope junto com as passagens, levando tudo consigo para o quarto. Após ligar o abajur ao lado da cama, aninhou-se sob o cobertor, tirou a carta do envelope e tornou a lê-la.

Não eram exatamente palavras de carinho. Mas certamente naquelas palavras havia elogios e, de certa forma, adulação. Virginia St. Clair não distribuía elogios facilmente, mas não por arrogância, orgulho ou por possuir padrões inatingíveis. Só recentemente Leah passara a compreender tal coisa. Na verdade, quando a lisonja era merecida, sua mãe nunca se lembrava de fazê-la.

Leah recusou-se a considerar as razões para não ir ao Maine. Na verdade, pegou no sono, refletindo sobre o pedido de Virginia, e adormeceu acalentada por sonhos e esperanças.

Excitada, acordou às oito da manhã e riu do espanto da faxineira, que não estava acostumada a vê-la de pé tão cedo. Mas Leah era mesmo imprevisível. Amarrou o cabelo para trás, vestiu um *tailleur* de seda e entregou-se à tigela de framboesas com creme que estava sobre a mesa do pátio. Sorveu o café, enquanto lia o jornal e aguardava o momento propício — com bem-humorada impaciência — até que fossem dez horas. Só então ousou telefonar para a mãe.

Virginia não estava.

— Tão *cedo*? — perguntou Leah, desapontada.

— Foi ao cabeleireiro — informou-lhe Gwen, que era mais do que uma empregada. Era o braço direito de Virginia. — Receio que vá ficar lá até o meio-dia.

Leah não desistiu. — Então vou tentar ligar às doze e quinze.

— De lá, ela vai direto para o clube.

— O almoço não deve durar muito tempo — insistiu.

— Tentarei às duas.

— Depois do almoço ela vai jogar bridge.

Os ecos do passado se fizeram ouvir. Quando não era uma coisa, era outra. — E depois disso? — perguntou Leah, agora cautelosa.

— Creio que — disse Gwen apologeticamente — ela vai estar na costureira. Os Robinson vão dar uma recepção hoje à noite, e o vestido novo que sua mãe encomendou está atrasado.

— Ahhh — disse Leah. Vestidos novos para recepções tinham prioridade sobre as filhas. Qualquer idiota sabia disso.

Imaginou que pudesse pegar Virginia em casa nos poucos minutos em que ela estaria se preparando para a festa, mas subitamente lhe pareceu que não valeria o esforço. Após dizer a Gwen que não deixaria recado, desligou o telefone e discou outro número. Como o anterior, fazia tempo que não discava aquele.

Horas mais tarde, afundada num canto do velho sofá de couro de Ellen McKenna, ela abriu seu coração. — Fiquei excitada a noite passada, só imaginando que talvez mamãe estivesse precisando do meu consolo, que talvez quisesse *realmente* ficar comigo. Então tentei lhe telefonar esta manhã, mas ela estava fazendo coisas que para ela são mais importantes do que eu. Está certo. Eu aceito os fatos. Nada mudou — o que faz tudo isso parecer absurdo.

— Tudo isso o quê?

— Sua carta. O fato de ter vendido a casa, o que é uma mudança e tanto. A mamãe é uma criatura social. Não posso acreditar que esteja deixando a civilização.

— E está? — inquiriu Ellen com seu modo gentil, sem imprimir um tom de julgamento na voz. Ela era quase tão *mignon* quanto Leah, embora fosse vinte anos mais velha e tivesse os cabelos grisalhos. O fato de se parecer fisicamente com Virginia era algo que elas já haviam discutido longamente. — O que sabe sobre Downlee?

— Apenas o que ela escreveu na carta, que é uma cidade pequena. Mas a mamãe não é do tipo cidade-pequena. Viveu a vida inteira numa metrópole.

— Talvez esteja querendo morar em outro lugar.

Leah considerou a hipótese, apesar de achá-la improvável. O sonho dourado de Virginia, se é que tinha um, era um mistério para Leah. — Mas se isso tivesse passado em sua cabeça — pensou alto — ela já não teria mencionado o fato comigo no ano passado? Passamos um bom tempo juntas em consultórios médicos. Se aquela não foi uma boa oportunidade para refletir sobre a morte e sobre os sonhos que podem ou não se realizar, qual seria então?

Ellen permaneceu em silêncio.

Após alguns minutos, Leah falou: — Eu sei. Ela nunca foi de dividir os problemas. Após ter guardado seus planos para si durante todos esses anos, isso não me surpreenderia. — Leah tentou recuar, como Ellen a havia ensinado em quatro anos de terapia, e encarar suas expectativas e emoções mantendo uma certa distância e, portanto, de maneira mais objetiva. — Eu esperava que o ano passado tivesse feito alguma diferença. Eu lhe dei o meu apoio. E ela me agradeceu por isso. Mas o pior passou e isso foi tudo. Ela seguiu seu próprio caminho, sua vida independente, como sempre.

— O que você gostaria que ela fizesse? — perguntou Ellen, calmamente.

— Um buquê de flores, um telefonema de vez em quando, um convite para ir a Palm Springs. Droga — Leah fez um gesto com a mão. — Sei lá. Gostaria de almoçar com ela e conversar. — Franziu o cenho diante da carta que jazia aberta em seu colo. — Ela diz alguma coisa aqui. No final. Diz que se arrepende de nunca termos feito isso, conversado de verdade, e que espera que possamos fazê-lo no Maine. Diz que está ansiosa para passar uns tempos em minha companhia. — Leah jogou a carta para o lado. — Um leopardo pode mudar suas pintas?

— Pode ser uma reação retardada ao fato de ter se defrontado com a morte no ano passado — sugeriu Ellen.

— Eu engoliria isso, se ela tivesse ficado em casa, aguardando meu telefonema. Ou se tivesse deixado um recado com Gwen para saber o dia de minha chegada. Gwen faz qualquer coisa que a mamãe queira. Mas ela não estava. Como se não se importasse, de uma forma ou de outra, se eu fosse aceitar ou não o seu convite. — Leah suspirou. — Está certo. Então ela quer conversar. Mas a mamãe é uma pessoa superficial. As discussões subjetivas lhe provocam *delirium-tremens*. Ela as evita como se fossem pragas.

Isso não explicava as palavras que ela havia escrito, nas quais Leah se agarrara, contrariando seu próprio julgamento. — Talvez ela queira mesmo conversar. Talvez queira tentar. E talvez, sendo mais realista, essas passagens sejam sua maneira de me agradecer pelo ano passado. Quer dizer, foi a mim que ela convidou para ir ao Maine, e não Caroline ou Annette.

— Você falou com alguma das duas?

—Não depois que recebi esta carta.

Não foi isso que eu perguntei, disseram as sobrance-lhas arcadas de Ellen.

Leah suspirou. —Já faz algum tempo.

—Ainda não se sente à vontade fazendo isso?

Ela balançou a cabeça. —Quando penso em ligar para Caroline, imagino-a sobrecarregada de trabalho. Ela me considera uma desocupada. Vai achar que a estou inter-rompendo. E quando penso em ligar para Annette, tenho *certeza* de que ela vai estar ocupada com as crianças.

—Isso não quer dizer que ela não queira falar com você.

—Ela nunca me liga.

—Talvez pense que você não quer falar com ela.

—Isso não é desculpa. Ela é mais velha do que eu. Deveria tomar a iniciativa. Além do mais, é a única do tipo familiar. E se me considera da família, deveria me ligar.

—Ela deve pensar o mesmo de você. Deve achar que você tem mais tempo do que ela.

—Quanto a isso não há dúvida. Ela considera a minha vida um desperdício.

—Ela já disse isso?

—Não com essas palavras, mas sei que ela pensa as-sim.

—Como sabe?

Ela sabia, pelas expressões faciais e os tons de voz. Pelos comentários do tipo que fazem as mulheres, indire-tamente diretos. E, para o desespero de Leah, por sua pró-pria hipersensibilidade, que Ellen a ajudara a enxergar, em-bora não a tivesse superado totalmente.

— Acho que — disse ela com um sorriso acanhado — já discutimos esse assunto.

— Não recentemente. Faz meses desde a última vez que nos vimos, Leah. Suponho que não tenha acontecido nenhuma grande revolução em sua vida.

—Nenhuma grande revolução. — Ou teria ligado para Ellen antes. Ela sabia mais sobre Leah do que qualquer pessoa, e se parecia triste ter de pagar alguém para ouvir seus problemas, Leah não se importava. Ellen era a segurança de sua sanidade mental. Valia muito mais do que cobrava.

— Sua vida está tranqüila?

— Tranqüila não é bem a palavra.

— Então escolha outra.

— Monótona.

— E o que mais?

— Chata. — A palavra ecoou no ar.

— Está tão chata assim? — Ellen a incitou.

Leah considerou a pergunta. — Não sei. Chato não é uma palavra forte. Não é ameaçadora. Bem, talvez seja.

— De que maneira?

Leah estudou as palavras. — É assustador pensar que a vida que estou levando agora possa vir a ser a mesma para sempre.

— Não quer que seja assim?

— Parte de mim quer. Fui nomeada presidente da Sociedade do Câncer para o próximo ano. É uma honra. Trabalhei muito para conseguir isso.

— Então o que a assusta?

— O que virá depois. O que está *além* disso. — Ela

suspirou mais uma vez. — Eu sei, eu sei. Se não gosto da minha vida, posso mudá-la. Tenho esse poder. — Ela e Ellen haviam discutido o assunto longamente nas últimas sessões. Nada havia mudado desde então, nem a relutância de Leah em tomar esse poder nas mãos, nem a impossibilidade de Ellen fazer isso por ela. Como sua terapeuta, Ellen só poderia ajudá-la até ali. Cabia a Leah fazer o resto.

— Estou aguardando — continuou. — Estou esperando o momento certo. Quando achar que será uma mudança para melhor, então farei alguma coisa. — Franziu a testa.

— Presumo que vá reconhecer que seja uma mudança para melhor. Minha ficha não é das melhores. Primeiro Ron, depois Charlie. Vamos encarar os fatos. Cometi erros crassos.

— Não ultimamente. Não que eu saiba. Não se condene por coisas que aconteceram há anos. Você era mais jovem, e ingênua. Eu até me permito dizer que se encontrasse Ron ou Charlie agora, não ficaria nem um pouco interessada neles.

— Deus, espero que não. Mas há épocas em que fico desesperada e penso que qualquer um seria melhor do que ninguém. Graças a Deus essas épocas sempre acabam passando, mas elas me deixam duplamente prudente. Talvez prudente demais. A prudência pode ser paralisadora.

Após algum tempo, Ellen perguntou: — E como está se sentindo? Paralisada?

— De certa forma. Estou confusa. Preciso conversar com alguém que me conheça bem.

— Você tem amigos.

Leah fitou as próprias mãos. — É difícil confiar nas

pessoas que conheço. A fofoca... bem, faz parte da vida delas. Quando vemos as mesmas pessoas todas as noites, eventualmente não há mais nada a se dizer umas às outras, então acabamos falando de algo que ouvimos dizer. Não há a intenção de fazer fofoca... bem, pelo menos não entre os bons amigos. Serve apenas para preencher um hiato na conversa. — Ela ergueu os olhos. — Não estou justificando nada. Odeio fofoca. Mas não posso condenar ninguém por isso. Não posso dizer que meus amigos sejam maus só porque de vez em quando soltam alguma coisa que ouviram. — Leah sabia que parecia estar na defensiva, mas precisava chegar onde queria. — Gosto dos meus amigos. Só preciso ter cuidado com o que possa vir a lhes contar, só isso. — Ela sorriu. — Por outro lado, com você estou protegida pela ética e posso lhe contar o que quiser.

Ellen sorriu. A suavidade que iluminava seu rosto fazia dela a mãe que Leah sempre quisera ter. Não se lembrava de Virginia com tal expressão no rosto. Nunca dera ouvidos às suas angústias.

— Não sei o que fazer, Ellen. Se eu for ao Maine, estarei cedendo à velha e doentia necessidade de que minha mãe me aprove. Se não for, estarei arriscando para sempre o nosso relacionamento.

Ellen meneou a cabeça, concordando. Em parte, era para isso que Leah a procurara. — Fez progressos, Leah. Você tem o controle da situação.

— Era de se esperar, depois de todo esse tempo, não acha? Sim, eu quero que ela me aprove, sempre quis. E tenho consciência disso, o que não faz com que essa minha necessidade desapareça. Daí o dilema. Quer dizer, minha mãe não está me convidando simplesmente para me adu-lar. Claro que ela diz que quer passar um tempo comigo, mas eu acho que disse isso por saber que é a única manei-ra de me fazer ir; mas, na hora H, ela não vai me querer por lá.

—Talvez, devido aos problemas de saúde que lhe con-fiou, ela se sinta mais segura com você por perto.

—Mas ela está bem agora. O médico confirmou. Tudo não passou de um alarme falso que a deixou apavorada. E a governanta vai estar lá com ela. Gwen faz *tudo* para ela. Sem mencionar os homens da mudança, que contarão com a ajuda extra de outros contratados. Sendo assim, estou lisonjeada. Porém cética.

Ellen ficou pensativa. Por que acha que ela escreveu em vez de telefonar?

—Covardia. Achou que eu fosse recusar, então escre-veu e mandou as passagens para dar a impressão de algo consumado. Ou então — concluiu — não passa de uma simples provocação, um espetáculo teatral. Posso escolher um dos dois.

— Qual dos dois faz você se sentir melhor para ir?

— *Nenhum dos dois* me faz sentir muito bem. Gosto daqui. Estou acostumada a estar aqui. Conheço as pessoas daqui, e elas me conhecem.

Ellen ouviu o que Leah tinha a dizer. —Haverá outras pessoas no Maine.

—Não sou muito boa em conhecer pessoas.

—Mas está entediada aqui.

—Entediada, porém acostumada. Além disso, ver mi-nha mãe me deixa com raiva. Ela é sempre tão perfeita-

mente calma e controlada. Mesmo com as coisas do coração, ela sempre foi resignada, conformada com o destino.
Está certo, ela estava escondendo seu medo, mas juro que
bem lá no fundo eu estava muito mais assustada do que
ela. Chego a pensar que é por isso que ela me quis por perto,
para expressar a emoção que não podia expressar, para que
os médicos e enfermeiras pensassem que ela estava se con-
trolando por minha causa. Ela é durona. E mandona. —
Leah não pôde evitar, o veneno lhe escapou. — Quer dizer,
se ela quer se mudar, na sua idade, tudo bem, mas daí a ter
a desfaçatez de me pedir que abandone a minha vida por
duas semanas para ajudá-la? Ela nunca tirou duas semanas
para ficar *comigo*, nem mesmo naquele verão em que estive
doente.

Leah havia sido bulímica aos quinze anos, no tempo
em que a bulimia estava em moda. Após ter desfalecido
certo dia, foi levada às pressas para o hospital, onde permaneceu por um mês. Virginia não lhe dera atenção nos
dias que antecederam o colapso e, nos dias que se seguiram,
ela foi atenciosa, mas não ao ponto de perturbar sua rotina.
Não perdeu nenhum torneio de golfe nos quais estava
competindo.

— Discutiram isso quando estiveram juntas no ano
passado? — Ellen quis saber.

— Não. Não era a hora apropriada para ficar com raiva
dela. Queria ajudá-la.

— O oposto do que ela fez com você. Foi um tipo de
vingança?

Leah fez uma careta. — De certa forma. Não que tenha
funcionado. Minha mãe não é do tipo intuitivo. Minhas

razões não lhe importavam, e não importarão novamente, se eu for para o Maine. Não devia ir. Realmente não devia. Devia lhe enviar as passagens de volta com um pedido de desculpa. Devia lhe dizer que não tenho tempo a perder. — Leah queria muito fazer isso, mas a verdade era que ela tinha tempo. Tinha aquelas duas semanas e muito mais. A menos que decidisse reformar a cozinha. Ou viajar. Seria bem feito para Virginia se Leah recusasse seu convite.

Desesperada, ela olhou para Ellen. — Mas não farei isso, farei? Passarei as duas semanas com ela, ainda que não conheça uma alma por aqueles lados, e farei o papel da filha obediente, mesmo que ela não reconheça.

— Talvez ela comece a reconhecer, Leah. Está perto de completar setenta anos. Isso pode estar causando algum efeito sobre ela. Você poderá se surpreender.

— Isso seria ótimo. Acho que é uma das razões para eu ir.

— Qual seria a outra?

— Ela é minha mãe.

— E outra?

— Ela chamou a mim, e não Caroline ou Annette.

— E mais outra?

— Está com quase setenta anos e pode morrer amanhã e me deixar culpada pelo resto da vida, e ainda quero sua aprovação. Pode ser a minha chance. — Última chance, pensou ela. — Ela diz que quer passar um tempo comigo. Diz que quer conversar. É tudo o que eu sempre quis. Como posso recusar? — Leah tentou pensar numa maneira, mas não conseguiu. — Enfim, é isso. Eu não quero ir. Mas *não* posso deixar de ir. — Levantou-se do sofá.

Ellen a levou até a porta. — Há mais uma coisa, Leah. Sobre estar com pessoas novas. Você pode lidar com isso. Provará a si mesma que pode. E mais, sua auto-estima ainda não está como deveria, mas o fato é que está indo para o Maine porque é uma boa pessoa. De verdade. Não é como sua mãe, nem um pouco. Você se importa, e não tem medo de demonstrar. Isso é saudável.

— É, e ao final de duas semanas, quando ela sorrir e me der um tapinha na cabeça me mandando de volta para casa como sempre fez, o que é que eu faço?

— Saberá que tentou de tudo e não tem do que se arrepender. Terá tido duas semanas de férias, terá sobrevivido num ambiente inteiramente novo e voltará sem ter perdido nada. Seus olhos estão abertos, Leah. Sabe o que esperar e o que não esperar. Vai se sair bem.

Nas semanas que se seguiram, Leah se agarrou a esse pensamento, ainda que tentasse encontrar um motivo para não utilizar as passagens que Virginia lhe enviara.

Ligou para Susie MacMillan, cujo terceiro marido era um ex-embaixador que ainda mantinha laços com o corpo diplomático. Eles eram os pilares das reuniões sociais de Leah. — Oi, Susie. É a Leah. Como vai?

— De saída — respondeu Susie com a respiração ofegante. — Mac e eu estamos indo a um jantar na embaixada e depois seguiremos para Newport.

— Estava pensando em preparar algo maravilhoso para o fim do mês — tentou Leah. — Vão estar de volta?

—É pouco provável. Melhor não contar conosco, Leah. Talvez em outra oportunidade.

Leah tentou Jill Prince. Ela e Jill trabalhavam juntas na Sociedade do Câncer. O marido de Jill era presidente de um preeminente grupo de intelectuais de Washington. — Oi, Jill. É a Leah. O que tem feito?

—Nossa, Leah, minha vida está agitada. As crianças estão terminando o ano letivo, então há piqueniques, banquetes, recitais e o que você imaginar, e em meio a tudo isso, preciso aprontá-los para o acampamento. E você, o que anda fazendo?

—Nada demais. Pensei em almoçarmos juntas na semana que vem.

Jill suspirou. —Não vou poder, Leah. Não posso programar nada até as crianças saírem de férias, e depois que estiverem no acampamento, iremos para Quebec. Talvez quando eu voltar.

Leah tentou Monica Savins. Monica não tinha marido nem filhos. Mas tinha namorados. — Adoraria ir para um spa com você, Leah, mas não é uma boa época. — Sua voz assumiu um tom de confidência. — Estou saindo com Phillip Dorian. — Como Leah não reagiu de imediato, ela disse: —Ele está na Sinfônica Nacional! Toca violino! Tem as mãos mais incríveis do *mundo*! —Monica respirou fundo e soltou o ar com um gemido. — Outro dia. Tenho que ir agora. Howard vai me levar para almoçar. Você conhece o Howard. Está na CNN. E novamente ela baixou o tom. — Howard não sabe de Phillip, e não quero que saiba. Não vai dizer nada a ninguém, vai?

Leah prometeu que não, e essa era uma promessa fácil

de cumprir, pois a vida social de Monica a embaraçava. Mesmo porque tinha mais o que fazer. Ligou para um bocado de outras amigas, mas aquelas duas semanas de junho pareciam ser totalmente nulas em termos de acontecimentos sociais. As pessoas estariam viajando ou em suas casas de praia ou visitando os amigos.

Assim sendo, Leah ficaria na fumegante Washington sem ninguém, exceto o fantasma reprovador de sua mãe, a menos que voasse para o Maine.

Algumas coisas pareciam predeterminadas. Essa era uma delas.

Além do mais, sua vida estava paralisada. Ocorreu-lhe que Virginia poderia ser o assunto mal resolvido que a impedia de andar para a frente.

E ela queria andar para frente. De verdade. Logo. A qualquer custo.

Quatro

Caroline torcia para que o problema no motor cancelasse o vôo. Como isso não aconteceu e o avião decolou a tempo, desejou que o tráfego aéreo ou a neblina pudessem causar um atraso ou, melhor ainda, obrigassem o avião a aterrissar em outro aeroporto que não o de Portland. Hospedar-se-ia, feliz, num hotel em Boston, o Providence ou o Hartford, e usando o *notebook* e o fax que trouxera consigo produziria quase tanto quanto se estivesse no escritório em Chicago.

Para sua consternação, o avião tocou o solo do aeroporto de Portland num pouso tranqüilo, suave, e cinco minutos adiantado. A única mala que trouxera — que ela poderia ter levado a bordo consigo com facilidade, mas que despachara, correndo o risco de tê-la extraviada pela companhia aérea — foi uma das primeiras a aparecer na esteira.

Colocou-a no ombro. A pasta onde estavam os autos e a maleta do computador eram mais pesados. Segurando-os firmemente, procurou o telefone público mais próximo e ligou para o escritório.

— Oi, Janice — saudou a secretária. — Cheguei em Portland. Só estou ligando para saber como vão as coisas por aí.

Janice era dez anos mais velha do que Caroline, secretária inteligente e irritantemente intuitiva. — Não aconteceu muita coisa desde que a senhora ligou de O'Hare — disse ela num resmungo. — Timothy ainda está trabalhando no caso Westmore, e Beth, no caso Lundt.

Timothy e Beth eram os associados que Caroline dividia com Doug. Ela os havia deixado com uma pilha de trabalho para ser feito durante sua ausência.

— Alguém me ligou? — indagou.

— Não. Comunicamos a todos que a senhora estava viajando.

— Hum. Bom. Se alguém ligar, você sabe onde me encontrar, não sabe?

— Tenho o número de sua mãe bem na minha frente.

Caroline consultou o relógio. — São quase duas horas. Partirei tão logo o motorista de Downlee chegue. — De onde estava, ela tinha uma boa visão do ponto de táxi e não avistou nada parecido com a camionete de portas revestidas em madeira que Virginia descrevera. — Serão duas horas de viagem. É pouco provável que haja um telefone no carro, então se precisar falar comigo durante essas horas, deixe um recado em Star's End. Falarei com você assim que chegar lá. Doug está aí?

— Aguarde um instante.

Doug pegou o telefone um minuto depois. — Há quanto tempo!

— Só quero que você saiba — anunciou Caroline — que vou estar fora do estado, mas que ficarei em contato.

— O número de sua mãe não saiu do lugar onde você colocou ontem.

— Ótimo. Ligue-me se algo acontecer. Estarei trabalhando aqui. Tenho anotações suficientes comigo para ganhar uma causa, mas se precisarem de mim por aí, poderei voltar em questão de horas.

— Está tudo sob controle — disse Doug.

Era isso que ela temia. — Ainda que seja algo aparentemente insignificante, não hesite em me ligar.

— Caroline.

— Estou indo. E lembre-se. Estarei aqui. — Desligou o telefone antes de acrescentar: — Para minha consternação. — E suspirou. Espiou o ponto de táxi, mas não viu nem sombra da camionete com lateral de madeira. Então pegou novamente o telefone.

— Oi. — E tornou a suspirar. O som da voz de Ben, ainda que num breve olá, era como um bálsamo.

— Oi, linda. Já chegou?

— Estou em Portland esperando o maldito táxi. Foi um erro, Ben. Eu não devia estar aqui. Por que deixei você me convencer a vir?

— Você não deixou. Foi você que veio aqui outra noite e listou as razões para ir.

— E você me deixou vir. Não argumentou. Deixou que eu viesse sem contestar. Devia ter-me impedido, Ben. Você sabia que eu não queria vir.

— Também sei que você nunca se perdoaria se não tivesse ido. Ora, não será tão ruim assim.

— Feliz de você, que ficou — resmungou ela. — Não é você quem vai se ausentar do escritório por duas semanas.

— Para isso levou trabalho com você. Imagine só. Vai poder trabalhar na praia.

— Não creio que o lugar tenha praia. Estou no Maine. Acho que aqui só tem montanhas.

— Então vai trabalhar à beira da piscina. Melhor ainda. Não vai entrar areia em seus processos — disse ele, com uma risadinha.

— Ha, ha.

— É sério. Vai poder trabalhar e relaxar ao mesmo tempo. A mudança de cenário lhe fará bem. Pense só. Não vai precisar ouvir as reclamações de seus sócios, nem as minhas cantadas.

— Gosto das suas cantadas. Foi por isso que o convidei para vir comigo. — Caroline achou que seria bom se Ben fosse com ela, mas ele não concordou.

— Você me convidou porque queria um homem ao seu lado. Mas sua mãe não me convidou. Convidou você. Precisa fazer isso sozinha, linda.

— O que eu preciso agora — disse Caroline — é de um cigarro. Então me ajude, se o táxi não chegar aqui em cinco minutos, vou comprar um maço.

— Não vai, não.

— Se essa é uma amostra dos serviços do Maine, não vou ficar aqui mais do que dois dias.

— Como se você nunca tivesse que esperar por nada em Chicago.

— Eu *sempre* tenho que esperar pelas coisas, mas pelo menos são coisas que eu mesma escolhi fazer. E essa certamente não é uma delas. Teria sido mais fácil se eu tivesse alugado um carro e guiado para lá sozinha. Mas Ginny disse que alguém estaria aqui à minha espera. Já estou aqui há vinte minutos.

— Não é tanto tempo assim.

— Foi tempo o bastante para que todos os passageiros do meu vôo apanhassem suas bagagens e partissem. Só estão aqui agora os passageiros de um vôo que chegou depois do meu. — Ela os observou. — E que grupo estranho.

— Como assim, estranho?

— Variado. Tem gente de todas as idades, tamanhos e estilos. Tem até, por incrível que pareça, homens de terno e gravata. — Seus olhos focalizaram o painel eletrônico acima da esteira rolante. — Vôo de St. Louis via Boston. Isso explica tudo. Ou quase... Ah, meu Deus.

— O que foi?

— Há uma mulher que se parece com a minha irmã, mas não pode ser ela. Minha mãe não falou nada sobre ter convidado Annette.

— É ela?

— Não sei dizer. Está de costas para mim agora. O cabelo é parecido, escuro, na altura dos ombros, mas, na última vez que a vi, Annette o havia cortado e pintado. Ela sempre quis ser loura.

— Mas é a Annette?

— Não sei. Pode ser. Está usando bermuda e blusa. Bonita, tem o estilo de Annette. Mas não pode ser ela — concluiu Caroline. — Devo estar imaginando coisas, já que o avião veio de St. Louis, e estou no meio de um pesadelo. Ginny não faria isso comigo.

—Ela foi clara em dizer que convidou somente você?

—Não. Mas estava implícito. Referiu-se a mim no singular.

A mulher diante da esteira de bagagens consultou o relógio, então olhou para trás, na direção dos telefones públicos onde Caroline se encontrava.

Caroline virou-se, rezando para não ser reconhecida. Precisava de tempo para se recompor. — Se não é ela — disse a Ben — é uma sósia perfeita. Droga, minha mãe me trapaceou. Maldita seja, Ben.

—Calma, querida. Não é tão ruim assim.

Mas Caroline estava furiosa. — Ela me enganou deliberadamente, pois sabia que eu não viria se me dissesse que as outras também estariam aqui. O problema é que ela convidou a *mim* e não a elas. Gostaria de estar no escritório agora. Isso tudo foi um erro. Eu tenho o meu trabalho.

—Seu trabalho vai estar aqui quando você voltar.

—Tenho uma carreira *importante* pela frente. Se um dos meus clientes estiver com problemas, *tenho* que estar aí.

— Seus sócios lhe darão cobertura. Vocês são uma equipe. Seus clientes estarão bem sem você.

—Muito obrigada.

Ele suspirou. —Por favor, Caroline. Sabe o que quero dizer.

— Claro que sei. Passou as últimas semanas dizendo isso. Sou apenas uma advogada presunçosa e dispensável.

— É você quem está dizendo, não eu. Eu quis dizer que você é muito importante para seus clientes, mas que eles não devem significar tudo na vida para você. Eles não merecem. Você tem o direito de sair de circulação de vez em quando. *Merece* um descanso.

—Se eu quisesse um descanso, iria para qualquer outro lugar. Não escolheria ficar com Ginny. — Ela baixou o tom. — Nem com Annette. Por que diabos ela tinha que convidar Annette?

—Deve ter achado que Annette precisava de um descanso das crianças.

— Isso é manipulação. Pura e simples. Um esforço habilidoso com a intenção de deter o controle. Ginny nos quer juntas para que fiquemos juntas. Para fingir que somos uma família. Ela se recusa a enxergar que não temos nada em comum.

—Vocês a têm em comum.

Caroline bufou. — Então é isso.

— É por isso que está aí. Pense nisso. Está aí porque ela é sua mãe e porque ela pediu que fosse. Por isso deve ter convidado sua irmã.

Um pensamento terrível passou em sua cabeça. — E se ela convidou as *duas*? E se isso for uma maldita reunião de família?

—Isso não mudaria seu objetivo principal de estar aí.

Caroline não gostou da idéia de uma reunião familiar. — Talvez eu esteja errada — concluiu. — Talvez nem seja Annette. — Tornou a olhar para a esteira de bagagens. A mulher que ela examinava consultou o relógio e então saiu em direção à cabine telefônica.

Todas as suas esperanças caíram por terra. Girou o corpo e disse a Ben num sussurro: — É ela. Não tenho dúvida. A mãezinha perfeita. A esposa perfeita. Ela e eu não temos *nada* em comum.

— Então ela vai ficar na piscina enquanto você escala a montanha.

— Não está entendendo — sussurrou ela com insistência, vigiando a irmã. Annette estava usando uma cabine próxima à dela. — O problema é que a mamãe deveria ter sido mais clara. Deveria ter-me dito exatamente o que estava planejando.

— Exponha isso a ela.

— É o que pretendo. E vou lhe dizer uma coisa — ameaçou, numa explosão de determinação. — É melhor que ela tenha uma boa explicação para ter-me enganado desse jeito, ou estarei de volta a Chicago amanhã. Guarde minhas palavras, Ben. Estarei de volta amanhã.

Annette sentia-se temerosa. Estivera assim desde o raiar do dia, quando, apesar de sua relutância, Jean-Paul conseguira tirá-la da cama. Não. Estivera assim há semanas, desde o momento em que fora convencida a fazer a viagem — mas como poderia ter negado um pedido de cinco crianças e um pai que insistiam que ela não podia desapontar Ginny? Que tipo de exemplo estaria dando se não fosse? Que tipo de mensagem deixaria aos filhos?

Considerara toda e qualquer possível emergência que pudesse vir a acontecer durante sua ausência, deixara bilhetes para cada um deles e passara horas discutindo planos de contingências com Robbie e as gêmeas. Deixara alguns números importantes ao lado de cada telefone.

Prendera com fita adesiva as instruções de como usar o microondas, a cafeteira, a lavadora e a secadora nos respectivos aparelhos, pois, embora Charlene soubesse como usá-los, era propensa a ataques de alergia que a prendiam em casa pelo menos uma vez por semana.

Annette não deixara nada para a sorte.

Agora, contudo, enquanto aguardava a bagagem, sentia-se apreensiva. Robbie levara Thomas e Nat para andar de canoa em Forest Park, e embora os três fossem bons nadadores, os mais jovens eram iniciantes no esporte. Annette fantasiara um deles girando o remo e atirando o outro na água, Robbie mergulhando para salvá-lo e a canoa emborcando em sua ausência. Devia ter insistido que esperassem o fim de semana para irem com o pai. Mas Thomas e Nat ficaram extasiados com a idéia de acompanhar Robbie, a quem adoravam, e o consentimento de Annette a deixara menos culpada por ter de partir.

— Olá, Charlene. Sou eu. Acabamos de aterrissar em Portland. Os meninos já voltaram?

— Ainda não, Sra. M.

— Mas já é uma e quinze aí. Eles estavam planejando entrar na água às dez. Já deviam ter chegado há muito tempo. Tem certeza de que não ligaram?

— Absoluta.

— Alguma das meninas está aí?

— Não. Estão na piscina de Lauren Kelby.

Annette soltou um gemido. — Está certo, Charlene. Vou tentar novamente assim que chegar na casa de minha mãe. — Desligou o telefone e discou rapidamente para

Jean-Paul, que estava no centro cirúrgico. — Quer deixar algum recado? — perguntou a secretária.

Mas Annette não considerou a situação urgente. Não ainda. — Não o incomode agora. Quando ele tiver terminado, pode pedir para ligar para os meninos e verificar se já voltaram do lago? — A moça lhe prometeu que assim o faria, e Annette discou o último número de telefone, dessa vez para a casa de Lauren Kelby. Supôs que quem atendeu estivesse num aparelho celular e à beira da piscina, como indicava a distorção do som e as gargalhadas ao fundo.

— Oi, Lauren. É a Sra. Maxime. Posso falar com uma de minhas filhas?

— Claro — respondeu Lauren. — Devon, Nicole, é a sua mãe!

Esbaforida, Nicole pegou o telefone. — Mãe! Onde você está?

— No aeroporto de Portland. Nicole, estou preocupada com os meninos. Liguei para casa e Charlene disse que eles ainda não voltaram. Só iam ao lago. Já deviam ter voltado a essa altura.

— Vão ficar para almoçar na Estação Central. Thomas e Nat queriam visitar uma loja de esportes que há lá. Como foi a viagem?

— Boa. — Um almoço na Estação não fazia parte dos planos. — Quando foi que eles decidiram isso?

— Durante o café da manhã, assim que você saiu.

Ela soltou um suspiro. — Estou preocupada.

— Eles estão bem, mãe. Como está o tempo aí?

Annette deu uma olhada para fora. — Bom, eu acho. Ainda não fui lá fora. Estou esperando minha mala.

— Está com a vovó?

— Não. Só vou estar com ela quando chegar a Star's End. Ah. Lá está minha bagagem. Finalmente. Faça-me um favor, querida. Ligue para Charlene e diga a ela onde estão os meninos, pois acabei de ligar para o seu pai.

— Ah, mãe, você não fez isso.

— Ele estava numa cirurgia, mas vai ligar para casa assim que terminar.

— Eles estão *bem*. Estamos *todos* bem. De verdade.

Annette suspirou, e então sorriu. — Não estou acostumada a ficar longe de vocês. Minha bagagem chegou. Tenho que correr. Ligarei assim que chegar a Star's End.

— Não é preciso...

— Falo com você depois. — Mandou um beijo para a filha e desligou a tempo de correr até a esteira e agarrar a maior mala que trouxera. A menor vinha bem atrás. Ao apanhar as duas, dirigiu-se para a porta. Mal havia saído do setor de bagagem, quando parou abruptamente.

Dez passos à frente, olhando para ela de um modo que excluía qualquer equívoco de identidade, estava sua irmã.

— Caroline! O que está...?

Caroline lançou-lhe um sorriso esmaecido. — Como vai, Annette?

— Bem, ahn, surpresa. Não esperava encontrá-la. O que está fazendo aqui?

Caroline examinou-a por um instante e então suspirou. — O mesmo que você, eu acho.

— Mas eu pensei que... — Ela havia pensado que era a *única* convidada de Ginny.

— Eu também. Parece que Ginny está querendo brincar conosco.

Annette estava estupefata. — Deve estar. Eu não fazia idéia. — Se fizesse, não teria vindo. Teria ficado com sua família, onde era seu lugar, e não se sujeitaria ao turbilhão emocional que Caroline lhe causava.

Caroline era a profissional realizada. Mesmo agora, usando *jeans* e blusa de seda, com o cabelo liso e curto, possuía uma sofisticação que Annette, por mais alinhada que estivesse, nunca conseguiria aparentar.

Sentiu-se feliz por estar usando linho naquele dia. O linho não era tão sofisticado quanto a seda. Mas era mais elegante do que o algodão — fato irrelevante, porém era assim que Caroline a fazia sentir, e por isso não queria estar ali. Diabos, Ginny devia tê-la mencionado.

— Chegou agora? — perguntou, na falta do que dizer.

— Agora há pouco. — Caroline olhou por sobre o ombro. — Estou esperando pelo carro que Ginny prometeu, mas parece que... será aquele? Ah, é. Finalmente. — Tornou a virar-se para a irmã e pousou os olhos em sua bagagem exagerada.

— Não sabia que tipo de roupa trazer — explicou Annette na defensiva, e imediatamente arrependeu-se. Com um olhar fulminante para a magra maleta de Caroline, Annette disparou: — Só isso?

— Só — respondeu Caroline, virando-se em direção ao ponto de táxi.

Ocorreu a Annette que nada havia mudado. Caroline continuava tão arrogante como antes. Annette correu para alcançá-la. — Caroline, espere. — Não havia tempo a perder. Se ela entrasse no táxi, tudo estaria perdido. — Tive a impressão de que a mamãe estaria sozinha. Foi só por isso que vim. Mas já que você está aqui, não preciso ficar. Tenho certeza de que ainda posso pegar o vôo de volta para St. Louis.

Caroline estava concentrada no homem alto e magro que se desdobrara para sair da camionete. — Você veio de Downlee?

— Vim. — Ele abriu o porta-malas.

— Caroline?

Caroline atirou sua mala no bagageiro do carro. — Se uma de nós vai pegar o avião de volta, vai ser eu. — Com mais cautela, ela depositou sua pasta de documentos ao lado da mala. — Você não imagina como essa viagem está me consumindo.

— Meus filhos estão de férias — argumentou Annette, assistindo, impotente, ao motorista guardar sua mala na camionete. — Se há uma época em que gosto de estar com eles, é agora. Acho que — avisou ao homem — é melhor devolver minha bagagem.

Mas Caroline tomou a mala menor de sua mão. — Uma vez que nenhuma de nós quer ficar, a única coisa justa a fazer é ficarmos as duas, pelo menos para ouvir as explicações de Ginny. Não sei de você, mas estou me sentindo usada.

Annette estava ligeiramente desesperada. Downlee ficava a duas horas dali. Não entendia como poderia viajar até lá, falar com Ginny e voltar para Portland a tempo de pegar o vôo de volta para St. Louis.

— Entre — chamou Caroline, mais gentil. — Quanto mais rápido chegarmos, mais cedo iremos embora.

Annette olhou para o aeroporto, tristonha, antes de entrar no carro. Os assentos eram de tecido aveludado e pareciam novos. O carro inteiro parecia novo. Ela estava surpresa.

Caroline leu sua mente. —Já sei — murmurou, assim que o motorista deixou o terminal. — Estava esperando um carro empoeirado e desmantelado.

— Acha que a casa é assim? — sussurrou Annette de volta.

— A mamãe aprecia boas coisas, sendo assim creio que não. Mas também não esperava que ela se mudasse para cá.

— Por que acha que ela fez isso?

— Ela disse que era um presente.

— Mas por que iria querer um presente como esse?

— Disse que queria algo mais sossegado.

— Qual será a *verdadeira* razão?

— Quem pode saber?

— Você não falou com ela?

— Não. — Caroline fitou-a. — Você falou?

— Não. — E estava se amaldiçoando por isso. Se tivesse falado com Ginny, ficaria sabendo que Caroline também viria e teria poupado a viagem.

Mas estava feito. Estava ali, pelo menos por enquanto. Não havia nada a fazer senão apreciar a paisagem.

— Então — Caroline começou. — Como vão as crianças?

Annette sorriu. Este era seu assunto predileto. — Estão ótimas. Crescendo. Rob está no último ano.

— O pequeno Rob?

— Você não o vê desde o enterro do papai. Ele já está com dezessete anos.

— Sério?

Annette assentiu. Seus filhos eram seu orgulho e sua fonte de energia, coisa que Caroline jamais entenderia. — Como vai seu trabalho?

— Movimentado.

— Parece cansada.

— Porque tive que fazer das tripas coração para poder viajar. — Ela olhou pela janela, mas a tensão em seu rosto a denunciava. Estava tão irritada quanto Annette. — Como está Jean-Paul?

Annette respirou fundo. — Está na minha lista negra, como dizem. Foi ele quem me convenceu a vir.

— Digo o mesmo de Ben.

— Ainda está saindo com ele?

— Estou.

Annette o conhecera no funeral. — Gostei dele. Pareceu-me ser louco por você.

— E é. — Caroline fez um gesto com a mão. — Não me pergunte. Eu recusei sua proposta. Não estou preparada para o casamento.

E quando vai estar?, pensou Annette, sem dizê-lo. O casamento era uma das coisas sobre a qual ela e a irmã discordavam totalmente. Não havia motivo para retomar a questão agora, não enquanto estivessem confinadas num pequeno espaço de onde não se podia fugir.

Annette se inclinou para a frente. —Sou Annette Maxime. Qual o seu nome?

—Cal.

Cal era pálido, o cabelo grisalho à escovinha, a voz monótona; e embora não fosse do tipo amistoso, Annette precisava matar o tempo. —Ainda estamos em Portland?

—Uhm, hum.

—Por mais quanto tempo?

—Até Falmouth.

—E depois?

—Subiremos a estrada pela costa.

Annette se recostou na poltrona. —Fico pensando se o lugar é pitoresco. Quer dizer, as árvores daqui são bonitas, mas eu esperava mais atrativos.

—Ben disse que o lugar é encantador. Creio que deve ser mais bonito quando alcançarmos o litoral.

A alusão ao litoral, com a imagem de suas ondas, fez Annette se lembrar dos meninos em sua canoa no lago. Olhou para o relógio e imaginou se teriam retornado, ou pelo menos ligado para casa. Inclinou-se para a frente mais uma vez e vistoriou o painel.

— Não tem telefone — murmurou Caroline. — Já olhei.

Annette tornou a se recostar. —Sinto-me ilhada.

—Diga-me. Seu carro tem telefone?

—Todos eles. Por segurança. Se alguma coisa acontecer às crianças, terei certeza de que poderão ligar e pedir ajuda. E no seu? Tem?

—Claro. —Ela hesitou. —Será que Leah tem telefone no carro?

— Na verdade — respondeu, pensativa — acho que a companhia de seguros a abandonou. — Leah era mestre em acidentes de trânsito. — Não tem mais carro. Quando precisa sair, toma um táxi.

— Melhor assim.

— Uhm, hum. Caroline? Acha que ela também vem?

— Não sei — respondeu, virando-se para a janela.

Annette imaginou o que Ginny teria feito, se teria convidado as três, deixando implícito para cada uma que seria a única convidada. Teria sido um equívoco involuntário? Improvável. Ginny sempre agia de maneira deliberada. Claro, se Annette tivesse dito isso a Jean-Paul, ele a chamaria de cínica. Era ela a malvada, quando sua mãe estava envolvida. Pobre Jean-Paul. Nunca entenderia. Não fora criado num mundo de negligência benigna.

Odiando-se pela autopiedade, tornou a inclinar-se para a frente. — Então, Cal. Você nasceu em Downlee?

— Uhm, hum.

— E como é o lugar?

— Pequeno.

— Quantos habitantes?

— Não muitos. A população dobra no verão.

— Então deve estar cheio lá.

— Cheio, não. Só familiares e amigos.

— E os turistas?

— Nenhum.

Voltando-se para Caroline, Annette disse: — É um alívio. Quando vamos a Hilton Head ficamos presos no trânsito até para comprar leite. Odeio isso. Mas as crianças adoram aquele lugar. Alugamos a mesma casa todo ano.

Caroline fez um sinal com a cabeça, concordando. Seus olhos permaneciam fixos na janela. Annette supôs que a irmã estivesse longe dali, ou entediada. Não estava interessada na vida de Annette. O que tornava a conversa um tanto difícil.

Sendo assim, voltou-se para Cal mais uma vez. —Conhece bem Star's End?

—Uhm-hum.

—Como é?

—Bonito.

—Minha mãe me escreveu contando que há muito a ser feito. Lá tem eletricidade, água encanada?

—A casa tem banheiro. Luz também.

Annette sentiu a aridez em sua voz. Provavelmente ele a considerava uma mulher rica e mimada. Imaginou se todos em Downlee achariam a mesma coisa. — Qual o tamanho da propriedade?

—Cinqüenta acres, mais ou menos.

— Existem outras propriedades como essa em Downlee?

— Não. Havia muita gente interessada nela.

Annette não sabia se isso era bom ou ruim. —De quem minha mãe a comprou?

—Mathew Pierce. Um bom sujeito, que morreu.

—Quando?

—Um ano atrás. Morava sozinho, por isso o lugar era abandonado, provavelmente foi o que sua mãe quis dizer. Já consertaram muita coisa.

—Sério? — Annette fitou Caroline, que estava igualmente surpresa.

— Consertaram o quê? — inquiriu Caroline.

— Paredes, piso.

— Quando?

— As obras tiveram início em janeiro.

— Janeiro — repetiu ela para Caroline, que arregalou os olhos, e continuou num tom mais baixo. — Quando ela me escreveu em abril, disse que a casa "precisava" de reparos, insinuando que nada havia sido feito.

— Ela é boa em insinuar coisas.

Annette voltou-se para Cal. — Quem está supervisionando o trabalho?

— Uma decoradora de Boston. Uma moça simpática. Usou a mão-de-obra local.

— Ahhh. Bem, isso é ótimo. — Usando novamente um tom mais baixo, ela perguntou a Caroline: — Se ela contratou uma decoradora, por que precisa de nós?

Caroline resmungou qualquer coisa.

Annette podia sentir o vapor da lenta caldeira. — Ela me disse que queria que eu a ajudasse com a decoração.

— O mesmo para mim. E que queria passar um tempo comigo.

— O mesmo para mim. Ela nos arrastou para cá sob falsos pretextos.

— Deliberadamente.

— Mas não somos crianças, somos adultas. Não podemos permitir que ela nos controle dessa forma. O que será que ela está planejando?

— Mal posso esperar para saber.

— É melhor que ela tenha uma boa desculpa — jurou Annette — porque se não tiver, tomaremos um táxi para o aeroporto e iremos *as duas* embora. Seria bom para ela se ver sozinha de repente.

Caroline lançou-lhe um olhar circunspecto. — Sozinha ou com Leah.

Annette fechou os olhos, balançou a cabeça e se deu por vencida. — Ou com Leah — repetiu, suspirando em seguida. — Certo.

Cinco

$\mathcal{L}$eah inspirou profunda e longamente o ar que continha um pedacinho do oceano, das rosas litorâneas e dos abetos vermelhos. Enroscando-se na espreguiçadeira, ela apertou o xale contra o corpo. Por baixo do pano usava um biquíni e um sarongue de seda clara, traje apropriado para uma tarde à beira da piscina, se o sol estivesse mais forte. Entretanto, uma brisa fria soprava do oceano. Graças ao xale, ela estava protegida.

Sentia-se feliz, e preguiçosa, e foi por isso que não voltou a casa para se trocar. E também porque as roupas que trouxera não eram adequadas. Eram finas demais, elegantes demais, chiques demais. Serviram-lhe quando estivera visitando amigos na costa de Maryland e em Newport. Mas Star's End era diferente. Além de lindos, a casa e seus jardins eram também despretensiosos, rústicos e excessivamente autênticos.

A umidade do ar deixara seus cabelos revoltos, mas ela estava adorando tudo aquilo. O ar úmido era revigo-

rante, e o perfume das rosas e dos abetos, estimulantes.
Sentia-se satisfeita.

Escolha outra palavra.

Gratificada.

E o que mais?

Em casa.

Nenhuma das três fazia muito sentido. Dadas as circunstâncias, ela deveria estar se sentindo transtornada. As coisas não haviam saído como planejara.

Deixara Washington na manhã anterior, um dia antes do combinado, mas não vira motivo para esperar. Não tinha nada a fazer na cidade. Além disso, queria surpreender Virginia, e passara grande parte da viagem numa enorme expectativa.

Após ter alugado um carro em Portland, ela guiou para o norte, um tanto apreensiva. Não era uma grande motorista, o sol estava se pondo, e as estradas lhe eram desconhecidas. Ao sair da auto-estrada, deparou-se com vários pontos complicados que o funcionário da locadora deixara de mencionar. Entrou numa curva errada, percebeu o erro e corrigiu o rumo, mas o equívoco lhe custara mais meia hora de viagem. Uma segunda curva errada foi ainda pior, pois acabou por dar numa rua não pavimentada, num lugar ermo e escuro. Ao fazer a curva para retornar, alguma coisa enorme, que ela não vira, fizera um arranhão de meio metro na lateral do carro.

Trêmula, ela parou o carro num restaurante à beira da estrada. Fora do carro, relaxou e encheu-se de coragem novamente. Sua excitação cresceu quando voltou a tomar a estrada, dessa vez munida de mais detalhes sobre o caminho, uma cortesia do dono do restaurante. Quanto mais se aproximava de Star's End, maior era sua expectativa. Adorava surpresas. Sabia que Virginia ficaria feliz. Eram dez horas quando chegou a Downlee, e dez e cinco quando descobriu onde estava. O centro da cidade reduzia-se a uma rua principal estriada por vitrines de lojas paralelas e iluminada apenas pelos veios pálidos da lua baixa. Percorreu a rua, alcançou um trecho de casas espaçosas, dobrou uma esquina e seguiu a rua.

O lugar parecia deserto. Não queria ter que acordar algum estranho. Odiava o fato de ter que se *aproximar* de um estranho. Mas precisava de ajuda.

Rodava em marcha lenta bem no meio da rua, tentando decidir o que fazer, quando uma rádio-patrulha surgiu de repente e aproximou-se lentamente de seu carro. Aliviada, ela abaixou o vidro. O ar marinho tocou seu rosto.

—Boa noite—disse o policial, tocando o quepe. Tinha um rosto arredondado e parecia amistoso. — Algum problema com o carro?

— Estou procurando Star's End — respondeu ela. — Não sei que caminho devo tomar.

— O que quer em Star's End?

—Sou Leah St. Clair. Minha mãe é a nova proprietária.

Ele pôs a cabeça para fora do carro para olhar mais de perto. — Você é filha dela?

— Isso mesmo.

— Não sabia que ela tinha uma filha.

— Na verdade, ela tem três.

— Quantos anos você tem?

Leah não considerou a pergunta relevante e disse apenas: — Sou a caçula. Moro em Washington. Nunca estive aqui antes. Estou muito longe?

— Não muito. O caminhão de mudanças esteve lá hoje. Ficou algum tempo. Ela deve ter muitas coisas. — Ele enfiou novamente a cabeça para dentro do carro, mas seus olhos estavam fixos em Leah. — Está viúva agora?

—Minha mãe? Isso mesmo. Fiquei de chegar amanhã. Estaria aqui bem antes se não tivesse me perdido. Gostaria de chegar em Star's End antes que ela fosse dormir. Que caminho devo tomar?

— Tem que subir a Hullman.

— Não sei onde fica.

— Então é a filha caçula. Quantos anos tem a mais velha?

Considerando que tal pergunta vinha da lei, ela respondeu: — Acabou de completar quarenta. Há alguma indicação dessa estrada?

— Siga-me.

Ela o seguiu. Passados alguns minutos, as luzes de freio do carro da polícia acenderam. Ela encostou ao seu lado.

— Aquela é a Hullman — informou ele, apontando para a direita. — Siga-a até o fim. — Com o toque do dedo no chapéu, ele fez a volta e partiu.

A estrada era escura, as árvores dos dois lados eram demasiadamente densas e não permitiam a passagem da luz. Leah fechou a janela e trancou as portas. Com os faróis altos iluminando o caminho, ela pisou no acelerador. O carro avançou mais rapidamente.

A estrada fez curvas para um lado e para o outro, subiu

e desceu por um tempo que lhe pareceu uma eternidade. De olhos bem abertos, Leah se agarrava ao volante. Receou ter tomado o caminho errado novamente, quando as árvores deram lugar a uma clareira, em seguida a um bosque de árvores e arbustos mais seletos. Só então, quando o caminho fez uma curva fechada, os faróis do carro encontraram a casa.

Prendeu a respiração de tanta alegria. A casa vitoriana era grande, esparramada, parte em madeira, parte em pedra, com dois pavimentos, janelas de empena, um alpendre em arco e um torreão que ancorava uma varanda coberta. De dentro, vinha o brilho acolhedor das luzes.

Leah estacionou na entrada circular para automóveis e desceu do carro em meio a um torvelinho frio e úmido. O barulho das ondas quebrando nas pedras parecia próximo, e no ar havia um cheiro de sal, de mar e de algo levemente doce e familiar.

Seduzida pelo lugar, ela atravessou o caminho de cascalhos, passou pelo alpendre e subiu os degraus largos de pedra da entrada. Tentou a porta da frente, mas estava trancada, então tocou a campainha e esperou, torcendo para que as luzes acesas não fossem apenas um truque para mostrar que havia alguém na casa. Ouviu passos, mas achou que estivesse ouvindo as batidas de seu coração. A ansiedade o fizera disparar. Adorava surpresas.

O rosto de Gwen apareceu sob a luz lateral. Segundos depois, a porta se abriu. — Meu Deus, menina, você me assustou. Não tinha idéia de quem poderia ser a essa hora. Conheço os demônios da cidade, mas isso aqui é novo para mim. Só a esperávamos amanhã.

Leah não conseguiu disfarçar o sorriso do rosto nem a excitação da voz. — Oi, Gwen. Desculpe por tê-la assustado, mas não pretendia chegar aqui tão tarde. Pensei em fazer uma surpresa para a mamãe. Ela já foi se deitar?

— Ela não está aqui — respondeu Gwen, com a voz mais calma.

Leah se entristeceu de repente. — Pensei que ela viesse com você.

— Ela me pediu que organizasse as coisas primeiro.

— Gwen Nmumbi não era uma governanta comum. Era como uma co-proprietária da casa, que fazia tudo que Virginia não podia ou não queria fazer. Recebia um bom salário a fim de que não desejasse retornar à antiga firma onde exercera a profissão de secretária. Gwen gostava do trabalho. Cozinhava, fazia as camas, pagava as contas. Contratava e supervisionava outros empregados quando necessário. Era uma mulher incansável, forte, além de sensível, o que explicava o tom de escusa em sua voz. — Ainda está na Filadélfia.

— Ah.

— Deve chegar amanhã. Disse que ligaria antes.

Leah deu um suspiro. Então não seria mais surpresa, apesar do esforço que fizera. Mas se estava desapontada, a culpa era sua. Deveria ter aprendido a não contar com Ginny.

— Bem, então — disse ela — acho que terei que esperar para vê-la. — Espiou a casa por dentro. — Uau. Tudo é tão novinho aqui.

Gwen a fez entrar para olhar melhor. — É, está ficando. Estão trabalhando aqui há meses.

—Meses? Pensei que ela tivesse acabado de comprá-la.

— Ela a comprou no outono passado, tão logo a puseram à venda. Já estava de olho nela há algum tempo.

Esforçara-se tanto para agradá-la, pensou Leah, sentindo-se magoada, mas não por muito tempo. Seu ânimo recusava-se a ser atropelado. Havia algo em Star's End que enaltecia o espírito.

Gwen a segurou pelo braço. — Venha. Vamos pegar suas coisas, e eu lhe mostrarei o seu quarto, então poderá explorar a casa você mesma. Meus ossos velhos estão começando a doer. Foi um longo dia.

Leah sabia que Gwen devia ter passado horas colocando as coisas em ordem, ainda assim, usando blusa e calças compridas, com um suéter jogado sobre os ombros, ela parecia tranqüila e asseada. Gwen era assim. Alta, esguia e, mesmo aos sessenta, possuía um porte soberano, uma elegância natural. A única coisa que denunciava que estivera trabalhando o dia inteiro eram os tufos úmidos e rijos de cabelos grisalhos que lhe caíam sobre a fronte

Diante do porta-malas do carro alugado de Leah Gwen mostrou-se surpresa.

—Não sabia o que trazer — Leah apressou-se em explicar. — Os suéteres tomam muito espaço. E há também a maquiagem, os apetrechos das lentes de contato e de cabelo... e os livros. Trouxe a maior parte da lista do *Washington Post* da semana passada. Quero estar bem informada quando voltar.

Gwen lançou-lhe um olhar galhofeiro, entregando-lhe duas das malas e levando as outras três, uma em cada ombro e a outra na mão. Pode ser que leia os livros, mas a maquiagem da noite não terá muita utilidade. Ninguém usa isso por aqui.

— Deve haver bons restaurantes.

— *Ninguém* usa isso por aqui.

— Ah — disse Leah com um suspiro, voltando a atenção para a casa.

O vestíbulo era grande. As paredes, recém-pintadas e nuas imploravam por quadros; um tapete oval colossal jazia sobre o piso de tábua corrida e uma longa peça de mármore aninhava-se sob a escada.

Guiada por um corrimão de mogno lustroso, elas subiram os degraus rumo ao andar superior e seguiram pelo corredor. Gwen abriu uma porta e entrou, acendendo simultaneamente um par de abajures de pé e um ventilador de teto. — Sua mãe achou que você gostaria desse quarto.

Leah gostou. Nele havia uma cama grande de quatro colunas, duas mesinhas de cabeceira e uma penteadeira no mesmo estilo. Num outro canto havia um sofá de dois lugares, uma mesa coberta com uma toalha e duas cadeiras. Tudo fora forrado em tons de lavanda e branco, com salpicos de verde, não muito diferente de seu quarto em Washington. Havia ali o mesmo aconchego — o que era estranho, pois este era um cômodo bem mais amplo. Em Washington, uma única janela de sacada dava para o jardim. Ali, quatro grandes janelas davam para o oceano. Quatro. Teria se sentido exposta e vulnerável, mas não se sentiu.

Gwen interrompeu seus pensamentos a fim de lhe mostrar o banheiro. — Seu quarto tem conexão com o do lado. No banheiro há toalhas, sabonete e o que mais precisar.

— Uma banheira — observou Leah.

— Há uma em cada banheiro. Sabe, sua mãe não pensa em economia quando faz as coisas.

— Não me diga.

Gwen era, em última análise, fiel a Ginny. — Meu quarto fica no final do corredor, perto da escada dos fundos. Estou indo para lá, a menos que precise de mais alguma coisa.

Leah assegurou-lhe que não e se virou para as janelas e, mais adiante, para o oceano. O reflexo da lua no mar era deslumbrante, o ritmo das ondas, hipnótico. Empurrou a vidraça corrediça a fim de permitir a entrada da brisa fresca da noite; deitou os braços sobre o peitoril e escutou o barulho das ondas e da sirene que anunciava o nevoeiro nas montanhas Houkabee num zumbido longo, profundo e nasalado. Inspirou o ar salgado e desfrutou o momento. Sorrindo, ela endireitou o corpo. A idéia de ser embalada pela arrebentação era tentadora, mas ficaria para mais tarde. Ainda não estava com sono.

A casa tinha seis quartos no segundo andar e, no primeiro, dois salões, uma biblioteca no torreão e — para o prazer de Leah — uma enorme cozinha nova em folha que se abria para uma sala íntima em desnível, repleta de móveis. Como seu quarto, a sala também fazia face para o oceano. Imaginou que a vista seria espetacular de dia.

As portas envidraçadas na cozinha voltavam-se para um deque amplo que ela presumiu tratar-se da extremidade da varanda coberta. O deque, por sua vez, dava para a piscina de água salgada que Virginia mencionara na carta. Leah parou diante da piscina e observou as árvores à sua esquerda, uma grande área verde à frente e o penhasco à direita.

Estava encantada. Caminhou em direção à beira do penhasco e parou ali por um instante, seduzida pelo cheiro do mar e das flores primaveris, a mesma sensação que a arrebatara assim que chegou a casa. Os pensamentos que povoavam sua mente foram levados pela mesma brisa revigorante de antes. Era um paradoxo que não tentou entender. A sensação lhe bastava. O prazer. O conforto.

Voltou à piscina, mas a idéia de retornar a casa não lhe agradava tanto quanto permanecer ali fora. Sentou-se então na cadeira de balanço almofadada que pendia de um grande galho do único carvalho. Havia ali um aroma silvestre e, somado a ele, uma constante e rica mistura de sal e doce pairava no ar.

Todas as suas tensões, mesmo o estresse da viagem e a decepção por não ter encontrado Virginia, dissiparam-se. Sentia-se leve e feliz. Esticou-se no balanço e recostou a cabeça no encosto, tornou a endireitar-se e retirou os grampos do cabelo. Correu os dedos pelas mechas soltas, sentindo-as se enrolarem e, pela primeira vez, sem se importar. As ondas que se formaram em sua cabeça eram quase tão abundantes quanto a brisa que impulsionava gentilmente o balanço para frente e para trás, para frente e para trás.

Cerrou os olhos e inspirou profundamente.

Quando Leah se deu conta, o dia havia raiado. Para seu espanto, continuava no balanço, e não se sentia doída, e sim inteiramente descansada. Nada lhe parecia estranho; tão logo abriu os olhos, soube exatamente onde estava. Havia no ar algo familiar.

O vento em seu rosto estava mais frio agora do que estivera na noite anterior, mas o resto de seu corpo, sob uma enorme manta de tricô, estava aquecido. Não se lembrava daquela manta, por isso imaginou que Virginia a teria ganho e enfurnado em algum canto. Se assim o fora, havia sido esperta em guardá-la. Seu desenho em *patchwork* combinava com o lugar.

Puxou a manta até o queixo e demorou-se ali mais alguns indolentes minutos. A manta tinha um cheiro agradável de lã e algo mais. Indagou-se quando Gwen a teria trazido.

Gwen não estava por perto, mas havia claros indícios de que estivera ali. As malas de Leah tinham sido desfeitas, as roupas estavam esmeradamente penduradas no guarda-roupa, os livros empilhados, os artigos de toucador dispostos na pia de mármore verde-água. Tomou uma ducha e vestiu um suéter e um *jeans* branco — o par de calças mais informal que trouxera consigo e que ainda assim pareciam inadequados — ajeitou a manta sobre o encosto do pequeno sofá, num gesto de posse, e desceu as escadas.

Um bilhete ao lado de uma cesta de pães doces sobre a bancada de granito no centro da cozinha dizia que Gwen havia ido às compras. Leah serviu-se de um deles, então virou-se e suspirou. Atrás das janelas altas da sala íntima, nos canteiros que se debruçavam sobre o mar, havia uma profusão de flores. Cruzou a cozinha até as janelas e parou para olhar. Liláceas e ásteres, íris lilases, floxes brancos e longos lupinos azuis. Leah rodeou a piscina e descobriu prímulas florescendo ao lado de cravos-de-amor e incríveis papoulas escarlates. Cruzou as portas envidraçadas e a varanda em direção à entrada da casa. Formando uma ogiveta na entrada de carros, parecendo casuais e perfeitamente à vontade, havia pródigas erupções em tons de rosa e branco, azul e amarelo. Peônias e corações-de-maria. Viu as primeiras malvas-rosas e as últimas aquilégias. Viu as dálias recém-plantadas e a promessa de suas flores carmins que começavam a despontar.

Leah prosseguiu com o passeio em torno da casa, onde alissos cresciam baixos e brancos contra os arbustos verde-acinzentados, mas seu olfato a levou adiante, para fora da varanda, do outro lado da relva, em direção ao mar e ao ponto onde se iniciava o penhasco. Ali ela encontrou rosas litorâneas. Sob o sol, elas haviam desabrochado e o perfume que exalavam fizeram-na lembrar da noite passada. Seu cheiro era tão familiar para Leah quanto o seu próprio.

Arrancara uma delas e aspirara seu perfume, fitando o mar, fascinada, quando um movimento atrás dos arbustos a fez estremecer. Havia um homem ali. Estava trabalhando entre as íris, podando as flores secas. Leah imaginou que fosse o jardineiro, embora a distância a impedisse de observá-lo melhor. Podia ver que era alto e, dada a desenvoltura com que executava seu trabalho, ágil, inclinando-se e abaixando-se sem parar. Podia ver que usava *jeans* e uma camisa escura, e que tinha cabelos castanhos. Apenas isso. Pensou em se aproximar dele e cumprimentá-lo, mas algo a deteve. Então demorou-se mais um pouco em meio às rosas e em seguida caminhou de volta para a frente da casa. Atravessava a entrada dos carros, quando deparou-se com ele novamente, e novamente estremeceu. Ele estava mais próximo agora, desaparafusando a mangueira de uma torneira num dos cantos da casa.

Usava uma camisa de brim enrolada até os cotovelos e tinha os braços bronzeados. Seus cabelos voavam com o vento, seu perfil estava sombreado, e as mãos grandes, sujas. Ela observou o movimento de seus ombros à medida que ele enrolava a mangueira, o modo com que os músculos salientes de seus braços se retesavam e se afrouxavam ritmicamente.

Não possuía uma beleza clássica, era musculoso demais, mas havia nele algo de exótico. Era o homem mais másculo que ela jamais vira. Não podia desviar dele o olhar.

Imaginou que estivesse beirando os quarenta. Teoricamente, poderiam ser amigos. Se ela conseguisse se apresentar. Mas sua boca estava seca.

Não sabia se passava por ele ou se voltava, e ainda estava indecisa quando ele ergueu os olhos em sua direção.

Ela sorriu, apatetada, e acenou para ele. Por um instante, parecendo sobressaltado, ele apenas a olhou. Então piscou, fez um gesto solene com a cabeça e acenou de volta. Olhou para ela mais um instante, e então pegou a mangueira e saiu em direção ao jardim.

Leah tomou o caminho oposto, contornou a casa e

tornou a entrar na cozinha. Seu coração estava acelerado. Sorriu quando avistou Gwen, que devia ter voltado enquanto ela estava no penhasco. — As flores são espetaculares — comentou. — Estou espantada que floresçam aqui.

— Oh, elas são muito bajuladas — disse Gwen enquanto enchia a geladeira. — O jardineiro é muito bom. Você o encontrou?

— Agora mesmo. Ele trabalha aqui o dia inteiro?

— Acredite, com cinqüenta acres de terra.

— A maioria é mato.

— Ao contrário. Você viu as flores, mocinha. E *sabe* o quanto elas exigem cuidado.

Leah certamente sabia. Entendia de flores. — Ele veio com a casa ou a mamãe o contratou depois?

— Veio com a casa. Pelo que ouvi dizer, se ele não tivesse cuidado de tudo por aqui quando o antigo dono morreu, a casa estária caindo aos pedaços. Ele mora aqui mesmo, num chalé pegado ao bosque. Ao lado de uma pequena estufa. — Gwen se ocupava de lavar as amoras. — Hum, mas ele é um homem atraente. E eu lhe digo que se ele fosse quinze anos mais velho e negro, aqueles pãezinhos ali sairiam direto do meu forno para o seu chalé.

Leah soltou uma gargalhada.

— Não ria — disse Gwen.

— Desculpe. A mamãe ligou?

— Ainda não.

— Deve estar pensando que estou a caminho. Talvez eu devesse ligar para ela e dizer que já cheguei. Ela não está mais em casa, está?

— Ah, não. Não ficaria lá sem a mobília. Não ficaria lá sem *mim*. Está na casa de Lillian.

— Ahhh. Despedindo-se. Então não vou incomodá-la.

— Ela não vai se incomodar.

Mas Leah não queria se desapontar. Não queria correr o risco de ligar e ouvir Virginia inventar alguma desculpa para não atender o telefone. — Quando ela ligar — disse a Gwen — diga-lhe que já cheguei e que estou impressionada. Vou levar um livro comigo para a piscina.

Foi exatamente o que fez, mas não chegou a ler mais do que uma página. Alguns sons teimavam em distraí-la. Resolveu caminhar por entre os jardins próximos à piscina. Andou até o penhasco e parou para admirar a arrebentação. Deitou-se, ociosa, na espreguiçadeira, com o livro aberto sobre o colo e a mente absolutamente vazia.

O sol subiu alto em direção ao meio-dia, e então começou a descer. Justamente quando começava a sentir fome, Gwen lhe trouxe uma bandeja com chá gelado e um sanduíche de salada de galinha.

— Parece ótimo. A mamãe ainda não ligou?

— Ainda não.

— Ela disse que ligaria antes de sair, ou quando estivesse a caminho?

— Não especificou nada.

— O que você acha?

— O mesmo que você. Ela não deve estar com pressa Sabe que tenho tudo sob controle.

— Também sabe que eu chegaria hoje — lembrou Leah um tanto rispidamente. — Por que acha que ela me chamou até aqui?

— Queria que conhecesse a casa. Sabia que você iria adorar.

— Mas não foi por isso que a comprou. Ela mesma deve adorar isso aqui. Engraçado, não havia pensado nisso. Não combina com ela.

— Talvez seja esse o atrativo.

— Na sua idade?

— Uma dama nunca envelhece — reconheceu Gwen oportunamente.

— Sinto muito. — Leah considerou a melhor maneira de lidar com a situação. — Eu mesma ligaria para ela, se não achasse que já está a caminho, e não estou com muita disposição de falar com Lillian. Sendo assim, suponho que não tenha outra alternativa senão esperar.

A espera seria dolorosa; percebia a impaciência aumentar. Mas apenas em sua mente, pois seu corpo não sentia dor alguma. Fisicamente estava relaxada à beira da piscina. Passara bastante tempo próxima do penhasco. Explorara mais a fundo os jardins.

Sentada sobre a grama cuidadosamente aparada que circundava os canteiros de flores, tentando sem êxito lembrar-se do que fizera nos últimos dois dias, naquela mesma hora em Washington, notou que ele se aproximava. Parecia absurdamente alto. Ocorreu-lhe levantar-se, mas não conseguiu se mover.

Em vez disso, apenas sorriu. — Olá.

— Olá — disse ele de volta. Sua voz era profunda. De perto, seu rosto era másculo, solene.

Ela apontou para as flores. — São maravilhosas.

Seus olhos seguiram a direção de seu dedo, apenas

por um instante. Quando ele falou, estava olhando novamente para ela. Suas palavras fluíam de tal forma que amenizavam sua expressão. — É a umidade do solo que as fazem assim. Quase tudo cresce por aqui.

— A época de crescimento deve ser curta.

Ele deu de ombros. — O clima é mais ameno aqui do que no interior.

— Mas o vento não prejudica as flores?

— Elas são fortes. — Ele se agachou, arrancou uma erva-daninha e socou o solo com os dedos longos e rombudos. — Os delfínios já passaram da época. Deveria tê-los visto na semana passada.

— Ainda estão lindos — contestou ela. Imaginou que se ele vivesse na cidade, precisaria se barbear duas vezes ao dia, de tão cerrada a sua barba. — Vai podá-las?

— Não. Ficarão mais fortes no ano que vem se murcharem naturalmente. Mas podei os floxes para que cresçam mais densos.

Leah percorreu os olhos pelos canteiros. Estavam viçosos, exuberantes. — Tudo parece perfeito.

— Agora, parece. Tentei algumas outras espécies que não vingaram e tive que arrancá-las.

Novamente, os olhos de Leah encontraram os dele. Eram olhos castanhos e estranhamente ternos, mas ainda assim eram solenes. De perto, ela pôde observar as rugas no canto dos olhos e da boca. Ocasionalmente, seus olhos sorriam. De alguma forma.

Leah sentiu novamente uma secura na boca. Não estava acostumada àquele tipo de homem. Não estava acostumada a homens que suavam, a homens que cheiravam feito homem, como o que estava à sua frente.

Mas ele olhava para ela, aguardando uma resposta. Sentindo-se tola, limpou a garganta e imaginou o que dizer.

— Devem ficar coloridas durante todo o verão.

— De certa forma elas se completam. Quando uma espécie está morrendo, outra está brotando.

— Isso é maravilhoso.

— É científico. Planejado no papel.

— Você parece ter estudado o assunto.

— E estudei, um pouco.

— E quanto à prática?

— Aprendi com meu pai.

Algo em sua resposta — talvez sua espontaneidade — deu a Leah forças para se levantar. Limpou os fundos da calça com uma das mãos e estendeu a outra. — Sou Leah St. Clair. A filha da nova proprietária.

Os dedos dele se fecharam sobre sua mão. — Jesse Cray.

Ela meneou a cabeça, engolindo. Dedos quentes, mão forte, olhos profundos, comoventes. De perto, ele era tão natural e rústico quanto Star's End. Ela estava totalmente intimidada e intrigada. Leah o achou interessante.

— Veio para ajudar na mudança? — perguntou ele de modo corriqueiro.

— Gwen e os homens da mudança já fizeram praticamente tudo. Estou só aguardando a chegada de minha mãe.

— Quando ela deve chegar?

— Ontem. Agora, hoje.

—Ela vendeu a casa na Filadélfia?

—Uhm, hum.

—Então ela vai morar aqui?

—É o que parece.

—Ela se parece com você?

Leah franziu o cenho. —Não a conhece?

Ele balançou negativamente a cabeça.

—Pensei que você morasse aqui.

—E moro.

—E não a conheceu quando ela veio ver a casa?

—Ela não esteve aqui.

Leah estava surpresa. —Não esteve *aqui*?

—Eu saberia se ela tivesse vindo — respondeu ele com convicçao.

—Estranho. É inacreditável que ela tenha comprado uma casa que nunca viu. — O fato de sua mãe ter tomado uma decisão cega a intrigou.

Leah tentava extrair algum sentido daquilo tudo, quando Jesse interrompeu seus pensamentos: — Ela não precisou vir aqui pessoalmente. Os corretores usam vídeos hoje em dia, e a decoradora deve tê-la aconselhado a fechar o negócio.

—Mesmo assim. — Leah nunca soube que Virginia fosse uma pessoa impulsiva. E mais uma vez, Jesse estava com a razão. Ela deve ter assistido a um vídeo. — Fiquei sabendo há pouco tempo que ela havia comprado este lugar. Não somos muito chegadas. —Precisou explicar-se. — Não nos vemos com muita freqüência. Eu moro em Washington — completou, constrangida.

Seus olhos disseram que ele entendia, e que ela não

precisava dizer mais nada, o que era bom, pois do modo com que ele a olhava, era difícil continuar pensando. Aquilo era patético. Ela era urbana. Devia estar acostumada à convivência social — e em seu próprio círculo, entre as pessoas de suas relações, ela estava. Mas aquela não era uma de suas conversas habituais. Aquilo era *real*.

Piscou os olhos, limpou a garganta e rendeu-se à curiosidade. — Você deve ser natural de Downlee.

— Sou.

— Não parece. Eu esperava algum sotaque, um sotaque típico do Maine. — Mas ele não tinha sotaque Sua voz possuía ressonância.

— Às vezes ele aparece, quando estou nervoso ou irritado.

Mas ela não conseguiu imaginá-lo nervoso. — Por que só às vezes?

— No momento, um sotaque seria uma afetação. Costumo viajar no inverno. Vou ao cinema e assisto televisão. A maioria das pessoas com quem falo diariamente não são naturais do Maine. — Ele voltou os olhos para o penhasco. — É triste, de certa forma, ver algo morrer desse jeito. Nosso autêntico modo de falar tem o seu charme. Não há nada como sentar nos degraus de uma barbearia e escutar os velhos conversarem. — Seus olhos encontraram os dela, tristes, suaves. — Não se faz mais música como antigamente.

Ela não conseguiu se lembrar de nenhuma canção que tivesse o lirismo de sua voz. Leah inspirou e concordou: — Não.

Logo em seguida ele desviou os olhos e disse: —Bem. É melhor eu voltar para o trabalho.

Ela o fitou. Seu traseiro era firme, suas pernas, longas, suas passadas, fluidas. Como jardineiro, ele era incomum.

—Jesse? —ela o chamou. Ele se virou. —Importa-se se eu colher alguns delfínios para a casa?

Um homem polido da cidade teria dito "À vontade" ou "É para isso que estão aí". Tudo o que Jesse Cray disse foi "Não", e com um aceno, ele se foi.

Leah correu até a casa para buscar a tesoura.

—Aí está você—ralhou Gwen. —Procurei-a por toda parte.

— Estava no jardim — respondeu, e uma parte dela continuava lá. A outra, menos distraída, disparou: —A mamãe ligou?

Gwen assentiu.

— Já está em Portland? Posso ir buscá-la. A estrada não é tão ruim. Eu devia ter pensado nisso antes. Se ela já estiver lá, talvez seja tarde demais... Não, ela pode me aguardar no Clube do Almirante...

— Ela ainda está na Filadélfia.

— Filadélfia? Está *brincando*. O que houve?

— Nada. Ela decidiu ficar mais um pouco.

— Com seus amigos. — *E não com a filha*, Leah apenas pensou, embora seu tom fosse de pura frustração.

— É uma mudança e tanto para ela — Gwen tentou explicar. — Deve estar se despedindo.

— Mas vai estar com eles novamente. Virão visitá-la, e ela poderá visitá-los também, e estarão reunidos em Palm Springs no próximo inverno.

— Ainda assim, é uma mudança e tanto.

— Talvez ela não devesse sair de lá. Talvez isso tudo seja um erro. Você sabia que ela nunca esteve aqui para conhecer a casa? É claro que você sabe. É você quem programa suas viagens. — Leah fez um gesto com a mão. — Eu nunca vou entender a mamãe. É isso. Vou subir para o meu quarto.

Pensou em ligar para Ellen. *Sabia que não devia ter vindo. Vim até aqui para ser desprezada. Ela faz isso o tempo todo.* Mas não ligou para Ellen, pois não havia nada que Ellen pudesse dizer que ela já não soubesse.

Leah tirou o *jeans* branco — agora sujo de terra — vestiu o maiô e amarrou o sarongue na cintura. Escolheu um livro diferente daquele que a entediara mais cedo e desceu para a piscina.

Sentou-se por dez minutos. Durante todo o tempo, sua pele estava arrepiada. Então lhe ocorreu que como Virginia não chegaria naquele dia, não havia necessidade de tentar impressioná-la. Subiu novamente as escadas, soltou os cabelos, enrolou-se no xale e tornou a descer.

Foi então que a dor começou a desaparecer. Sua decepção e frustração sumiram com o vento, junto com o resto de seus pensamentos, cedendo lugar ao *pot-pourri* inebriante do ar, uma mistura do cheiro do mar, das flores e dos espruces que tanto a encantavam.

Permaneceu ali, quieta e feliz. Adormeceu. Acordou, espreguiçou-se, sorriu.

As coisas poderiam ser piores, pensou ela. Star's End podia ser uma pocilga. Podia estar localizada numa ilha, a milhas da costa, ligada ao continente apenas por um velho barco-correio. Podia ser infestada de morcegos. Podia estar sobre um solo árido, estéril, cultivado por duendes, em vez de um intrigante jardineiro de olhos castanhos.

As coisas podiam ser piores, pensou de novo, inspirando profunda e longamente. Entretanto, o ar ficou preso em sua garganta, quando duas figuras emergiram de repente dos fundos da casa e se puseram entre ela e o mar.

Seis

$\mathcal{L}$ eah endireitou-se na espreguiçadeira. — O que *vocês* estão fazendo aqui?

Caroline parou ao seu lado. — Ginny não lhe avisou?

— Não.

Annette se pôs ao lado de Caroline e disse em tom de
galhofa: — Viemos ajudá-la com a mudança e trazer um
pouco de calor humano ao lugar.

— E o *mais* importante — acrescentou Caroline no
mesmo tom — viemos passar um tempo com ela, um tempo
que ela se arrepende de não ter passado conosco. — E completou, em seu tom normal: — Tem certeza de que não
sabia de nada?

A aflição de Leah crescia com a familiaridade das palavras. — Como eu poderia saber? Ela não me confia coisa
alguma.

— Você a vê com mais freqüência do que nós.

— Eu sabia tanto quanto vocês a respeito desta casa.

— E não estava nem um pouco satisfeita. Estivera descan-
sando à beira da piscina, aquecida sob o xale, com os cabelos

soltos. Agora, sentia-se constrangida, e tudo por culpa de Virginia. — Ela me mandou uma carta junto com uma passagem aérea. Disse a mim o mesmo que a vocês. Tudo fazia parte de um plano arquitetado por ela.

Caroline franziu as sobrancelhas. — Entendi.

— Que *bruxa* ela é — bradou Annette, consultando o relógio. — Vou ligar para casa. Não acredito nisso. Tem um telefone aqui?

Leah apontou em direção à cozinha. Apertou o xale contra o corpo, juntou os cabelos e os escondeu entre a cabeça e o encosto da cadeira. Olhando para Caroline, perguntou: — Vocês vieram juntas?

— No táxi. Encontramo-nos em Portland. Ginny deve ter coordenado nossos vôos. E você? Quando foi que chegou aqui?

— Ontem à noite. O vôo para o qual eu tinha reserva teria chegado às duas e dez dessa tarde.

— Pouco depois do meu e antes do de Annette — disse Caroline com um olhar perdido. — A carta deixava implícito que eu seria a única a vir. O mesmo aconteceu com Annette.

— E comigo. Por que Annette está com tanta pressa de ligar para casa? Algum problema?

Caroline torceu a boca. — Ela acha que sua família não pode viver sem ela.

— É bem provável que seja o contrário. Sua família é a sua vida. Estou surpresa que esteja aqui sem eles. Tem certeza de que não estão aí?

— Tenho — respondeu Caroline com um sorriso tênue, quase natural.

Era um sorriso atraente, pensou Leah. Afinal, Caroline era uma mulher atraente. Leah não costumava se importar com o modo de vestir da irmã — um estilo pouco gracioso — embora estivesse adequada para o momento. Desejou estar tão bem quanto ela, porém, mesmo vestida, não se sentia bem. A roupa mais apropriada que trouxera era o par de calças brancas que agora se encontravam sujas de terra.

Mas calças brancas não eram apropriadas. Star's End era o tipo de lugar que pedia *blue jeans*. E Caroline sabia disso.

— Então, onde está a matriarca? — quis saber Caroline. — Não me diga que está na cidade jogando cartas? Por que não está aqui com você?

— Ela não está aqui.

Annette chegou a tempo de perguntar: — Onde ela está?

— Ainda não saiu da Filadélfia.

— Está *brincando* — bradaram as duas.

— Por que ela não está aqui?

— O que está esperando para vir?

— Quando ela vai chegar?

Quisera Leah ter tais respostas. — Talvez ela chegue amanhã. Deveria ter chegado hoje, mas, ao que parece, mudou de idéia. Gwen disse que ela está com dificuldade em se despedir dos amigos. Não seria de se espantar se mudasse de idéia e resolvesse ficar.

— Mas ela vendeu a casa.

— Pode comprar outra.

— Mas ela nos arrastou para cá! — argumentou

Annette. — Não sei quanto a você, Leah, mas para mim está sendo *terrível* estar longe de casa.

Leah concluía que não tinha nada melhor a fazer, quando Caroline virou-se para ela e disse: —Por falar nisso, alguém ligou para mim?

— Não que eu saiba.

— Vou ligar para o escritório.

Leah a observou entrar, e então perguntou para Annette: — Ela está com algum problema no trabalho?

Annette soltou um gemido. —Caroline gosta de pensar que sim. Ouvindo-a falar, até parece que o escritório vai fechar sem ela por perto, que seus clientes são crianças.

—Os clientes dela e a sua família — murmurou Leah. Suas irmãs sempre a faziam sentir-se uma inútil, o que a deixava furiosa. Estava se sentindo tão *bem* antes de chegarem.

— O que disse?

— Nada.

Mas o estrago já estava feito. — Sei muito bem que minha família pode viver sem mim — argumentou Annette. — Só que gosto de estar com ela. Para mim não há época melhor do que as férias das crianças. — Olhou à sua volta, atordoada. — O que é que estou fazendo aqui? — Fez menção de dizer alguma coisa, e então tornou a olhar ao redor. — Tenho que admitir que o local é bonito. — Fez uma careta. — Há algo familiar aqui. Mas não parece que já tenha estado neste lugar. A cozinha é maravilhosa. Como é o resto da casa?

— Lindo.

— Está tudo arrumado?

— Quase tudo.

— Então por que ela nos chamou? Se tudo que queria era reunir a família, poderia ter escolhido uma época melhor.

— Não há época melhor.

— Talvez não para você. A época das reuniões sociais já passou.

Leah se eriçou. — O que eu quis dizer é que a *época* não faz diferença, uma vez que jamais teríamos vindo. Não somos o tipo de família que gosta de se reunir.

— Isso é verdade — observou Caroline, sentando-se na espreguiçadeira ao lado de Leah. — Não posso acreditar que Ginny tenha feito isso. Não posso acreditar. Deve achar que não temos nada melhor para fazer.

Está certo, pensou Leah, que não tinha nada melhor a fazer em Washington. Mas também não precisava estar ali. Não precisava se esforçar para ganhar a aprovação de Ginny, e não havia a menor chance de impressionar a mãe agora, ao lado de Caroline e Annette. Comparada a elas, Leah não era nada.

— Os meninos chegaram em casa sãos e salvos — Annette disse a Caroline.

— Duvidou disso?

— Estavam atrasados. Uma mãe se preocupa.

— Ginny nunca se preocupou. Duvido que esteja preocupada agora. A essa hora, deve estar jogando cartas no clube, sem sentir o menor remorso por nos ter tirado de casa. Ela não tem coração.

— Não tem coração nem consideração. E é egoísta. Qual é a novidade?

—O ponto é, onde isso nos leva? O que vamos fazer?
—O olhar de Caroline se perdeu no penhasco. —Eu realmente preciso ir embora.

Annette olhou para a irmã. —Eu também.

Mas Leah não tinha pressa. —Acho que vou ficar. Depois do esforço de mamãe em nos mandar as passagens, creio que ela ficaria magoada em chegar e ver que todas nós partimos.

—Boa menina —zombou Caroline. —Vai ganhar pontos por isso.

—Acontece que gostei daqui. —Pelo menos estava gostando antes de suas irmãs aparecerem. Não ficaria nem um pouco desapontada se as duas se fossem na manhã seguinte. Diabo, ela mesma as levaria a Portland.

—Quando meninas —insistiu Caroline —você era a que mais gostava de agradá-la. Algumas coisas não mudam.

—Você ainda parece uma menina —comentou Annette, completando secamente: —Isso é um elogio.

Aos trinta e quatro anos, Leah o tomou como tal, pois elogios vindos de suas irmãs eram raros. —É o meu cabelo —o qual, sem os grampos, recusava-se a ficar escondido atrás da cabeça. —Ele ainda não cresceu. Não tem jeito.

—Eu sempre quis ter cabelo encaracolado. Sempre quis ser *loura*. Pintei meus cabelos e teria feito um permanente se a mamãe tivesse deixado, mas ela não gosta de ser contrariada. Diz que meu cabelo é bonito do jeito que é.

—E é —insistiu Leah. —Tem brilho. Balanço. Você não tem problemas com a umidade. —Ela puxou o cabelo com os dedos e o enfiou atrás da cabeça novamente, mas ele se enrolou sobre seu rosto. —Não há nada que eu possa fazer. É causa perdida.

— Gwen sabe de alguma coisa? — inquiriu Caroline, retomando o assunto.

Leah presumiu que sim. — Ela sempre organiza as viagens da mamãe. Ela mesma deve ter feito as reservas em nossos vôos. — E começando a se dar conta dos fatos, acrescentou: — Há quartos mobiliados e preparados para nós três. Eu devia ter percebido antes, mas tudo que pensei foi que Gwen era incrivelmente eficiente.

— A mamãe não mencionou *nada* sobre nós na carta que escreveu para você?

— *Nada*, Caroline. Acredite. Vocês não estão mais surpresas em me ver do que eu em vê-las. Se eu soubesse que vocês viriam, teria guiado de volta para Portland hoje de manhã.

— Você veio guiando de Portland até aqui? — perguntou Annette, surpresa.

— O carro que está estacionado na frente da casa é alugado.

— Mas achei que você havia desistido de dirigir.

— Desisti de ter um carro. Não preciso de carro na cidade. Isso não significa que não alugue um de vez em quando.

Annette limpou a garganta. —Foram espertos em lhe entregar um que já está arranhado.

Leah foi salva de responder qualquer coisa por Caroline, que olhava bestificada à sua volta. —Há algo estranho nesse lugar. É como se me lembrasse alguma coisa.

Annette levantou-se. — Mostre-nos a casa, Leah. Vejamos no que Ginny gastou seu dinheiro.

Leah calculou que mostrar-lhes a casa era uma boa oportunidade de ir para o seu quarto. Queria se vestir e arrumar o cabelo. Assim não se sentiria tão *gauche*.

O xale caiu quando ela se levantou.

Caroline pegou-o pela ponta e o estendeu. — Um sarongue de seda. Bonito. Então essa é a última moda?

— Suponho que sim — respondeu Leah, sentindo-se frívola.

— Está tão magra quanto antes — comentou Annette.

— Tem-se alimentado?

— Tenho, sim. Meu peso está de acordo com a minha altura.

— Por que está mais magra do que eu?

— Porque não tive filhos. Você teve cinco.

— Quatro gestações.

— São quatro a mais do que Caroline e eu — disse Leah e, por ser verdade, acrescentou: — Não está tão mal, Annette. — Puxando a ponta do xale da mão de Caroline, Leah guiou o caminho pela casa.

Exploraram os cômodos do primeiro andar, com um coro de comentários discretos: "Lindo", "Bonita torre", "Moldura interessante", "Belo assoalho".

No andar superior, Leah desculpou-se em seu próprio quarto e fez o que pôde para recuperar a sofisticação. Quando achou que estava razoavelmente apresentável, encontrou as irmãs no andar de baixo, nos degraus da varanda.

— O que acharam? — perguntou.

— A casa é linda — admitiu Annette.

Caroline concordou. — Só precisa de um toque de arte nas paredes.

— Alguns adornos aqui e ali.

— O glacê — comparou Leah, cruzando a entrada de carros até a relva.

— Você deve adorar flores.

— Adoro. — Pensou no jardineiro e imaginou onde estaria ele. Não o mencionou para as irmãs. Seria seu segredo.

— O que é que há aqui que parece tão familiar? — perguntou Caroline.

— As rosas.

— Que rosas?

Leah as levou até o penhasco. O perfume ficava mais forte à medida que se aproximavam, e uma vez ali, a explosão cor-de-rosa falou por si só.

— Rosas litorâneas. — Annette apanhou uma delas.

— Nunca tivemos rosas — argumentou Caroline.

— Não — disse Leah — mas sintam o seu perfume. Fechem os olhos. Digam a primeira coisa que venha à cabeça.

— Mamãe.

— Mamãe.

— É o seu perfume — explicou Leah. Ela sempre o usou. E ainda o usa.

— As rosas devem ter sido o fator decisivo para a compra da casa — refletiu Annette.

— Teriam sido, se ela tivesse sentido seu perfume —

Leah lhes contou, sem revelar sua fonte, o que soube de
Jesse Cray.

— Ela comprou Star's End *sem tê-la visto?* — surpreendeu-se Annette.

— Aparentemente.

— Ela perdeu a razão? Está senil? Serão os primeiros
sinais da doença de Alzheimer?

— Acho que não.

— Apenas decidiu se refugiar em uma casa que nunca viu?

— É o que parece — respondeu Leah.

Caroline cruzou os braços. — Ela está louca. É a única
explicação possível. Nenhum indivíduo são desistiria da
vida que vem levando, de uma hora para outra, e se mudaria para uma casa estranha no fim do mundo.

— Aqui não é o fim do mundo — protestou Leah,
sentindo um ímpeto inexplicável de defender Star's End.

— É uma cidade estranha num estado estranho.

— Certa vez adotamos uma gata — Annette pensou
em voz alta. — Estava bem velhinha quando a pegamos,
mas ela nos adorava. Estava sempre onde estávamos. Se
as crianças a perturbavam, ela simplesmente se afastava
um pouco e se deitava para dormir. Nunca ficava longe da
ação, ainda que não estivesse ativamente envolvida. Como
a mamãe. De certo modo, ela estava ali, sem estar.

— Onde quer chegar? — Caroline quis saber.

Annette a olhou nos olhos. — O que quero dizer é que
nossa gata nunca se desgarrou de nós até a hora de sua
morte, só então ela partiu. Eu diria que é exatamente isso
que a mamãe está fazendo.

—Isso é ridículo —disse Caroline, em tom de chacota.
— A mamãe não é uma gata. É uma criatura social. Viveu
em sociedade a vida inteira. Além disso, ela não tem uma
doença terminal.

—A vida é uma doença terminal.

— Ela só tem setenta anos. E está em grande forma.

—Não completamente. —Leah reconheceu. Quando
suas irmãs se viraram para fitá-la, ela lembrou-lhes do problema cardíaco que sua mãe apresentou no último outono.

A expressão de Caroline era de surpresa. — Que problema cardíaco?

— Você sabe. Os exames que ela fez.

— Ela nunca me falou nada sobre exames — jurou
Caroline, virando-se para Annette. —Você sabia de alguma
coisa?

— Não. — Tão surpresa quanto Caroline, Annette virou-se para Leah. — Que exames?

Leah contou a elas.

— Por que não nos contou antes?

—Não era tarefa minha e sim da mamãe. Além disso,
pensei que ela *havia* lhes contado. Achei que soubessem.

Annette balançou a cabeça. — Não sei por que estou
surpresa. Ela sempre se identificou mais com você. É natural que tenha lhe contado.

—Ela contou a mim porque precisava de alguém para
acompanhá-la.

—Gwen poderia tê-la acompanhado. Faz quase tudo
para ela.

— Não é a mesma coisa — insistiu Leah. — Queria
alguém da família.

Caroline tornou a cruzar os braços. — Ela disse isso?

— Não precisou dizer. Era o óbvio.

— Ou um desejo oculto.

— O óbvio — repetiu Leah, agora aborrecida. Detestava quando Caroline era arrogante. Dessa vez, recusou-se a dar-se por vencida. —Você tem a sua profissão, e Annette tem a família dela. De nós três, sou a única com tempo livre para aguardar em consultórios médicos.

Mas Caroline balançava a cabeça. — Essa é outra manobra política. Ginny é boa nessas coisas. Gosta de dar para uma e negar para outra. Como quando anunciei que não iria querer uma festa de debutante, e ela levou vocês duas para passar o fim de semana em Nova Iorque e ir ao teatro, e me deixou em casa de castigo.

Annette concordou com a irmã. — Como quando eu protestei por ela nunca estar em casa quando eu voltava da escola, e ela ameaçou desaparecer por uma semana.

— Ou quando eu disse que não queria estudar num colégio particular — queixou-se Leah — e ela comprou roupas novas para vocês *duas*, como se o que *eu* vestisse não lhe importasse mais. Está certo, então esse era seu jeito de nos punir. Mas vou lhes dizer uma coisa, ela não estava pensando em punir ninguém no outono. Precisava de alguém da família junto dela, alguém que pudesse conversar com os médicos, e eu era a pessoa mais indicada. Se acham que foi divertido, estão redondamente enganadas. Se acham que ela ficou *agradecida*, enganaram-se de novo.

Annette suspirou. — Então nada mudou.

— A não ser — prosseguiu Leah — o fato de estarmos

aqui as três, num lugar onde não queríamos estar. Então? Vão partir pela manhã ou não?

— Ela teria gostado se tivéssemos dito que sim — Caroline contou a Ben tarde da noite. — Queria ficar com esse lugar só para ela. Queria ter *Ginny* só para ela. — Caroline pensou no que disse, e então, num tom mais tranqüilo, admitiu: — Suponho que todas nós gostaríamos. Talvez fosse esse o motivo da rivalidade que havia entre nós.

— Havia ou há?

— Havia. Não estamos mais competindo.

Ben fingiu cantarolar.

— Ora, não muito — reconheceu ela. — Talvez ainda estejamos competindo um pouco, mas essa não foi a principal razão para eu decidir ficar. Quero estar aqui quando Ginny chegar. — Ginny era o objeto da raiva de Caroline. — Ela nos deve uma explicação. Quero ouvir o que ela tem a dizer.

— Você podia voltar para casa e telefonar para suas irmãs daqui a uns dois dias e descobrir o que foi que Ginny disse.

— Quero ouvir dela. Afinal, o que significa mais um dia? — perguntou, da mesma forma que o fizera para si nas últimas horas — Ou dois? Além do mais, já estou aqui mesmo, e tenho que admitir que o lugar é lindo. Gwen preparou um jantar maravilhoso, não há dúvida de que foi uma maneira de se desculpar pela nossa decepção. Verifiquei como estão indo as coisas no escritório. Está tudo sob controle.

— Bem, *isso* é um alívio.

— Não seja debochado. Se algo acontecer, pegarei o primeiro avião de volta.

— Se algo acontecer comigo, virá também?

— Na mesma hora.

— Mas não quer se casar comigo.

— Ben...

Ele suspirou, e então resmungou. — Você está longe demais.

— Isso é bobagem. Não passaríamos a noite juntos mesmo se eu estivesse em Chicago.

— Uma hora de distância é melhor do que vinte.

— Foi *você* quem me disse para vir.

— Não foi, não. Bem, talvez. Está com saudade de mim?

— Muita. — A voz de Ben a tranqüilizava. Era inacreditável. Antes do telefonema, estava se sentindo insegura, descontrolada. Mas ele a fazia pôr os pés no chão mesmo estando do outro lado da linha. — Amanhã de manhã vou sair à procura de alguns quadros — ela lhe disse. — As paredes da casa estão nuas. Estou contando que a cidade seja realmente a colônia de artistas que você disse ser. Ginny precisa deles com urgência.

Ocorreu-lhe que Ben poderia lhe mandar um quadro seu, mas Caroline precisava se ocupar. Não podia imaginar-se à beira da piscina conversando sobre filhos com Annette ou sobre alta costura com Leah. Sair à caça de algumas obras de arte seria uma boa opção.

— Jantamos maravilhosamente bem — insistiu Jean-Paul quando, preocupada, Annette perguntou pela segunda vez. — O assado que você deixou estava perfeito.

— Nat me pareceu um pouco triste.

— Você o pegou bem na hora em que ele e Thomas discutiam sobre quem ficaria com o controle remoto esta noite. Não se preocupe. Ele vai ficar bem. Terá a sua vez amanhã.

— Nicole parecia com pressa de sair do telefone.

— Ela e Devon já estavam na porta. Não lhe disseram que estavam indo ao cinema?

— Sim, mas imagino mil coisas quando ouço aquele tom de voz.

— Ela estava com pressa de sair. Só isso.

— Eu devia estar aí — comentou Annette, ainda em agonia. — Mas Ginny não chegou. Quero esperar para vê-la, ainda que só por algumas horas. Leah vai ficar e Caroline decidiu que também vai continuar aqui. Como posso partir com as duas ficando?

Fez-se uma pausa, e então ouviu-se um suave: — Não pode.

— Sei que está rindo, Jean-Paul, mas não se trata de uma competição. É por causa do problema cardíaco da mamãe. Leah disse que não é nada. Contou que o médico é o maior especialista da Filadélfia e que mesmo assim ouviram uma segunda opinião. Pode verificar isso para mim? Informar-se? Ver se ele é realmente o melhor? Pelo menos sentirei que estou fazendo alguma coisa… embora Ginny tenha razão. A casa precisa de um colorido. Pensei em sair e comprar alguns objetos de decoração para pôr aqui e ali. Não há muito o que fazer enquanto esperamos por ela.

— Como vão suas irmãs?

Annette suspirou. — Caroline está a mesma coisa. Arrogante como sempre. Convencida de que é a personificação da mulher moderna.

— E quanto a Leah?

— Divina. Eu quase não a reconheci quando a encontrei. Está completamente diferente.

— Como assim?

— Mais descontraída. Menos sofisticada. Seu cabelo estava selvagem e solto... simplesmente lindo. Estava enrolada num xale, à beira da piscina.

— Ela foi simpática?

— A maior parte do tempo. Mas esse é o seu ponto forte. Um papo agradável e sociável. Falou de flores durante o jantar, que por sinal estava ótimo. Não teria certeza do que dizer se ela não tivesse falado a maior parte do tempo. — Como Jean-Paul nada comentou, ela perguntou: — Em que está pensando?

— Estou pensando que você é boa em lidar com as pessoas. Sabe se comportar em qualquer grupo social. Não vejo por que teria problema em conversar com suas irmãs.

— Porque são minhas irmãs. Não são como as outras pessoas. Sei que isso parece estranho, mas você entenderia se tivesse irmãos. A relação com eles é *diferente*.

— Não são amigos

— Exatamente. Nao os escolhemos.

— Mas está escrito em algum lugar que vocês não

podem ser amigas? Nem que seja por pouco tempo? Por duas semanas?

Sim, está. Uma parte dela quis chorar. Outra simplesmente suspirou. — Após anos de distanciamento, não sei responder. Somos três pessoas inteiramente diferentes. Não sou só eu, Jean-Paul. Elas sentem o mesmo.

— Disseram isso?

— Não, mas tenho certeza. Estão tão pouco à vontade comigo quanto eu com elas. Vou esperar até a mamãe chegar. E aí, a menos que ela surja com alguma desculpa para que eu fique, partirei.

Leah queria Star's End para si. Ficava se lembrando o quão maravilhoso havia sido antes da chegada de suas irmãs. Trouxeram-lhe tensão — Caroline levava tudo a sério e Annette sempre tinha uma opinião formada a respeito de alguma coisa. Cada uma achava que sua vida era mais importante do que a da outra. E quanto a Leah? Ah, Leah achava que sua vida era boa.

Tente de novo.

Não era ruim.

Outra vez.

Vazia. Perto de suas irmãs, ela tinha poucos objetivos na vida, o que explicava por que se sentia tão à vontade em Star's End. Aquele lugar era um mundo de aromas, paisagens e sons, tão rico em sensações que por si só garantiam a felicidade. O conceito de ter um objetivo na vida tornava-se irrelevante ali.

Foi por isso que tornou a descer. Caroline e Annette

estavam em seus quartos e achavam que Leah também estivesse. Sendo assim, ela saiu em missão secreta a fim de reaver a felicidade.

Encolheu-se numa cadeira num canto da varanda da frente. Uma longa camisola a envolvia do pescoço aos pés. Trouxera consigo o xale, mas estava protegida do vento o bastante para deixá-lo de lado. Inalou o ar, fechou os olhos e escutou o marulhar das ondas.

Relaxou e soltou os músculos. Não pensou mais em Caroline, Annette ou Virginia. Não pensou que teria que explicar à agência sobre o arranhão na lateral do carro. Não pensou em Washington.

Achou que as rosas litorâneas exalavam um aroma entorpecente, uma espécie de sonífero. Sem a luz do sol, o perfume tornara-se mais sutil, porém mais rico e sedutor.

Foi quando ouviu um barulho que interrompeu o ritmo da maré, e abriu os olhos. No instante seguinte, percebeu que o ruído viera da piscina, e excluiu a possibilidade de alguém ter saído da casa sem que ela notasse. Teria ouvido a porta envidraçada se abrindo. Teria ouvido os passos sobre o deque. Além disso, não podia imaginar nenhuma de suas irmãs — muito menos Gwen — nadando no meio da noite.

Era o jardineiro, Jesse Cray, que morava num chalé no bosque. Seus braços molhados reluziam à medida que emergiam da água. Seu rosto sombreado buscava o ar em braçadas alternadas. Em meio ao movimento das ondas contra as pedras do penhasco, ela podia ouvir o compasso da respiração e das braçadas do homem.

Leah sentiu uma vibração interior. Ele era um homem

notoriamente atraente — rústico comparado aos que ela conhecia, mas que possuía mãos mágicas e comoventes olhos castanhos. Imaginou se ele nadava toda noite. Imaginou por quanto tempo o faria. Imaginou o que ele estaria usando. Ele nadou por mais uns quinze minutos, de um lado para o outro, em voltas regulares, até que nadou para o lado oposto da piscina e descansou os cotovelos na borda. Ficou ali por mais alguns minutos, a cabeça inclinada para baixo, antes de impulsionar o corpo para fora da água. Ela não estava preparada para aquele movimento rápido, vigoroso. Ele alcançou uma toalha e enxugou a cabeça. Ela olhou mais para baixo. Jesse estava usando algo escuro e agarrado aos contornos dos quadris.

A vibração ganhou força dentro dela, e mais ainda no momento em que ele ergueu a cabeça e olhou ao seu redor. Leah não se moveu, mas, estranhamente, ele sentiu sua presença. Enxugando os braços, aproximou-se lentamente.

— Tem alguém aí? — perguntou ele calmamente.

— Só eu, Leah — respondeu ela, apertando o xale contra o corpo.

Jesse veio ao seu encontro e se agachou. — Não sabia que estava aqui.

— Tudo bem. Eu só estou aqui sentada. Está uma noite tão gostosa.

Ele correu a toalha pelo peito. Leah fez força para não olhar.

— Nada todas as noites? — ela quis saber.

— Na época propícia. A piscina não é aquecida. A água

fica fria. — Ele olhou sobre o ombro. — É diferente à noite. Tudo é mais intenso. Quando não podemos enxergar, escutamos mais e sentimos melhor o cheiro das coisas. Era exatamente isso que ela estava experimentando, sentada ali, de olhos cerrados. —É como se nos preenchesse.

— Inteiramente — completou ele, olhando para ela de novo.

A toalha pendia de sua mão. Seus cabelos estavam para trás, os ombros brilhavam. Leah imaginou que ele estivesse com frio, uma vez fora da água. Abrigada do vento, Leah não sentia frio.

— Você nada? — inquiriu ele.

—Eu sei nadar. Embora nunca tenha praticado muito. De onde venho, as piscinas são apenas decorativas. Um desperdício, não é?

— Não posso imaginar uma piscina sem uso.

— Ah, mas eles as usam, mas não para nadar. Elas servem a um propósito social. As pessoas se sentam em torno dela para conversarem e serem vistas, mas quando se trata de nadar, esqueça. Os homens mergulham, mas as mulheres não arriscam borrar a maquiagem.

Ele tocou no rosto de Leah. — Você não está usando maquiagem.

Por um instante ela parou de respirar. Completamente. Então forçou os pulmões a funcionarem. — Eu estava na cama. Lá em cima. Não conseguia dormir. Por isso vim para cá.

Jesse tocou a gola de sua camisola — uma bonita fita branca, quase luminescente na escuridão, sobre o drapeado âmbar da manta improvisada — e puxou seu xale um pouco mais para cima.

Leah pensou que fosse morrer. A gentileza de seu ato a deixou atônita, assim como seu tamanho e seu corpo. E seu pomo-de-adão. Tão másculo.

— Alguma notícia sobre quando sua mãe deve chegar?

Sua mãe? Sua mãe. — Hum, não. Talvez amanhã. Talvez não.

— Quanto tempo você vai ficar?

Suas pernas amoleceram. Não conseguiria se levantar, muito menos caminhar de volta até a casa. — Mais alguns minutos.

Ele deu um risinho. Leah tentou vê-lo sorrindo, mas estava escuro demais. — Em Star's End — ele explicou.

Ela riu. Não pôde evitar, e não porque estava embaraçada por tê-lo entendido mal, mas pela súbita tontura que sentira. — Duas semanas.

Jesse meneou a cabeça, e por um instante ela sentiu o toque de seu olhar, cálido e intenso, na escuridão. Então, com o mesmo movimento suave com que deixara a piscina, ele se levantou. — Vou para casa. O dia começa cedo.

Leah ergueu a cabeça, engolindo uma vaga decepção.

— A que horas?

— Por volta das cinco. Gosto de molhar as plantas antes que o sol esteja alto. Durma bem. — E se foi.

Leah o observou passar pela piscina e misturar-se à escuridão, e ainda assim prendeu a respiração. A escuridão era densa. De olhos bem abertos, ela o fitou por mais um minuto, mas ele se fora.

E sussurrou "Meu Deus", abraçando os joelhos, aper-
tando-os contra o peito. Então baixou a cabeça e sorriu; e
esperou que a tremedeira interior cessasse.

Sete

$\mathcal{W}$endell Coombs cruzou a varanda a passos arrastados rumo ao lado esquerdo do longo banco de madeira da mercearia. Sempre se sentava na extremidade esquerda, próxima ao lado leste da cidade, onde morava. O lado oeste era representado por Clarence Hart, seu velho amigo de setenta anos, que ocupava a extremidade direita do banco.

Um metro de distância os separava. Sempre os separava. Wendell não gostava do cheiro do cachimbo de Clarence, e este, por sua vez, não gostava do cheiro do café de Wendell. Ninguém jamais preencheu o espaço entre os dois, exceto alguma criança desavisada. Tal distância simbolizava o canal por onde passavam as fofocas da cidade, de leste a oeste e vice-e-versa.

— Clarence — cumprimentou Wendell.

Clarence meneou a cabeça. — Wendell.

— O tempo *bão* está chegando.

— Ô.

Wendell sorveu o café e fez uma careta. Estava doce

demais novamente. Sinal de que continha baunilha ou qualquer coisa de nozes. Mavis jamais servira um café como aquele em sua lanchonete. Foi triste o dia em que ela fechou as portas do estabelecimento. Ninguém mais sabia passar um café como ela.

A culpa era dos computadores. A cidade estava infestada deles. Neles eram feitos os estoques, as "penduras" dos amigos e os pedidos dos mais variados tipos de grãos de café. Ninguém mais fazia as coisas à moda antiga — a não ser os artistas, aquela cambada de vermes.

Pousando a caneca sobre a coxa direita, ele correu os olhos pela rua principal. Tudo parecia normal. Tudo parecia igual. Mas ele sabia que não podia confiar no verbo "parecer". Sorveu outro gole do café excessivamente doce e tornou a descansar a caneca sobre a coxa, dizendo para o ar matinal e para Clarence: — Ouvi dizer que temos companhia.

— É.

Ele olhou furioso para Clarence. — Como é que *ocê* sabe?

— Cal. Pegou as meninas em Portland.

— Quantas?

— Duas das três.

— A terceira já tinha chegado — disse Wendell aliviado. Não gostava quando Clarence sabia mais do que ele.

— Chegou anteontem. O xerife teve que lhe mostrar o caminho. — Ele soltou um risinho. — *Num* é muito sabida.

Clarence tirou o cachimbo da boca. — Cal diz que elas *num qué ficá.*

— Ora, deixe elas irem.

— Diz que elas *num* se gostam.

Wendell não se surpreendeu. Famílias ricas sempre brigavam. Não estava se sentindo mal por elas. Pena, talvez, por haver uma guerra civil em Star's End. — O xerife disse que a mais *véia* tem quarenta. Será verdade? Acho que ela tem quarenta e três.

Clarence estudou seu cachimbo.

— O xerife checou — disse Wendell. — É advogada em Chicago. *Trabáia prá* alguém chamado Baretta.

Clarence sabia o que Wendell estava pensando. A cidade inteira estava pensando a mesma coisa, pelo menos todos que conversaram com o xerife no dia anterior. A última coisa que Downlee precisava era de uma advogada charlatã rondando a cidade. — Cal diz que ela tem um namorado. Diz que foi ele quem fez ela vir para cá.

Wendell considerou o assunto. — Ele pode ser um charlatão. Pode ser um traficante. A gente *num qué* isso aqui.

Clarence abriu a cartucheira e estava enfiando fumo no cachimbo quando Callie Dalton apareceu. Ele tocou a ponta do chapéu com a dobra do dedo. — Dia, Callie.

— Dia, Clarence.

Wendell olhava para o outro lado. Callie Dalton era casada com um traidor. Depois que a cidade inteira concordara em unir-se contra elementos perniciosos, George Dalton alugara umas boas casas para alguns deles. Os artistas eram pessoas promíscuas. Todo mundo sabia disso. Mulheres viviam com mulheres, homens com homens, e quando as mulheres viviam com homens raramente decidiam juntar as escovas de dente aos olhos do Senhor e do

Estado do Maine. Todos convinham que aquela gente deveria ser escurraçada de Downlee.

O único problema era que havia muitos deles morando ali agora, mais do que os nativos do lugar, e que o dinheiro deles era de verdade. Wendell imaginou por quanto tempo aquilo ainda duraria. Eles estavam mudando tudo na cidade. A cor do dinheiro talvez fosse a próxima mudança.

Clarence terminou de encher o cachimbo. — Cal diz que a de St. Louis tem problemas com o marido.

— Não quero essa gente aqui — concluiu Wendell. Artistas e mulheres urbanas, todos promíscuos demais para o seu gosto. — Se ela acha que pode brincar com os homens de Downlee, vai ter problemas. — Ele ergueu a mão a fim de cumprimentar Hackmore Wainwright que passou em sua picape e fez a curva em direção ao cais. — Se *ocê qué sabê*, a mais moça vai ser um problema. O xerife diz que ela tem um jeito de loura perdida.

Clarence conhecia aquele jeito. Havia se perdido por uma. Mas sua June era uma moça do Maine, por isso não fora tão ruim. Ainda assim, ela foi uma surpresa. Nunca lhe pareceu nem um pouco indefesa. Mesmo com cinqüenta e um anos de casamento, ele precisava barganhar por qualquer coisinha, como se sentar na varanda da mercearia. Ela o deixava ir, contanto que estivesse em casa ao meio-dia para pendurar a roupa na corda.

— Jesse precisa ser avisado — aconselhou Wendell.

Clarence imaginou se isso faria diferença.

— A cidade toda deve ser avisada — acrescentou

Wendell. — Não precisamos de prostitutas, muito menos das que usam drogas.

Clarence pensou nas drogas. Mesmo com o bando de artistas que chegara, Downlee mantivera-se limpa. —Acha que o xerife sabe das drogas?

— Vai *sabê* — prometeu Wendell.

— E a mãe?

— Não sei se ela usa. Mas rica do jeito que é, deve usar. Todos eles usam. — Wendell estremeceu ao imaginar aquele tipo de gente vivendo em Downlee. Pelo menos os artistas trabalhavam. À sua maneira, mas trabalhavam. Duvidava que Virginia St. Clair tivesse feito alguma coisa útil na vida. — Não sei por que ela comprou Star's End. Não sei quem ela acha que virá a alguma festa aqui.

Clarence apertou o cachimbo entre os dentes e imaginou as festas em Star's End. Imaginou luzes, música e gargalhadas. O lugar estava precisando desse tipo de coisa.

— O que Elmira diz?

Wendell relutou em pensar na esposa e suspirou. — Elmira diz que ela veio aqui para morrer, mas o que Elmira sabe? Eu lhe digo que isso é uma vergonha. Star's End deveria ter sido comprada por outra pessoa. — Sorveu o café, num gole maior, agora que esfriara um pouco, mas o trago o fez engasgar. Fez uma careta na tentativa de engolir a quantidade excessiva do líquido. — Diacho de café — E o cuspiu. —O problema são os computadores, é isso, os computadores.

Oito

O corpo de Caroline continuava funcionando na hora de Chicago, portanto, quando ela acordasse em seu horário habitual, às seis, seriam sete horas no Maine. Desejando uma xícara de chá, desceu até a cozinha e descobriu que Leah havia preparado um bule. Imaginou o pior.

Mas o chá estava bom. Na verdade, mais do que bom.

— Que chá é esse?

Leah estava lendo o jornal. — Darjeeling? Não, Earl Grey. Eu acho. Não tenho certeza. Havia várias latinhas de chá no armário.

— De várias marcas? — O que ela estava bebendo era uma rica mistura. Nunca diria que se tratava de chá industrializado. — Estou surpresa.

Leah deu de ombros. — Eu também cozinho. Nós, *socialites*, levamos uma vida normal.

— Foi você quem disse isso, não eu — avisou Caroline.

— Não sou muito boa em réplicas, pelo menos não antes

de duas xícaras de chá. — Estudou a irmã em detalhes. — Sempre se levanta cedo assim?

Leah pôs de lado o jornal. —Não vamos a festas todas as noites, Caroline. Precisamos dormir. Além do mais, o amanhecer daqui é deslumbrante.

Caroline estava surpresa. — Você viu o sol nascer?

—Nossos quartos dão para o leste. Deixei as cortinas abertas.

—Fechei as minhas sem pestanejar. É um hábito meu.

O humor de Leah parecia melhor. — Fiz o mesmo anteontem. Então percebi o que havia perdido e corrigi o erro a tempo. O reflexo do sol sobre a água é de tirar o fôlego, e quando alcança o penhasco e as flores então... — Soltou um gemido de prazer.

Os olhos de Caroline recaíram sobre o vaso no centro da mesa. Estava repleto de reluzentes pedúnculos azuis. — Delfínios?

— Uhm, hum. Do jardim. Precisei cortá-los mais do que gostaria; estavam na sala, mas são tão lindos que resolvi colocar um punhado deles aqui. Não vão durar muito.

Caroline sorveu o chá, que continuava extraordinário mesmo no finzinho. Imaginou se aquilo teria a ver com o cenário. Com as portas envidraçadas e as janelas escancaradas, a luz do dia se espalhava cozinha adentro, tornando o ambiente tão rico quanto o chá —vago, indolente, ilimitado. Era como se estivesse a um universo de distância de Chicago, e embora distinto nos detalhes, o lugar lhe fazia lembrar a casa de Ben.

Pensar em Ben a fez sentir-se só. — Pensei em ir a

Downlee visitar alguma galeria de arte. O que pretende fazer?

— Vou ficar lendo.

Para Caroline seria perfeito. Teria o tempo que quisesse para visitar a cidade. Mas Leah parecia pequena, jovem, frágil, e Caroline não pôde evitar as lembranças de quando tinha onze anos e a irmã, cinco, depois doze e seis, quando levava a irmã para brincar com ela. Mais tarde, a adolescência alargara a diferença de idade entre as duas, e passado esse período, ambas tomaram rumos diferentes. Caroline dedicou-se aos estudos; Leah às festas. Competiam entre si pelo afeto de Ginny.

Mas Caroline não se sentia competitiva no momento. Star's End era tranqüilo demais para isso. Gentilmente, perguntou: — Quer ir comigo?

Leah sorriu, mas balançou a cabeça: — Vou ficar.

Caroline não insistiu. Em vez disso, passou os olhos pelas manchetes do jornal, sorvendo a segunda xícara de chá. Não era o *Sun-Times*, mas também trazia as notícias. Ao terminar, subiu ao seu quarto e se vestiu. Desceu a tempo de encontrar Annette ao telefone.

— Sim, Devon, eu entendo, mas se Thomas está com dor de barriga, não é uma boa idéia levá-lo ao parque. — Annette tapou o gancho do telefone e murmurou para Caroline: — Há uma ligeira interferência na ligação. — E voltou ao aparelho. — Não, tampouco andar de barco. É melhor ficarem em terra firme. Por que não vão ao Museu do Esporte? — Ela ergueu os olhos. — Está indo para a cidade, Caroline? É uma ótima idéia, Devon. Tenho certeza de que ele vai adorar.

— Estou levando o Volvo — informou Caroline. As chaves estavam exatamente onde Gwen disse que estariam.

— Espere! Vou com você! Devon, tenho que ir agora, mas tornarei a ligar depois do almoço. Onde quer que o leve, *não* deixe Thomas comer comida condimentada. Estou com um palpite que sua dor de barriga tem a ver com o cachorro-quente apimentado que ele comeu ontem no almoço. Dê a ele alguma coisa leve, como bananas ou torradas com queijo, certo, querida?

Caroline esperou à porta até que Annette terminasse o telefonema. — Deve ser bom ter um médico como marido. Uma dor de barriga nunca evolui para algo mais sério.

— Esse é o problema — reclamou Annette. — Dores de barriga são tão insignificantes comparado ao que ele vê diariamente que simplesmente não dá a mínima. Eu deveria saber que algum deles ficaria doente na minha ausência.

— É só uma dor de barriga. Não precisa estar lá por causa disso.

— Talvez não — disse ela, de modo pouco convincente.

Caroline guiou cautelosa pelas curvas da montanha.

— Não gostaria de dirigir nessa estrada traiçoeira de cara cheia numa noite chuvosa. — Lembrou-se dos clientes que costumava defender, homens abastados que normalmente se embriagavam na tentativa de esquecer as preocupações e só conseguiam piorar as coisas.

— Lembra de quando tivemos catapora? — quis saber Annette.

Catapora. Caroline lançou-lhe um olhar cômico. — Claro. Eu tinha nove anos.

— Eu tinha seis, e Leah, três. A mamãe achou que seria

mais conveniente que todas nós ficássemos doentes ao mesmo tempo, então nos levou para visitar um garotinho do maternal que estava doente. E realmente, após três semanas, todas nós pegamos catapora. E onde estava Ginny?

— Fazendo as mesmas coisas de sempre.

— Ela nos comprou livros para colorir, todos idênticos, ainda que fôssemos três crianças diferentes, com idades e interesses diferentes. Lembro-me de uma cena em que ela estava sentada na poltrona do quarto com Leah no colo.

— Ela também punha você no colo — disse Caroline.

— Não. Eu não. Só a Leah.

Mas Caroline se lembrava claramente disso, lembrava-se de sua mágoa. — *Você* e Leah. Tenho certeza. Quando não mostrei interesse pelo livro de colorir, ela tirou uma edição da *National Geographics* da estante da biblioteca. Disse que eu iria gostar. E gostei. Mas não era o que eu queria.

Annette a encarou. — Você queria *ela*, mas ela não estava lá. E quando estava, nunca estava por inteira. Ela nos trancava em casa, sentava-se conosco por um curto tempo, passava a mão em nossas cabeças e apertava nossas bochechas. Nunca achei que ela se importasse realmente por estarmos doentes, embora nos dissesse isso. Ela sabia o que dizer. "Você não é a primeira a ter catapora, e não será a última." A vida era uma longa série de metódicos acontecimentos. Não havia nada de extraordinário. Tudo era bege.

Caroline entendeu o que a irmã quis dizer. Ginny nunca penetrava no vermelho, no púrpura ou no laranja. Ocasionalmente, as coisas eram cinza-escuro ou marfim, e talvez até, muito de vez em quando, cor-de-rosa ou verde-água.

mas normalmente tudo não passava de um sólido e neutro tom de bege.

— Eu queria que ela sentisse o que eu estava sentindo — prosseguiu Annette. — Queria que ela me coçasse um pouco, que chorasse um pouco, e que suasse, pois eu estava suando.

— Ginny nunca foi emotiva.

— Ela nunca se *envolveu*. Era como se possuísse uma lista de deveres maternais; fazia tudo o que esperavam dela. Cumpria seu dever. Mas nunca foi capaz de ir além de suas obrigações. Certamente nunca se colocou em nosso lugar. Mas eu faço isso o tempo todo, Caroline. Eu sinto o que meus filhos sentem. Então estou errada em ficar preocupada se Thomas não se sente bem?

Claro que não, pensou Caroline. Annette estava absolutamente certa quanto ao julgamento que fazia de Ginny, ainda que ela própria tivesse caído no extremo oposto.

— É admirável. Mas não é motivo para voltar correndo para casa. Thomas não está sozinho. Sabe que está preocupada com ele. Sempre esteve ao seu lado. Sabe que estaria lá com ele se não fosse por Ginny. Não vai deixar de amá-la por isso.

— Eu sei.

— O amor por uma mãe é o mais eterno de todos. Mesmo que não a aprovemos, ainda assim a amamos. Quando trabalhei como promotora, vi muitas crianças espancadas que podiam fugir de casa, mas não o faziam. Ficavam.

— O amor não era a única razão.

— Não, mas certamente era a mais forte. Quando so

mos crianças, não sabemos dar nome a isso. Quando somos adolescentes, nós nos rebelamos. Quando finalmente saímos de casa, achamos que amadurecemos. Mas não é verdade. Podemos fingir que superamos tudo, porém, quando vemos nossa mãe depois de um tempo, notamos que seu pescoço está enrugado e que suas mãos estão manchadas, e ficamos perturbadas. E quando ela nos escreve e diz que vai fazer setenta anos, não podemos mais fingir. Sentimos alguma coisa, algo lá dentro. Acho que é medo.

Em silêncio, Annette terminou o pensamento. — Então pega as passagens que ela lhe enviou e as usa, ainda que seja a última coisa no mundo que queira fazer.

Caroline olhou para ela, grata por concordarem pelo menos nisso. Então desviou a atenção para a cidadezinha que despontava na paisagem.

A rua principal do centro ostentava suas lojas de necessidades diárias — remédios, ferramentas, selos postais, livros, comida. Caroline deixou Annette numa dessas lojas para que a irmã comprasse algumas lembranças para os filhos, e dobrou a esquina até a zona portuária. Ali, entre barracas de pescadores e lojas de consertos e suprimentos, estavam as galerias e oficinas de arte. Da rua, Caroline contou quatro delas, contudo, julgou que houvesse mais.

Escolheu uma a esmo, forçou a porta empenada de madeira e quase tropeçou no desnível do piso.

— Cuidado com o degrau — alertou uma voz, tardiamente.

Se estivesse em Chicago, Caroline teria reclamado da falta de um aviso sobre o degrau da porta e dito que a ausência dela, se mencionada pela parte prejudicada, implicaria numa ação judicial. Como estava em Downlee, onde todos eram mais gentis e inocentes, resolveu esquecer o assunto. Apenas deu uma olhada à sua volta.

A galeria consistia de telas penduradas sobre paredes de madeira crua, dispostas lado a lado. Observou as paisagens e as naturezas mortas. As cores eram colossais. A voz dirigiu-se a ela novamente. — Procurando alguma coisa em especial?

— Pode ser — respondeu ela. — Saberei assim que a encontrar.

Talvez já a tivesse encontrado. Seus olhos percorriam as telas e teimavam em voltar para uma das pinturas na parede. Era uma representação livre de um prado repleto de flores da cor do mar. Imaginou-o na ante-sala de Ginny.

— Está aqui de passagem? — perguntou a voz, agora mais próxima.

— Na verdade, vou ficar por duas semanas — respondeu, sem tirar os olhos da pintura. Só então virou-se e estendeu a mão para o homem de calças *jeans*, levemente barbado e salpicado de tinta, que parecia beirar os cinqüenta. — Caroline St. Clair. Minha mãe é a nova proprietária de Star's End.

A mão do homem demorou-se em alcançar a dela, como se ele não tivesse o hábito de apertar mãos, principalmente a de mulheres. Mas seu olhar era de curiosidade.

— Jack Ivy. Você é a filha da nova proprietária?

Caroline meneou a cabeça. — Cheguei ontem à noite.

— Sua mãe também veio?

— Não. Deve chegar hoje ou amanhã.

—Ouvi dizer que ela vai se mudar para cá definitivamente.

Caroline teve intenção de concordar, mas se conteve.

Fora um choque para ela a notícia da mudança da mãe para aquele lugar, sem mencionar as conseqüências. —Na verdade, não tenho certeza. Talvez. Afinal, pode ser que ela se decida por um clima mais quente no inverno. —Caroline apontou para a tela que chamara sua atenção. —Bela pintura. É sua?

—É.

—Tudo aqui é seu?

—Nem tudo. Há muitos artistas que vieram para cá para pintar e depois se foram. Fiquei com o melhor do trabalho deles em consignação.

—Vende mais para os turistas?

Ele riu. —Morreria de fome se dependesse deles. Não, tenho amigos que vendem meus trabalhos. Consigo um bom dinheiro.

Caroline imaginou que sim. Não que o homem parecesse ganancioso. Achou que era o tipo de sujeito que gostava de viver de maneira simples, cercado de coisas velhas. Ela viu o cavalete antigo, que aparava seu mais novo trabalho, a mesa feita de uma porta larga e uma pequena máquina registradora. O ateliê era simples, faltava até mesmo luzes adequadas. Caroline presumiu que suas horas de trabalham coincidiam com a luz do dia. E o aluguel não devia ser caro.

—Como ela é, sua mãe? —inquiriu ele.

Caroline girou sobre os calcanhares um tanto rápido demais.

— Sem querer ofendê-la — disse ele mais do que depressa. — É apenas curiosidade. Não é sempre que alguém resolve se mudar para cá de uma hora para outra. Ou você nasce aqui, deixa a cidade, e volta, ou se muda para cá para morar com a família.

Posto dessa forma, ela entendeu seu ponto de vista. Contudo, não estava disposta a abrir seu coração para um estranho. Nem tampouco depreciar sua mãe, apesar das diferenças existentes entre elas. Portanto, disse apenas: — É uma ótima pessoa.

— É bonita?

— Isso é importante? — perguntou a feminista que havia nela.

— Calma, não fique nervosa — ele disse. — Não, não é importante. Estava apenas curioso.

Jack Ivy era curioso, e Caroline era um produto da cidade. Pior ainda, era o produto de uma profissão onde as razões ocultas eram comuns e onde a paranóia fazia parte da vida. Era triste ser tão receosa num lugar rústico e simplório como aquele.

Caroline suspirou. — Ela é bonita. — Voltou-se para o quadro e perguntou: — É uma paisagem local?

— É uma miscelânea de paisagens de vários lugares, como a maioria do que pinto. Não consigo me sentar e copiar o que está à minha frente. Precisa ter o meu toque.

— Você põe na boca, mastiga e cospe de volta na tela — disse ela — como diz um amigo meu. Ele também é pintor.

— Ele tem razão. Onde ele mora?

— Ao norte de Chicago.

— É onde você mora?

— Moro na cidade.

— E sua mãe? Ouvi dizer que ela é da Filadélfia.

— Isso mesmo.

— E que é viúva. Quando o marido dela morreu?

Caroline redobrou a prudência. Não estava acostumada a responder perguntas pessoais. Mas aquele sujeito aparentava um interesse inocente. E aquela era uma questão de testemunho público. — Há três anos.

— Era seu pai?

Caroline percebeu sua intenção. — Era.

Ele assobiou baixinho. — Ficaram casados todos esses anos?

— Não sou *tão* velha assim — disse ela arrastando as palavras e estudando o homem. — O esteriótipo diz que pessoas como você são insulares e lacônicas. Essa curiosidade lhe é peculiar ou o esteriótipo é falso?

Ele sorriu. — O esteriótipo não está totalmente equvocado. Somos pessoas reservadas. Mas como eu disse antes, o fato de sua mãe ter comprado Star's End nos surpreendeu.

Caroline lembrou-se da conversa que tivera com Cal no táxi. — Ela será considerada uma excentricidade e mantida a distância?

— Não necessariamente. Vai depender dela. Não somos pessoas maldosas. Apenas precavidas. — Ele sorriu.

— E curiosas.

Seu sorriso era tão inocente que Caroline não ficou chateada — ou talvez fosse o cheiro familiar de tinta óleo que a fez pensar em Ben e a deixou à vontade. Permaneceu ali mais um tempo, admirando cada uma das telas do ateliê de Jack Ivy. Comprou uma delas, a primeira, que atraíra sua atenção desde o princípio. Só então partiu rumo ao próximo ateliê. Esse outro abrigava o trabalho de três mulheres. Duas delas estavam ao cavalete quando Caroline entrou, e a terceira se aproximou para conversar. Seu nome era Joy, natural de Nevada, e quis saber tudo sobre a nova proprietária de Star's End. Entretida, Caroline revelou um pouco mais do que revelara a Jack.

O mesmo aconteceu na loja seguinte. Essa última era um estúdio menor, numa rua secundária próxima ao cais. Dentro havia retratos e o casal que os pintava. —Trabalhamos por correspondência — explicaram-lhe. — Alguém nos manda a fotografia, nós pintamos o retrato. —Mas isso foi tudo o que disseram sobre si. Eles, como os demais, estavam curiosos a respeito de Ginny.

Caroline estava começando a se sentir uma celebridade. Contudo, limitou-se às informações fornecidas aos artistas anteriores. Calculou que não cabia a ela contar-lhes tudo. Mas a Ginny.

Annette era mais falante por natureza, principalmente quando se tratava de algum assunto que lhe interessava. Havia se afastado do centro da cidade e caminhado em direção às ruas vizinhas, apinhadas de lojas de arte, e estava pasmada. Nunca vira tantos objetos requintados num só lugar e ao mesmo tempo — colchas, almofadas trançadas, quadros e tapetes, cada um mais notável do que o outro.

Os artistas responsáveis pelos trabalhos estavam ali, prontos para responder qualquer pergunta sobre sua arte, até que Annette se apresentava. Então, tornavam-se eles os questionadores.

— Por que sua mãe resolveu comprar Star's End? — quis saber um deles.

— Quem vai morar com ela na casa? — perguntou outro.

— Como ela é? — inquiriu um terceiro, e embora Annette tivesse respondido aos dois primeiros com frases curtas, deu mais atenção à terceira pergunta. Não era sua intenção falar mal de Ginny. Era leal demais para isso.

— Ela é bastante sociável. Tenho certeza de que virá aqui o tempo todo. Adora conversar.

— Ela está sozinha, agora que seu pai faleceu?

— Sente falta dele. Mas tem muitos amigos que lhe fazem companhia.

— Virão aqui?

— Tenho certeza que sim — respondeu Annette com segurança. Ginny certamente seria bem tratada se aquelas pessoas pensassem que ela era uma boa cliente.

Menos pelo bem dos negócios, contudo, do que pelo bem da sala de estar de Ginny, Annette comprou uma manta em tons de marinho e turquesa, e a levou consigo até a loja seguinte. Nessa outra havia uma exposição de peças de argila, e que exposição! Annette foi surpreendida pela ressonância das peças a tal ponto que esquivou-se das perguntas sobre si a fim de comentá-las.

— Deve ser o ar daqui que faz vocês produzirem peças tão maravilhosas. É o mesmo em cada loja em que entro.

Há uma certa paixão nelas. Como as cores magníficas do mar e das flores que vejo na casa da minha mãe.

— Não há mistério algum — disseram-lhe. — Star's End é uma espécie de lenda por aqui.

Annette ficou intrigada. — Uma lenda?

— Uma inspiração romântica. Dizem que é um lugar onde as pessoas se apaixonam.

— Isso é *incrível* — disse Annette, sorrindo. — Por causa da paisagem?

— Uhm, hum.

Era isso. Havia *realmente* algo de encantador naquele lugar. Imaginou se Ginny sabia disso, ou se se importava. Ginny nunca se deixou levar por fantasias.

Agora ela entendia por que todos na cidade estavam tão curiosos a respeito da nova moradora de Star's End. Certamente, quando chegasse à próxima loja, as perguntas continuariam. Foi mais generosa em suas respostas agora, revelando detalhes da vida de Ginny na Filadélfia, de uma viagem que ela fizera recentemente, do trabalho de caridade em que estava envolvida.

— Ela foi feliz?

A pergunta a pegou de surpresa. — O que quer dizer?

— Ela teve uma vida feliz?

A pergunta veio de Edie Stillman, tecelão que aparentava ter alguns anos a mais do que Ginny e dividia a loja com a filha. Quando Annette entrou, havia ali uma neta, simples e simpática. Aquela era, sem dúvida, uma família unida, e, Annette concluiu, tal união inspirara a pergunta.

— Sim, ela teve uma vida feliz — respondeu, embora

estivesse em dúvida. Ginny sempre lhe parecera feliz.
Nunca reclamara.

— Sua casa na Filadélfia era como Star's End?

— Não. Era maior e mais requintada, bonita também,
mas num estilo diferente de Star's End.

— Ela já havia falado em Star's End?

— Quer dizer, em comprá-la? Na verdade — Annette
disparou a verdade sem revelar mais do que o necessário
— a mamãe é uma mulher independente. Ela nos fez uma
surpresa. Adora surpresas. Ah, essas almofadas são espetaculares. — As almofadas eram cobertas com fios de seda
que corriam do rosa-chá para o fúcsia. — São exatamente
o que a sala de mamãe precisa para ganhar vida.

Comprou seis de tamanhos diferentes e deixou a loja
diplomaticamente.

Leah comprou três pares de calças *jeans*, três camisetas
brancas e três coloridas, um suéter de malha demasiado
grande para seu tamanho e um par de tênis. Os *jeans* se
pareciam com Caroline, as camisetas, com Annette. Calculou que a combinação dos dois estilos era perfeito para
Star's End.

Presumindo que as duas estariam lá quando chegasse,
Leah voltou para casa usando um dos novos trajes, mas o
Volvo ainda não havia retornado. Por isso, apressou-se escada acima, retirou as etiquetas das peças e pendurou-as
no guarda-roupa, junto de suas roupas elegantes.

Teve que admitir que ficava muito bem de *jeans* e camiseta branca. Bem moderna. Bem Cap.

A não ser pelo penteado. Seus cabelos estavam elegantemente fixados quando saíra de manhã, mas o ar úmido era matreiro. O cabelo antes liso agora mostrava seus cachos. E pior, alguns fios soltos haviam escapado e se enrolado.

Retirou os grampos e esfregou o couro cabeludo dolorido com os dedos; em seguida, sacudiu a cabeça a fim de que o peso do cabelo caísse sobre as costas. Olhando-se no espelho, escovou as longas melenas, primeiro para um lado, depois para o outro. Num impulso, molhou a escova e correu-a pelo cabelo, uma vez, mais uma, e finalmente pela terceira vez. A água era o estímulo de que seus cachos precisavam. Faziam-nos florescer.

Leah deu um passo para trás. Ocorreu-lhe que sua aparência não era das piores. Os cabelos cacheados combinavam mais com os *jeans* e a camiseta branca do que o rabo-de-cavalo — e era melhor ter-se livrado dos grampos que machucavam o couro cabeludo.

Pensando que seu cabeleireiro, que adorava seus cabelos e estava sempre lhe implorando que os usasse soltos, ficaria impressionado, ela desceu as escadas em direção ao penhasco a fim de que a brisa os secasse. Escorregou as mãos para dentro dos bolsos traseiros das calças e sacudiu a cabeça, sentindo-se imensamente livre.

Por fim, deu as costas para o mar. Saboreando o ar fresco e a liberdade, passeou pelos canteiros de flores e precipitou-se por entre os arbustos até que se deparou com um pequeno chalé. As ripas de madeira que revestiam a cabana estavam acinzentadas, desgastadas pela ação do tempo, e contrastavam com o verde vivo dos carvalhos;

não obstante, a casa conservava um adorável aspecto de bem cuidada. Persianas pretas pendiam junto ao par de janelas do primeiro piso e do sótão. Uma estufa ao lado do chalé projetava-se em direção ao mar e ao sol da manhã. A curiosidade foi mais forte, e ela permaneceu ali por uma eternidade. Aproximou-se da porta aberta e protegeu os olhos da luz que refletia na janela.

— Olá. — Leah ignorou a aceleração dentro do peito e aguardou em silêncio. — Olá?

Viu o sofá e as poltronas de um lado, e uma sala de jantar do outro. Bem à frente e acima havia um quarto, e, mais acima, zumbindo suavemente, um ventilador de teto.

O interior do chalé podia, facilmente, caber no primeiro dos três andares de sua casa na cidade, mas lhe pareceu confortável e completo. Aconchegante. E seguro. Havia um cheiro agradável no ar — do espruce atrás dos carvalhos, da lenha que queimara na lareira numa noite fria não fazia muito tempo. Observou também que o lugar possuía um cheiro masculino. Aquela era a casa dele. A casa de um estranho, proibido, porém intrigante.

Dessa vez, ela partiu a passos largos, contornando a casa a fim de melhor explorar os lugares que ainda não vira. O perfume de rosas tornava-se mais forte e mais fraco à medida que caminhava. Mais ao longe, ela parou. Avistara antes a extensão do promontório, só e na companhia das irmãs, mas seus olhos e sua cabeça estavam mais abertos agora, e o que antes parecia um afloramento de arbustos espraiados, mostravam-se mais densos agora.

Era um urzal, percebeu de súbito, delicadamente belo. As plantas variavam de altura, indo de moitas espessas a alfombras rasteiras e coxins bulbosos, e seus tons iam do verde-acinzentado ao verde-escuro e do verde-claro ao verde-limão. Entre as plantas havia pedras, escuras em alguns pontos, descoradas em outros, maiores e menores, à medida que o promontório se estendia.

Seus olhos acompanharam o jardim até a beira do penhasco, onde uma cabeça coberta de cabelos escuros e úmidos surgia, seguida de um par de ombros largos, de quadris estreitos e pernas longas. Os quadris e as pernas estavam cobertos por um par de calças de brim, porém, a camisa, ensopada de suor que escorria pelos ombros, encontrava-se aberta, ao sabor do vento.

Leah sentiu o coração bater acelerado em seu peito, e mais ainda quando ele a viu e sorriu. Seu sorriso a deixava desconcertada. E era inevitável sentir-se assim toda vez que o encontrava.

— Oi — disse ele.

Seu sorriso em resposta foi igualmente inevitável. — Como está?

— Encalorado. O sol está forte hoje. — Jesse relanceou os olhos para o céu, enxugou a testa com o braço e voltou-se para ela. — Está bonita.

— Obrigada — agradeceu, imensamente feliz. Quase acrescentou um "você também". Mas ele era o jardineiro. Estava sujo e suado. Um comentário como esse poderia ser mal interpretado. Então, apontou para o urzal. — Estou impressionada. Novamente. Fez tudo aquilo sozinho?

Seus olhos prenderam os dela. — Levou quatro anos. O lugar todo estava tão tomado pelo mato que mal se podia ver o rochedo. Tive que arrancar tudo antes de replantar.

— Ficou diferente dos outros jardins.

— Foi proposital. Star's End é como uma pedra preciosa. Tem várias facetas. Você viu os canteiros de flores, os bosques e agora isso. Há também um prado de flores silvestres.

Aquilo sugeria algo idílico e puro. Excitada, Leah perguntou: — Onde?

Jesse ergueu o pescoço em direção ao bosque. — Ali. Está começando a florescer. E o urzal também. Em agosto, as flores darão lugar às framboesas. Com a chegada do outono, as cores irão colorir o bosque de dourado e vermelho.

— Um urzal. Tão lindo. Nunca imaginei.

— A maioria das pessoas não imagina. Acham que é uma plantinha sem graça. É originária da Grã-Bretanha, por isso florescem no clima úmido e frio daqui. Quando bem localizada e cuidada, os resultados valem a pena.

Ela lançou um olhar curioso para o balde que ele depositara no chão quando surgiu das pedras.

— Algas marinhas — disse ele. — Dá uma boa palha protetora de plantas. São orgânicas. E de graça.

— Você desceu pelas pedras para juntá-las?

— Foi.

Isso explicava o forcado que ele carregava, e que não tomou sua atenção por muito tempo. Leah estava atraída pelas manchas de suor em sua camisa, em seu peito largo, musculoso e ligeiramente peludo, bem torneado. Leah estava ofegante.

Tentou se lembrar da última vez em que se sentira atraída por um homem, mas não conseguiu. Era realmente incrível. Conhecia vários homens. Homens atraentes. Estava acostumada a vê-los com calções de banho, e, certa vez, numa festa à beira da piscina, havia um homem bêbado e nu. Mas fazia anos que eles não lhe tiravam o fôlego.

Não desde Charlie, um intelectual, de certa forma atraente, de cabelos encaracolados, óculos de aro de metal e um ego do tamanho do Texas. Antes de Charlie, houvera Ron, mas este não lhe causara mais do que uma faísca.

Jesse Cray não lhe causara também uma faísca, mas dezenas delas, e a fazia sentir-se mulher — e não era por sua aparência, no sentido tradicional. Ele possuía traços fortes, marcados, e embora fosse um homem solene, seu sorriso era de matar.

Imaginou se seria a infreqüência que tornava tudo tão tentador, mas seu sorriso não era a única coisa que a excitava. Era a gentileza, a maneira direta com que ele se dirigia a ela. Não era pretensioso nem tímido. Não estava tentando flertar. Estava simplesmente *ali*, um homem que apreciava sua companhia.

Pelo menos era isso que ela imaginava. Não que fosse uma especialista em homens. Podia estar errada. Mesmo assim, gostava de sentir o que sentia.

Por isso sorriu. — Bem. — Esfregou as mãos. — É melhor deixá-lo trabalhar.

Jesse tornou-se solene de novo. — Sua mãe vai chegar hoje?

— Não sei ao certo. Minhas irmãs estão furiosas por ela não ter aparecido ainda.

— E quanto a você?

— Estou desapontada. Mas ansiosa para vê-la. Achei que fosse estar aqui quando eu chegasse.

— Ela está doente?

— Não. Só está atrasada, eu acho.

— Está com medo de vir morar aqui?

Leah considerou a pergunta, mas não fazia idéia dos sentimentos da mãe. Ginny era um mistério — uma mulher muitíssimo agradável, correta e respeitável que guardava para si o que pensava.

— É provável — disse ela finalmente.

— Posso entender como ela se sente.

— Eu não. — Naquele momento, sobre o assunto em questão, ela não tinha dúvida. — Esse é o lugar mais agradável em que já estive. É lindo. Reconfortante. Excitante.

— Tem gente que não concorda inteiramente com você e acha isso aqui entediante.

Ela balançou a cabeça. — Trouxe uma pilha de livros comigo, mas cada vez que me sento para lê-los me foge o pensamento, e antes que eu me dê conta, estou fazendo outra coisa.

— Já esteve na cidade?

Ela fez que não com a cabeça.

— Deveria ir. É bonita.

— Vai muito à cidade?

— Todo dia. Para comprar comida e outras coisas. É um lugar surpreendente.

Leah estava bestificada. — Surpreendente?

— Não é tão interiorana como muitos pensam. Os artistas são pessoas sofisticadas e, por isso, os serviços que a cidade oferece também o são. A mercearia vende *croissants*. E a loja de ferragens tem uma máquina de *cappuccino*.

— E alguém toma *cappuccino* por aqui?

Ele disparou seu sorriso torcido. — Claro. Os artistas adoram *cappuccino*. Há um restaurante chamado Julia's que é especializado em frutos do mar e onde há outras coisas interessantes. Devia conhecê-lo. A dona deve ter a sua idade. Veio de Nova Iorque para cá há três anos. Vai gostar dela.

— Parece ótimo — disse Leah, embora não estivesse muito tentada a conhecer a cidade. Sentia-se segura e feliz em Star's End.

— Quando quiser uma carona, fale comigo.

Agora *isso* era uma tentação, pensou ela, sorrindo. — Pode deixar. — Começou a se afastar. — Foi bom falar com você. Bom trabalho.

Leah se virou e caminhou o mais casual que pôde em direção à casa. Era um desafio. Sentia-se nas nuvens, de cabelos anelados e *jeans*, ao sabor do vento salgado do mar, sobre um urzal cultivado com paixão.

Passou pela piscina e aproximava-se das portas envidraçadas da casa quando a voz alterada de Caroline a trouxe rapidamente de volta à terra.

Nove

$\mathcal{A}$ nnette estava ao telefone, tapando a outra orelha, enquanto, ao seu lado, Caroline balançava um pedaço de papel na mão.

— Não é hora de ligar para casa, Annette! Precisamos decidir o que fazer! — Virou-se rapidamente quando Leah entrou. — Leah! Você viu isso?

Leah pegou o papel da sua mão. Era um recado de Gwen. Mal começara a lê-lo quando Caroline bradou: — Ela não virá hoje *nem* amanhã! — E tirou o bilhete da mão de Leah. — É egoísta, arrogante e mentirosa. *Irrecuperável.* O que há com ela? Não está *querendo* vir? Comprou esse lugar por *brincadeira*? Será que não percebe que só estamos aqui porque achamos que *ela* estaria aqui. Está tentando nos irritar, Leah. Isso vai continuar por dias. Sei disso.

Leah estava desapontada, mas não sentia a raiva de Caroline. — Falou com Gwen sobre isso?

— Ah. Boa pergunta. Gwen estava à porta da frente, esperando pelo Volvo assim que chegamos. Nem tocou no assunto. Sabe bem onde deve se meter. Onde você estava quando Ginny ligou?

— Fui dar um passeio — respondeu. Não quis mencionar que havia saído para comprar roupas. Queria que as irmãs pensassem que ela sabia o tempo todo o que vestir em Star's End.

Annette desligou o telefone e se juntou às irmãs com ar exasperado. — O que há com a mamãe? Por que está fazendo isso? Será que não respeita o fato de que possuímos nossas próprias vidas?

— Thomas está melhor? — quis saber Leah.

— Por enquanto. Deus sabe o que pode acontecer daqui a uma hora.

Caroline tamborilou os dedos sobre a bancada. — Se ousássemos fazer coisa semelhante com ela, Deus sabe o que aconteceria. — E num tom zombeteiro, prosseguiu: — Pontualidade é fundamental, meninas. *Confiança* é crucial. As pessoas nos julgam por isso. — E aumentando o tom de voz: — Sabiam que estou sempre adiantada para os meus compromissos? Os colegas do escritório zombam de mim, mas eu odeio atrasos. Odeio, não. Odiar não é a palavra exata. Não *suporto* atrasos. Começo a suar se acho que estou atrasada. Fico dizendo a mim mesma que é uma estupidez, que o resto do mundo não liga a mínima se estou atrasada, pois é assim que as coisas são, mas infelizmente não consigo me modificar.

Leah conhecia a sensação. Quantas vezes precisou se conter, sentar-se e esperar, totalmente arrumada, consultando o relógio a fim de que não chegasse a uma festa na hora marcada, o que por sinal era bastante comum, antes mesmos dos anfitriões estarem prontos. Annette interrompeu seu pensamento: — É hereditário. Quando meus filhos têm hora marcada com o dentista, sempre chegamos na hora, embora eu saiba que teremos que esperar. Fico nervosa e amaldiçoo a mamãe. E fico querendo dizer aos meus filhos que se atrasem à vontade, pois as pessoas vão querer sua companhia de qualquer jeito, mas acabo não dizendo.

— E o que faz então? — perguntou Leah. Uma vez que conciliar seus próprios instintos com os de sua mãe era importante para ela, estava aberta a sugestões.

— Tento achar um meio-termo — concluiu Annette.

— Ensino as crianças que não devem deixar as pessoas esperando, mas não as deixo neuróticas por causa disso. Ligamos para o consultório do dentista antes de sairmos de casa para ver se ele está dentro do horário. Nas raras vezes em que estamos atrasados, procuramos não entrar em pânico e tentamos nos apressar. Em geral não há problema algum em se atrasar.

— A mamãe devia ter-nos dado essa escolha — resmungou Caroline, deslizando os dedos pelos cabelos. — Preciso de um cigarro. Alguém tem um?

— Eu não.

— Nem eu.

— Droga. — Caroline virou-se para as portas envidraçadas, e então virou-se de volta. — Por quanto tempo ela acha que ficaremos aqui à sua espera? Chegamos ontem, e agora ela liga e diz que não virá antes de dois dias, talvez mais. O que vamos fazer?

—Gastar o dinheiro dela —sugeriu Annette, sorrindo e dirigindo-se ao sofá e a uma montanha de sacolas. — Encontrei coisas maravilhosas na cidade. Vejam só isso. — Descartando as sacolas, ela deitou sobre o sofá a manta marinho e turquesa e jogou as almofadas estrategicamente à volta. — E isso — disse ela, desembrulhando com um pouco mais de cautela o papel de jornal que envolvia o vaso de cerâmica em craquelê azul. —Para frutas ou balas. — Colocou-o sobre o cubo baixo de mármore ao lado de uma das poltronas.

Leah achou as compras maravilhosas, e lhe disse isso.

Caroline concordou, menos zangada agora. —São incríveis. Assim como o quadro que comprei. — Levou-as à ante-sala, levantou a tela e segurou-a contra a parede.

Leah aproximou-se. —Inacreditável. As cores se parecem com Star's End. É absolutamente perfeito para o *hall*. —Ela suspirou, sentindo-se envergonhada. — Vocês duas andaram ocupadas.

—Ben me disse que Downlee era uma colônia de artistas — explicou Caroline — mas achei que ele estava apenas sendo simpático. Não esperava encontrar obras dessa grandeza.

Annette estava efusiva. — Você não viu o que eu vi, e olha que eu não vi nem a metade. Deve haver mais umas oito lojas que não tive tempo de visitar. Downlee está cheia de surpresas.

Leah pensou no que Jesse havia dito. O fato de suas irmãs confirmarem o que ele dissera a fez sorrir. Sentindo-se feliz novamente — adiando a condenação de Ginny por seu

atraso, e sentindo-se mais relaxada — ela olhou para uma e depois para outra. — Acho que devíamos comemorar.
— Comemorar o quê? — indagou Caroline. — Ginny ainda não chegou.
— Certo, então ela não veio. Pior para ela. Está perdendo esse lugar, está perdendo nossas descobertas e a nós. Além disso, estamos gastando o seu dinheiro. Acho que devemos celebrar o sucesso das compras.

Caroline torceu o nariz, porém com uma certa dose de carinho.

Leah não se deu por vencida. — Sei que está tarde, mas já almoçaram?

— Não.

— Não.

— Querem comer?

— Gwen saiu.

— Podemos mastigar umas batatinhas.

Mas Leah não estava querendo mastigar batatinhas.

— Tem muita comida na geladeira. Vou preparar alguma coisa.

— Mesmo?

— Está falando sério?

Mas Leah já se dirigia para a cozinha, onde abriu uma garrafa de vinho branco e encheu três cálices.

— Nunca bebo de dia — confessou Caroline. — Não consigo me concentrar no trabalho.

Annette, circunspecta, fitou o copo. — A última coisa que quero é que meus filhos pensem que preciso de um drinque no meio do dia.

— E não precisa — propôs Leah. — Só está bebendo

porque está de férias. As crianças não estão aqui para ver. E você não precisa se concentrar no trabalho, Caroline. Há pessoas trabalhando por você em Chicago.

— É, e posso apostar que estão fazendo besteira. De algum modo, estão fazendo. Não tive um bom pressentimento quando telefonei para o escritório. — Mesmo assim, ela ergueu o copo. — Saúde!

Algum tempo depois, Leah tornou a encher os cálices. Agora, elas usavam maiôs e desfrutavam o sol da tarde no deque, enquanto degustavam a *salade Niçoise* que ela havia preparado.

— Está ótima — comentou Annette. — Bom trabalho.

— Gosto de cozinhar. Não que isso seja realmente cozinhar...

— Isso é cozinhar — insistiu Caroline. — Cozinhou as batatas e as ervilhas, e você mesma preparou o molho. Faz muito isso?

— Não. Não vejo muita graça em cozinhar para mim mesma.

— É por isso que compro comida pronta.

— Mas você tem uma boa desculpa para agir assim — ressaltou Leah. — Trabalha fora o dia inteiro. Eu estou quase sempre em casa, por isso acho bobagem não cozinhar. Mas é mais divertido fazer isso aqui. A cozinha da mamãe é um sonho.

— Mas fique longe das comidas calóricas — avisou Annette. — Minhas coxas estão muito grossas.

Leah riu. — Não estão, não.

— Estão gordas.

— Gordas, não — disse Caroline. — Apenas não têm

mais dezoito anos. As minhas também. A esteira não faz milagres.

Leah estudou suas coxas, e em seguida as das irmãs.

— Falando objetivamente, nenhuma de nós está tão mal assim. Deixaríamos Ginny embaraçada se suas amigas estivessem aqui.

Caroline bufou. — Pelo menos não no que diz respeito a coxas. Deus sabe que as *delas* não ganhariam prêmio algum.

— Estariam usando roupas de banho com saiotes — disse Annette arrastando as palavras e suspirando em seguida. — Olhe para nós. Temos um maiô pequenino, um biquíni *sexy* e outro sóbrio e drapeado. Fico feliz que Jean-Paul não esteja aqui. Ele estaria olhando para vocês, não para mim — lamentou.

— Não é verdade — disse Caroline.

Leah concordou, sem esconder a inveja. — Ele venera o chão que você pisa. E se a mamãe estivesse aqui, ela aprovaria o seu maiô e não o nosso. Provavelmente nos mandaria vestir algo mais decente se estivesse esperando convidados.

— Mesmo se não estivesse — lembrou Caroline. — Ginny é puritana.

Annette ponderou. — Ela tem uma visão estreita do que é adequado. Diria que nossas coxas são grandes demais para estarem à mostra, que temos quadris muito largos, seios muito grandes. Ela se preocupa demais com a opinião alheia. Teme o que possam dizer nas suas costas.

Leah lembrou das agonias da infância. O quão dolorosas tinham sido na época, e que agora pareciam engraçadas. — Lembram-se de quando éramos crianças, como ela ficava tensa sempre que íamos visitar seus pais?

— Queria que parecêssemos perfeitas — lembrou-se Annette.

— E que usássemos vestidos da Saks — retomou Caroline — e sapatos novos e cabelos bem penteados. E os rolos? Lembro-me dos rolos em meus cabelos, que eram, são e sempre serão lambidos, e é por isso que os cortei curtinhos assim, embora a mamãe não entenda por quê. Lembro-me de dormir com rolos e grampos de arame que furavam meu couro cabeludo. Que pesadelo.

— Mas a nossa aparência era tudo para ela — disse Leah. — Se estávamos bonitas, significava que ela tinha feito a coisa certa. O mesmo se parecíamos ricas.

— Nós éramos ricas de qualquer jeito — afirmou Caroline. — Não havia motivo para aquilo.

— O motivo — argumentou Leah — era que nossos avós eram mais ricos. O dinheiro tinha muita importância para eles. A mamãe queria mostrar a eles que havia feito um bom casamento.

— Às nossas custas, sem querer fazer jogo de palavras.

— Talvez.

— Talvez? — ecoou Annette. — Leah, ela a enlouqueceu tanto que você se tornou bulímica. Não a defenda.

— Não é isso. Só estou tentando entendê-la. Ela queria a aprovação dos pais. É muito diferente do que nós queremos? Quer dizer, por que outro motivo estamos aqui?

— Eu estou aqui — disse Caroline, chupando uma azeitona preta — porque Ben me disse que se eu não viesse, iria me sentir culpada pelo resto da vida. Ele tem consciência. E ainda por cima é bonito.

—Falando em beleza —sussurrou Annette —alguém já deu uma espiada no jardineiro?

Leah engasgou com uma fatia de atum. Tossiu, respirou fundo e sorveu um bom gole de vinho.

— O que houve?

Com a mão no peito, ela disse: — A mamãe morreria se desconfiasse que você estava de olho no jardineiro.

—Foi apenas um comentário inocente. Ele é deslumbrante.

—Não é mal —observou Caroline, confortavelmente esparramada na espreguiçadeira. — Meio caipira.

—Deslumbrante —insistiu Annette.

— E quanto a Jean-Paul?

—Jean-Paul é magnífico. Esse sujeito é deslumbrante.

— Qual é a diferença?

— Magnífico envolve a pessoa como um todo. Deslumbrante diz respeito apenas à fachada. Jean-Paul é brilhante, talentoso e deslumbrante.

— Ben também. É lindo por dentro e por fora. Enquanto esse sujeito não passa de um jardineiro.

—Acho que —interrompeu Leah calmamente —ele é horticultor. Estivemos conversando. Ele parece conhecer o assunto a fundo.

—Certamente combina com o lugar —ponderou Caroline. — Ginny fez bem em mantê-lo aqui. Ele se parece com Star's End, literal e metaforicamente falando.

—Como as peças que compramos hoje —completou Annette. — Elas refletem este lugar. Andei conversando com os artesãos sobre isso. Eles acham que Star's End possui um tipo de magia.

Leah ficou intrigada. — Como assim?

— É o lugar mais bonito que há por aqui. Os artistas vêm para cá em busca de inspiração.

— É mesmo? — perguntou ela, sorrindo. A idéia continha um certo mistério.

— Sinto a mesma coisa — concordou Caroline. Fico vendo Star's End em tudo que contemplo. A tela que comprei era uma entre muitas, e a encontrei na primeira galeria em que entrei. Em todo lugar em que parava, tinha a mesma sensação, a mesma energia, a mesma... — ela procurou a palavra — a mesma paixão. — Olhando para as irmãs, acrescentou, na defensiva: — Foi o que senti.

— Eu também — confessou Annette.

— Eu queria conversar mais com os artistas, mas eles só queriam falar de Ginny.

— Comigo foi a mesma coisa! Em todo canto que eu ia, eles me faziam perguntas. Achei um tanto estranho.

— Estranho, não. Irritante.

Leah pensou no policial que lhe dera informações a respeito da localização de Star's End quando chegou. Aquilo também fora curioso. — Suponho que seja natural. Downlee é um lugar pequeno. A mamãe é recém-chegada na cidade. Eles querem saber como ela é.

— Do jeito que ela é — Caroline resmungou — talvez nunca venham a conhecê-la. Quando ela chegará afinal?

A pergunta era retórica. Leah nada sabia além de Caroline e Annette. Estavam todas no mesmo barco. Ocorreu a Leah que há muito elas não se viam nesse tipo de situação.

E há muito não se sentavam juntas, só as três, para almoçar. Ou para conversar por tanto tempo sem se agredirem.

Ocorreu a Leah que talvez aquilo tudo tivesse relação com a idade. Talvez elas tivessem amadurecido. Certamente compartilhavam o mesmo dilema — o mesmo inimigo, por assim dizer — o que era sempre bom para o grupo. Mas compartilhavam também o mesmo passado. Tinham algumas coisas a considerar.

— Então — disse ela — o que pretendem fazer? Vão ficar ou não?

Esperou que Caroline dissesse alguma coisa, mas ela apenas sorveu mais um gole de vinho.

— Acho que minha família não quer que eu retorne agora. — Annette respondeu.

— É claro que eles querem que você volte.

— Não. Estão irritados com as minhas ligações. Querem um descanso. Têm algo a provar.

Calmamente, Caroline falou: — Estou com o mesmo problema no escritório. E com Ben. — Seu olhar se perdeu na distância. — Quando falei com ele, há alguns minutos, ele disse que eu era dependente, ligando para casa o tempo todo.

Leah se calou.

Permaneceram em silêncio por alguns momentos, beliscando os petiscos, sorvendo o vinho, deixando que o som distante das ondas do mar abrandasse suas aflições.

Leah sofria por elas. Suas vidas eram mais complexas — o que não significava que tudo tinha sido perdoado. Caroline ainda era arrogante e Annette continuava levando a maternidade ao extremo. Mas aparentemente Leah não era a única que pensava assim, e os que acreditavam nisso estavam, aos poucos, revelando-se. O fato de suas irmãs estarem lutando contra seus sentimentos demonstrava que não eram tão insensíveis quanto Leah costumava acreditar. Ademais, não estavam desfazendo dela. Leah não estava se sentindo inútil como costumava se sentir sempre que se encontrava com elas. Talvez porque tivesse preparado o almoço.

— Vou ficar um pouco mais — disse Annette finalmente. — Creio que será um bom exercício de paciência.

— Há uma parte de mim que deseja que eles falhem — queixou-se Caroline —, só assim sentirão a minha falta. Mas me sinto uma tola tendo que voltar agora. — Sorveu o resto do vinho que havia no cálice e olhou para as irmãs. — Além disso, quero visitar outras galerias. Há tanta coisa para ser vista. E Ginny precisa *muito* delas!

Com exceção dos breves instantes em que uma ou outra saía para passear, elas passaram o resto da tarde à beira da piscina. Leah desceu com um terceiro livro, uma vez que o segundo não prendera sua atenção. Quando Caroline lhe contou que já o tinha lido, ela se enfureceu, mas logo em seguida a irmã lhe deu algumas dicas sobre o autor que incitaram ainda mais sua curiosidade a respeito da leitura.

Caroline apoderou-se de um de seus livros e começou a lê-lo.

Annette encontrou uma revista e se pôs a rabiscá-la. O sol avançou para o oeste e finalmente se escondeu. A brisa tornou-se mais forte e o ar mais frio.

— Estou com fome de novo — disse Caroline.

Annette deixou de lado as palavras cruzadas. — Não olhe para mim. Se estou de férias, não sou eu quem vai preparar o jantar.

— Não vai querer que *eu* vá — avisou Caroline.

Ambas olharam para Leah. — Está bem — disse ela.

Mas Caroline reconsiderou. Franziu a testa de um modo beligerante e anunciou decidida: — Gwen está aqui. Vamos deixar que ela prepare o jantar. Isso lhe fará bem, já que é tão servil a Ginny.

Leah teve uma idéia melhor. — Ouvi dizer que há um bom restaurante na cidade. O Julia's. Vocês o viram na cidade hoje?

— Eu não.

— Não.

— É especializado em frutos do mar. Parece interessante.

Caroline lançou-lhe um olhar duvidoso.

— Como pode um restaurante de frutos do mar ser interessante? — inquiriu Annette.

— A dona é nova-iorquina — informou Leah.

Caroline fechou o livro e sorriu. — Estão prontas?

— Eu sei, Ben. Estou ligando demais. Mas preciso lhe contar uma coisa. Fui jantar com minhas irmãs esta noite.

Felizmente, passei a tarde bebendo vinho, por isso estava me sentindo mais confiante, e até que foi interessante.

— Só vocês três?

Ela percebeu o tom de surpresa em sua voz e ficou feliz por ter ligado. Presunçosamente, respondeu: — Só nós três. Não tínhamos muita escolha. A mamãe ainda está se escondendo em algum lugar, e Gwen está em maus lençóis por estar de conluio com ela. E como não conhecemos ninguém por aqui, estamos presas umas às outras. Achei que pudesse ser constrangedor, mas não foi. Você ficaria orgulhoso de mim. Estive bastante agradável.

— É espantoso.

— É verdade — insistiu ela. — Somos pessoas inteiramente diferentes.

— E sobre o que conversaram?

— Sobre o restaurante. Era um lugar adorável. Faria sucesso em Chicago.

— As pessoas no Maine também comem.

— Eu sei, mas o lugar é de alto nível.

— Você é uma esnobe — disse ele, com ternura. — Do que mais falaram?

— Livros. Filmes. Música. O tempo passou rápido. E você vai gostar de saber que eu não saí nem uma vez da mesa para ligar para o escritório.

— Esperou até chegar em casa.

— Não liguei, não. Vou provar que você estava errado. Não sou dependente de nada.

— A não ser de mim.

— Não conte tanto com isso. Não preciso controlar você. É a minha clientela que me preocupa.

— Sua clientela vai ficar bem.

— Pode ser. Eu apenas gosto de saber o que está acontecendo.

— Gosta de ter o controle das coisas.

— E você, não? O que acharia se alguém derramasse um balde de tinta em uma de suas pinturas?

— Uhm-hum, querida. A analogia foi boa. Um artista é, por definição, um profissional solitário. Mas você trabalha numa firma, e isso significa ter de trabalhar em equipe.

— E daí? Eles podem fazer alguma coisa errada. Posso ser apunhalada pelas costas.

— Mas você escolheu trabalhar com eles.

— Porque me dá segurança. E prestígio. Principalmente para uma mulher. Eu não teria a clientela que tenho se não fosse pela firma.

— E se tivesse menos clientes e trabalhasse com pessoas mais simpáticas? Significaria que é menos auto-suficiente? A questão é essa, Caroline. Você sempre quis ser *a* melhor, a *mais* durona, a advogada *mais* atarefada da cidade. Deus me livre de pensar que você seja dependente de um homem, ou de amigos, ou de um lugar na sociedade como sua mãe foi. Você não é. Já provou isso mais de dez vezes, e quanto a ter o controle das coisas, se quer minha opinião, acho que teria mais controle se tivesse sua própria firma.

— Não pedi sua opinião — disparou ela, e em seguida disse com mais calma: — De onde veio tudo isso?

Ben ficou calado por um instante. — É sempre a mesma coisa. Estou sempre pensando em nós dois. Talvez você devesse pensar nisso também.

Caroline teve a perturbadora sensação de que estava recebendo um ultimato. Ela e Ben estavam juntos, com alguns intervalos, há dez anos. Ele era paciente. Era indulgente. Mas era humano também. Não podia esperar para sempre.

Sentiu vontade de gritar com ele. Quis dizer que nunca lhe prometera nada, e que se *ele* tinha problemas com o relacionamento dos dois, não era culpa dela. Mas não conseguiu dizer nada. Muito do que ele lhe dissera fazia sentido.

— Preciso desligar agora — disse ela, engasgada, e desligou.

Annette esperou até as dez para ligar para casa. Imaginou que àquela hora Robbie e as gêmeas estariam com os amigos, que Nat e Thomas estariam dormindo e que Jean-Paul estaria sozinho — e que perdoaria mais uma ligação sua.

Ninguém atendeu o telefone. Ela pressionou os números do aparelho mais uma vez, sem sucesso.

Presumindo que Jean-Paul tivesse levado os menores ao cinema, ela terminou as palavras cruzadas e tentou outra vez. Não houve resposta. Então, abriu um livro e começou a lê-lo, tentando a chamada a cada quinze minutos; em seguida, a cada dez; e a cada cinco. Já estava em desespero quando Jean-Paul finalmente atendeu.

—Jean-Paul! Graças a Deus! Estava preocupada! Onde esteve?

— Saímos, eu e as crianças — disse ele calmamente.

— Você sabe como eles são. Mal terminam de fazer uma coisa e já estão pensando na próxima. De qualquer modo, chequei o médico de sua mãe. Obtive boas referências.

— Falou com ele?

— Falei. Ele confirmou o que Leah disse.

Annette percebeu nele uma ligeira hesitação, coisa que alguém que não o conhecesse bem não teria percebido.

— E então, Jean-Paul?

— Os exames iniciais detectaram um problema mínimo. Foi na consulta seguinte que ele começou a se preocupar. — Annette arfou, e ele prosseguiu: — A pressão estava alta. Ele prescreveu uma medicação e sugeriu que ela fizesse uma dieta e evitasse aborrecimentos.

— Há algum problema com seu coração?

— O eletrocardiograma apontou uma ligeira irregularidade. Se ela fosse dez anos mais moça, ele teria sugerido um marcapasso. Na verdade, ele lhe deu essa opção, mas ela recusou. Como não era nada grave, ele deixou como estava.

— Você teria feito o mesmo? — perguntou ela.

— É difícil responder, não é minha especialidade. A escolha deve ser do paciente. Ele sugeriu a ela que se consultasse regularmente com um cardiologista. Estou com o nome de um em Portland.

— Bom, pelo menos isso — retrucou ela.

— Mas veja bem, eu não lhe disse nada — alertou Jean-Paul. — Os médicos não gostam de discutir sobre seus pacientes com uma terceira pessoa.

— Mas você é um colega.

— E também o genro da paciente contando à filha algo que ela, por razões próprias, decidiu não revelar.

— Serei discreta quando perguntar sobre sua saúde — prometeu Annette, uma vez que planejava mesmo perguntar. A partir do que Jean-Paul lhe havia dito, ela se sentiu responsável por Ginny, o que era no mínimo surpreendente, levando-se em conta sua história familiar. Mas a personalidade de Annette era diferente. Receou que sua sina era se amofinar com o problema dos outros.

Mais tranqüila, indagou: — Então, por que ficaram na rua até tão tarde?

— Paramos para tomar sorvete.

— Às onze e meia?

— Thomas estava com fome. Não comeu quase nada o dia inteiro.

— Ele não estava se sentindo *bem* o dia inteiro. — Ela suspirou, aflita. — Sorvete. — E o pai era médico. Annette não sabia se ria ou chorava. Sentiu-se uma tola por ter-se preocupado.

Subitamente lhe ocorreu que, do jeito que era, estaria cheia de rugas e com uma úlcera por tanta preocupação antes mesmo de chegar aos cinqüenta, enquanto o resto da família viveria a vida despreocupadamente. Não lhe parecia justo.

Não *era* justo.

— Sorvete — repetiu ela. — Está certo. Ele pediu cobertura de *marshmallow*, calda de chocolate e castanhas? — Jean-Paul não via motivo para preocupação; então que *ele* limpasse quando Thomas acabasse vomitando.

— Só calda de chocolate.

— É melhor deixar a porta do quarto aberta, caso ele passe mal à noite.

— Não se preocupe.

— Não, não vou me preocupar — disse ela ironicamente. — Estou aqui, e você está aí, por isso, se alguém tem que se preocupar, esse alguém é você.

— Está zangada?

Estava furiosa. — Por que pergunta?

— Está diferente.

— Ora, como você estaria se sua família lhe dissesse para dar um tempo?

— Ninguém lhe disse isso.

— Não nestas palavras, mas quase. As crianças ficam impacientes para desligar o telefone, e você fica me dizendo para não me preocupar, como se eu fosse uma megera.

— Está imaginando coisas, Annette. Você não é uma megera.

— Então por que não posso ligar? Sinto *falta* de vocês. Não sentem a minha falta?

— Muito. Mas não estamos paralisados. Isso é um tributo a você. Você nos treinou, e fez um bom trabalho.

Sua fúria transformou-se em mágoa. — Ótimo. Eu os amei demais e agora vocês não precisam mais do meu amor.

— Sempre precisaremos do seu amor. Só não nos sufoque.

— Jean-Paul!

Ela ouviu quando ele disse baixinho. — *Merde*. Não estou ajudando.

— Talvez esteja. Se disser o que sente.

— Não estou conseguindo me expressar. Não gosto de conversar essas coisas ao telefone. Podíamos adiar essa discussão para a sua volta.

— Já discutimos isso várias vezes — ela argumentou; contudo, sentia um buraco no coração. — Você diz que eu não lhe deixo respirar. Está bem. Vou deixá-lo respirar. Ginny continua adiando sua chegada, e não posso ir embora enquanto ela não chegar, e, além disso, estou me divertindo na companhia de minhas irmãs. Sendo assim, vou deixar tudo em suas mãos. Se alguma coisa acontecer, pode me ligar.

Jean-Paul se calou.

Annette queria chorar. Não entendia por que discordavam sobre esse assunto, quando raramente discordavam sobre alguma coisa. Não entendia por que Jean-Paul não estava sentindo o mesmo que ela. Não entendia por que ele não estava *sentindo* a sua falta.

Ela pensava diferente, quando se tratava de maternidade e amor. Arrasada, finalizou: — Vou desligar agora. Boa-noite, Jean-Paul.

Esperou que ele ligasse de volta, mas o telefone não tocou.

Dez

$\mathcal{A}$ meia-noite, Leah estava sentada à beira do penhasco, enrolada em seu xale, com a mente voltada tão-somente para o mar. Estava escuro, e o ar pleno. A luz da lua tangia a água formando uma mancha prateada, e, abaixo, na escuridão, as ondas se faziam ouvir, rebentando contra as pedras numa explosão de espuma.

Por toda parte em Star's End ela encontrava riqueza, e ali não era diferente. Havia beleza na noite, uma abundância de sensações que a teria preenchido por completo. Contudo, uma pequena e solitária parte de Leah estava tomada de dor.

Virou-se até avistar a casa. A extensão escura da piscina era quebrada apenas pelo movimento ritmado de um par de braços. Ela estava no penhasco há uma hora. Há quase vinte minutos ele nadava. Se as noites anteriores fossem um precedente, logo ele estaria terminando.

Mais dois minutos e ele apoiou os cotovelos sobre o deque. Descansou por um instante e então impulsionou o corpo para fora d'água. Secou-se e jogou a toalha em torno do pescoço. De costas para ela, ele formava uma figura escura e solitária na noite. O coração de Leah começou a bater mais forte. Ele se virou.

Ela prendeu a respiração ao vê-lo se aproximar. Quando chegou bem perto, ele se agachou nas pedras.

— Está aqui há muito tempo? — perguntou gentilmente.

— Não. Estou. É bonito aqui. Tranqüilo.

— Não está com frio?

— Não. — Com o xale e a camisola Leah estava adequadamente protegida, o que explicava a quentura. Mas não explicava as batidas aceleradas de seu coração. Jesse Cray a deixava assim. Ele a atraía com sua honestidade, sua gentileza e, claro, com seu corpo. A força da atração era surpreendente. Evocava curiosidade e desejo. Leah quis tocá-lo.

— Jantamos no Julia's hoje — disse ela, tentando manter a voz firme. — Gostei de lá. Obrigada pela recomendação.

— De nada — respondeu, enxugando o rosto com a ponta da toalha. — Suas irmãs também gostaram?

— Uhm-hum. Você havia me dado algumas dicas de como era o lugar, mas elas ficaram surpresas. Estão acostumadas com cidade grande. Caroline mora em Chicago, Annette em St. Louis. Caroline é advogada.

— E Annette?

— Esposa e mãe. O marido é neurocirurgião. Eles têm cinco filhos.

Jesse sentou-se nas pedras. — E quanto a você?

— Não tenho filhos. Nem marido.

—Como ocupa o seu tempo? —perguntou ele diplomaticamente, porém sem estudar a pergunta. Ele parecia possuir uma sensibilidade natural.

— Trabalho para instituições de caridade e coisas afins. Sou —disse ela devagar —o que chamam de voluntária profissional.

—Não há nada de errado com isso.

Não, certamente não havia. A não ser pelo fato de que lhe faltavam os honorários —ou os filhos —para comprovar sua utilidade. E pela solidão que acompanhava suas noites.

—Caroline é casada? —ele quis saber.

—Não. É atarefada demais para isso. Pelo menos é o que diz.

—Você é atarefada demais também?

—Ah, eu fui casada —disse ela sem orgulho. —Duas vezes. Não funcionou em nenhuma das duas.

—Sinto muito.

—Eu também, na época. Nas duas vezes. —E Ginny ficara furiosa. Gostara de Charlie e de Ron, ambos bem-nascidos, bem-sucedidos e capazes de sustentá-la segundo seus padrões. E Leah concordava com ela, mas não com o buraco que ambos deixaram em seu peito.

— Algumas coisas não funcionam às vezes — disse ela a Jesse. —O que na teoria parece perfeito, pode ser na verdade um verdadeiro fiasco. A razão nem sempre está em sintonia com a emoção.

—Você não os amava?

—Amava. Mas não da maneira certa. —Ela os amava intelectualmente, mas sem o amparo da paixão. Estivera muito mais apaixonada pela idéia de estar apaixonada do que propriamente por eles.

— Isso deve tê-los magoado.

Ela riu, num tom de autodesvalorização. —Que nada. Nenhum dos dois casamentos durou muito tempo. Ambas as rupturas foram mútuas. Como não havia filhos envolvidos, apenas seguimos nossos caminhos. Sei que isso parece frio. Não foi bem assim. Gostei de estar casada.

— Não com eles.

Ela assentiu. — Agora já sabe. Sou um fracasso total em relacionamentos.

— Aposto que tem muitos namorados.

Ela se virou para o mar, cruzou os braços em torno dos joelhos e disse: — Detesto namorar. É embaraçoso. Evito o máximo que posso. — Arriscou fitá-lo. — E você?

Ele deu de ombros. —Saí com algumas mulheres. Nada sério.

— Nunca?

— Estou esperando pela mulher certa. Sou um sonhador.

Um sonhador. Tão diferente.

Ele jogou o queixo em direção às ondas. — Está uma noite louca lá embaixo.

— Parece que sim. — Tão diferente. Tão *interessante*. Tão carnal.

— Quer descer?

— Descer? — perguntou ela, surpresa. — Não sabia que era possível.

— Há uma escada. Não com degraus de verdade. São

pedras que permitem o acesso. Posso levá-la até lá. É lindo quando se chega na metade do caminho. Ela se pôs de pé no mesmo minuto, segurando o xale. — Eu adoraria, mas não estou vestida de acordo. Vou congelar, e molhar isto aqui. Ele se levantou. — Tenho uns casacos velhos em casa. Já se molharam tantas vezes que mais uma vez não fará diferença, mas nos manterão aquecidos. Volto já. Ele parou. — Não quer vir?

Leah hesitou apenas o tempo que levou para perceber que, embora Ginny pudesse ficar chocada em saber que a filha mais moça estava na companhia do jardineiro no meio da noite — um joão-ninguém para a sociedade, porém muito mais do que a maioria das mulheres consegue encontrar na vida inteira — mas Ginny não estava lá.

— Claro — disse ela com um sorriso, saindo ao seu lado.

A penumbra âmbar do chalé crescia à medida que eles se aproximavam. Jesse segurou a porta e entrou atrás dela.

— Espere aqui um instante — disse ele, subindo, dois a dois, os degraus que levavam ao sótão. Com apenas um abajur aceso, o sótão estava sombreado, mas não ao ponto de impedir que Leah o visse procurar os casacos no armário, abrir a gaveta da cômoda, despir-se do calção de banho e vestir um *short* seco.

Leah sentiu uma quentura percorrer-lhe o corpo e desviou o olhar. A enorme manta que pendia do anteparo do sótão impedia que ela o visse da cintura para baixo, porém, sua imaginação não foi tão obsequiosa. Pintou seu

corpo com pinceladas grandes, soltas, audazes, e seu coração acelerou em tempo recorde.

— Ainda está aí? — ele a chamou.

— Ainda estou aqui — ela respondeu, num tom absurdamente alto. A fim de que parecesse menos absurdo e
mais proposital, como se fosse necessário gritar para pro-
jetar a voz até o sótão, ela disse, quase no mesmo tom: —
Gostei da sua casa. — Sua visão periférica registrou as fotografias na parede, embora não tivesse tido coragem de
se aproximar. — É aconchegante.

Ele desceu as escadas a trote, vestindo *jeans* e um své-
ter, e trazendo um outro na mão. Gentilmente, ele a ajudou
a se vestir. Ela soltou o xale e escorregou os braços dentro
das mangas. Ele puxou o suéter até a sua cintura e, suavemente, começou a tirar os cabelos presos dentro da gola,
pouco a pouco.

O coração de Leah pulsava num ritmo desenfreado.

— Tenho tanto cabelo. Nunca ficam no lugar.

Mas os olhos de Jesse gostavam do que viam, e sua
voz soou profunda. — São lindos. Nunca vi nada parecido.

— Admirou-os por mais um instante e finalmente disse: —
Tudo pronto?

Leah meneou a cabeça. Deixaram a casa, e ela o seguiu
até a beira do penhasco. Ali, ele tomou sua mão.

Seguiram pelo declive, descendo as pedras e tomando
uma passagem íngrime que os anos haviam concedido. Vencer a trilha, descalços, foi a parte mais fácil. O difícil foi enfrentar a proximidade do oceano, com a ferocidade com que
quebrava contra as pedras e se lançava pelo ar, até cair, em
espuma, e retornar. Leah sentiu-se pequena e indefesa. A

sensação aumentava à medida que desciam e o estrondo das ondas ecoava dentro dela.

Teria sentido medo, certamente, se estivesse sozinha, ainda que fosse dia claro. Mas Jesse segurava sua mão. Era seu protetor.

Ele a levou a um penedo largo e achatado, que os manteria fora do alcance da espuma, e a fez sentar-se entre suas pernas. À sua volta, a maré vinha e ia, enrolava-se, estourava e recuava, revelando-se mais turbulenta do que parecia de cima, e ainda mais fascinante. Ela escondeu os pés sobre a camisola, coberta pelo suéter de Jesse, e pôs-se a contemplar tamanha beleza.

— Tudo bem? — sussurrou ele delicadamente em seu ouvido.

Ela suspirou. — Tudo.

— Está aquecida?

— Estou ótima.

Rindo, ele puxou-a pelas costas com o braço que envolvia sua cintura, quando a maré ameaçou molhá-los — e novamente, um instante depois, e cada vez mais ela se aproximava dele. Um pouco depois, quando uma terceira onda se armava, ele sugeriu que voltassem.

Leah poderia ter ficado ali a noite toda. Estava se divertindo — estimulada pelo mar e pela proximidade de Jesse. Mas embora não tivesse nada melhor a fazer do que dormir a manhã inteira, o mesmo não valia para ele. Assim, tomou a mão que ele lhe estendia e avançou pelas pedras. Alcançaram o penhasco e cruzaram a relva, e suas mãos permaneciam unidas.

— É um lugar especial — disse ela. — Você vai sempre lá?

—Não tanto quanto gostaria. É muito solitário sentar lá sozinho. É melhor quando se tem companhia.

Enquanto andavam, Leah percebia o quanto estava feliz por ele tê-la convidado. Ele não precisava. Poderia simplesmente ter saído da piscina e voltado para casa, o que, provavelmente, fariam os homens que conhecia. Não eram de sair do seu caminho para compartilhar um instante de beleza, e nas raras vezes em que o faziam, havia um motivo oculto. Tal motivo geralmente não era dos mais nobres.

Uma cínica teria dito que o motivo de Jesse Cray não era dos mais nobres. Leah era a filha da patroa, e era rica. Mas não era cínica. Acreditava que Jesse era seu próprio patrão. Não precisava bater cartão de ponto nem bajular ninguém para receber uma promoção. Não tinha a quem impressionar. Seu trabalho falava por si só, e o que fazia nas horas de folga era de sua própria conta. Escolhera viver daquela forma.

E escolhera mostrar a ela o mar da meia-noite.

—Obrigada por me levar até lá.

Ele apertou sua mão. — Obrigado por aceitar meu convite.

Continuaram a caminhar. A grama macia sob seus pés era tão sedutora quanto a maré. A brisa ergueu seus cabelos e tocou sua nuca. A mão de Jesse segurava a sua.

Leah ouviu um ruído que vinha do bosque.

— É a hora deles — disse ele.

Isso a trouxe à realidade. —Já é tarde. Vou pegar meu xale e voltar para casa. Você deve estar querendo dormir.

—Não preciso de muitas horas de sono.

—Mas acorda cedo para trabalhar.

—Vale a pena ficar com sono por uma boa causa.

Quanto mais se afastavam do mar, quanto mais silenciosa a noite, mais alto e contrastante era o eco das ondas. Sentia-se agitada — o coração pulsando dentro do peito — porque Jesse estava ao seu lado. E assim se sentiu até alcançarem o chalé.

Ele segurou a porta e, lá dentro, ajudou-a a despir o suéter.

Ela olhou para ele. Novamente notou o ar solene em seu rosto, contudo, em meio à seriedade, ela viu desejo e medo — o que ela própria estava sentindo — e de repente foi demais para resistir.

Sua boca roçou o seu rosto. Ela virou-se para ele. Seus lábios se tocaram uma, duas vezes, e novamente, com ternura. Ela suspirou — de alívio, prazer, excitação. Seu gosto era como o seu cheiro, puro e másculo, e quando ele a puxou para si, ela achou que fosse morrer. Seu corpo era grande e rígido. Estava extremamente excitada.

Jesse tornou a beijá-la, mas ela queria mais. Desde o princípio — e apenas em parte, pois sua solidão suplicava por isso. A solidão não era novidade. Nem tampouco a disponibilidade de um homem. Durante anos ela tivera muitas oportunidades, mas não cedera a nenhuma delas, até agora.

Jesse Cray a fascinava. Não era um homem refinado. Era carnal. Proibido. Era viril e excitante, e ela o queria.

Mais. Ele a olhava como se ela fosse especial, preciosa, rara. Ela quis ser tudo aquilo.

Ela pousou os braços em torno de seu pescoço ao mesmo tempo que ele a abraçou, e o lenitivo daquele pleno contato físico a fez gritar. Ele era forte e rijo, e de tão ansioso por tê-la em seus braços, seu corpo vibrava.

Ele se afastou apenas para tomar seu rosto nas mãos, e quando a beijou desta vez, não foi um simples toque de lábios. Foi profundo, molhado e longo, uma demonstração da necessidade da carne.

Não ocorreu a Leah interromper aquele momento — nem mesmo quando ele a levou em seus braços para o sótão, despiu sua camisola e tocou-a, primeiro com os olhos, depois com as mãos, ou quando ele despiu-se de suas próprias roupas e encostou seu corpo nu contra o dela. Ele era um ícone de graça e força, de pernas longas, dorso peludo e mãos mágicas que a libertavam e, antes mesmo que ela conseguisse retomar o fôlego, começaram de novo. Era um homem de movimentos fluidos e impulsos audazes que alteravam a mulher que ela fora um dia, e teria sido terrível não ter estado com ele. Jesse beijou-a nos olhos. Tocou seu rosto. Pousou as mãos dela em seu peito e gemeu. Em seus momentos mais indômitos, quando ele a levava a sentir mais e mais, e jogava a cabeça para trás, ela podia ouvir seu nome em sua boca.

Leah descansou, o corpo enroscado no dele. Podia ter dormido, mas quando ele se virou para ela mais uma vez, ela estava pronta. Faminta, ansiava por tudo que ele queria, e ele a nutriu — com beijos molhados, com as mãos em seus seios e coxas, e com uma ereção que a saciou e durou uma eternidade.

Pouco antes do amanhecer, ele a levou para casa, o braço sobre seu ombro, apertando-a contra si.

— Então — disse ele — o que acha?

Ela não fingiu não entender o que ele dizia. — Acho que esta foi a noite mais improvável que já vivi.

— Está arrependida?

— Não. Só um pouco confusa.

— Por que não sou o tipo de homem com que está acostumada?

— Em parte. Também porque o que senti foi muito forte.

— Sentiu, não sente mais?

— Sinto. — Ela parou, pôs uma mão em sua cintura e a outra entre suas coxas, e não houve recato em seu gesto. Adorava senti-lo em sua mão, embora fosse melhor sem o *jeans*, mas ainda assim era bom. — *Eu* queria mais. Foi você quem disse que devíamos voltar.

— Já vai amanhecer. Você precisa voltar para sua cama, e eu preciso trabalhar. — Ele tomou o rosto dela nas mãos. Eram mãos grandes, calejadas, que a seguravam com cuidado. Sua voz assumiu um tom retumbante: — Lembra-se de quando perguntou se eu já havia me envolvido seriamente com alguém?

— Lembro.

— E eu lhe disse que não havia encontrado a pessoa certa? — Ele a olhava, atento. — Acabei de encontrá-la.

Leah prendeu a respiração. Ele falava sério. Ela podia ver. Uma parte dela concordou com ele. A outra negou, balançando a cabeça, mas ele permaneceu imóvel.

— Acredito que para cada homem existe uma mulher,

para cada mulher, um homem, apenas um, que a possui, de corpo e alma. A maioria das pessoas passa a vida inteira sem encontrar sua outra metade. Procura, experimenta e acaba se contentando com uma segunda escolha sem saber o que estão perdendo. Você, para mim, é essa pessoa, Leah.

— Como pode saber? — disse ela, atemorizada, pois o que ele disse a havia calado fundo. Sentira isso desde a primeira vez que o vira. Aquilo era algo absolutamente novo para ela.

— Sei disso — disse ele com convicção. — Quando foi a última vez que esteve com um homem?

— Eu... não sei.

— Faz algum tempo. E nunca fez isso com alguém que conhece há apenas dois dias. Não é leviana.

— Não, mas...

— Foi casada duas vezes. Teve alguma noite com eles como a que acabamos de ter?

— Sexo não constrói um relacionamento.

— O que fizemos constrói.

Ela sabia o que ele queria dizer — o que era desalentador. Jesse Cray era um jardineiro. Podia ser inteligente e articulado, mas faltava-lhe *pedigree* e uma educação acadêmica. Morava numa cabana de um único cômodo na propriedade de sua patroa e dependia da vontade dela. Ele era antítese do tipo de homem que ela tanto procurava.

Contudo, era o homem mais excitante que ela jamais encontrara, o mais franco, o mais gentil, o mais apaixonado, e quando lembrou-se de como ele a fez se sentir — não apenas na cama, mas no penhasco, no urzal, entre as flores — quase acreditou no que ele disse sobre existir uma mu-

lher para cada homem. Nunca se sentira assim — amada
— em trinta e quatro anos.

Onze

$\mathcal{W}$endell Coombs cruzou a varanda do armazém a passos lentos e se agachou a fim de se sentar no banco comprido de madeira.

— Clarence — disse ele, cumprimentando o homem que ocupava a outra extremidade.

— Wendell — veio a resposta.

Wendell cheirou o conteúdo de sua caneca de café. Naquele dia, o café fora feito com grãos oriundos de um lugar que ele não ousava pronunciar o nome, muito menos procurar no mapa. Pelo menos não no *seu* mapa. *Seu* mapa tinha trinta e sete anos. Nele não havia lugares que ele não pronunciasse.

Ainda sem estar pronto para tomar um trago, pousou a caneca sobre a coxa, onde achou que faria algum bem à perna dolorida. — O mundo está indo pelo esgoto — resmungou. — Nada é mais o mesmo. *Num* se pode nem mesmo tomar um café como Mavis costumava preparar. Nem comer um sanduíche de pão branco.

— O trigo é *bão*.

Wendell soltou um gemido que exprimia sua opinião sobre o trigo; e sobre o café feito de grãos que vinham de países que ele não ousava pronunciar o nome. —Não para aquelas de Star's End. Aquela senhora, Gwen, estava comprando coisas caras — disse ele. — É preciso lembrar para quem ela está cozinhando.

—Ouvi dizer que *num* é ela quem cozinha. Elas cozinham para si mesmas.

—*Quem* disse isso?

—Minha June. Ela falou com Sally Goode, que falou com a prima, Molly, que falou com a tal senhora. Gwen.

—Então o que Gwen *faz*? — vociferou Wendell.

—Administra a casa.

—Soa mais chique do que controlar as despesas. Só Deus sabe de onde vem tanto dinheiro. As duas mais velhas estiveram na cidade para gastar, são espalhafatosas e arrogantes.

Clarence tirou o cachimbo da boca e o virou para lá e para cá, estudando-o, e tornou a prendê-lo entre os dentes. —Não foi o que ouvi.

Wendell o fitou.

Clarence sacou do bolso a bolsa de fumo, mergulhou nela o cachimbo e socou dentro dele o tabaco. —Ouvi dizer que são simpáticas.

Wendell arregalou os olhos. — *Quem* disse isso?

—Edie Stillman. Falou com a de St. Louis.

Wendell repetiu. —Edie Stillman.

Clarence gostava de Edie. Ela morara no Maine a vida inteira. Era uma artista de verdade, mas ao contrário do que Wendell pensava, não era promíscua. Se não fosse artista, já teria se mudado dali há tempos. A maioria deixava a cidade. Mas os artistas gostavam de Downlee por haver ali outros artistas e porque a consideravam um bom lugar para trabalhar. A cidade podia ser pior. —O que ela disse sobre a mãe? —Wendell quis saber. Clarence enfiou o cachimbo na boca. —Disse que ela mora numa mansão.

—Sim, *sinhô*, isso é que é ostentar. Clarence enfiou a bolsa de fumo no bolso da jaqueta de lona e tirou de lá uma caixa de fósforos. — Pode ser apenas um fato.

—Vou lhe *dizê* o que é um fato. A de Chicago é amiga de gente ruim e de artistas. Simon me disse. Estamos encrencados.

Clarence riscou o fósforo contra o fumo e o aspirou até que acendesse. — Só se os amigos vierem — disse ele soprando a fumaça.

— E sabe o que mais? — disse Wendell. — O pai morreu há três anos. Foi o que bastou para ela *vendê* tudo que era dele. É o que eu digo, ela está procurando alguma coisa.

—Como pode estar procurando alguma coisa se nem mesmo está aqui?

— E por que não está aqui? — inquiriu Wendell.

As fontes de Clarence tinham várias teorias, porém, nenhuma delas o convencia. Uma dessas fontes afirmava que seus compromissos sociais não a deixavam vir, mas nenhuma das pessoas com quem Clarence conversara podia imaginar uma mulher daquela idade levando uma vida tão agitada. Era mais provável que estivesse sem pressa. — Talvez tenha deixado a mudança por conta das filhas.

— A mudança já foi feita, e ela ainda *num* veio.

— Talvez esteja visitando alguém.

— Enquanto as filhas esperam?

— O que disse Elmira?

Wendell fez uma careta. — Elmira disse que a mulher está com medo, mas o que Elmira sabe? Eu lhe digo, Ginny St. Clair está procurando alguma coisa.

Clarence soltou uma gargalhada. — Não há nada em Star's End além de flores e de Jesse.

Wendell gostava de Jesse. Sentindo-se mais forte ao pensar no homem, levou a caneca à boca, sorveu o café e estremeceu. Quando o espasmo cessou, ele disse: — Jesse é um de nós. *Num* tenho dúvida de que lado ele ficaria se precisasse manter a dignidade de Star's End. Ele ama aquilo lá.

Clarence não duvidava. Tocou a ponta do boné quando Callie subiu os degraus. — Dia, Callie.

— Dia, Clarence.

Wendell continuou olhando para frente até que Callie Dalton, esposa de um vira-casaca, entrasse na loja, mas sua cabeça fervilhava. Satisfeito, afirmou: — Jesse vai odiar aquelas mulheres. Mulheres arrogantes não o enganam. Ele já viu de tudo.

Clarence retrucou calmamente: — Elas *num* são arrogantes, Wendell.

— O que *ocê* sabe?

— Eu as vi. Andando pela cidade. São iguais a nós.

— As aparências enganam.

— *Num* me pareceram espalhafatosas, nem mesmo no restaurante de Julia, ontem à noite.

—Falando de problemas, Julia é mais um —resmungou Wendell.

Clarence não tinha tanta certeza disso. Ele e June haviam apreciado a comida na semana anterior. Apesar da aparência engraçada de alguns pratos e de seus nomes sofisticados, ele tinha que admitir que a comida não era ruim. Não que tenha dito isso a June. Ela e Sally estavam pensando em atualizar o livro de culinária da igreja e pedir alguns conselhos a Julia. Ele não sabia quanto a Sally, mas June estava colocando brotos na salada.

Não que ele fosse contar isso a Wendell, que começaria a associar June às St. Clair. Nem de longe June se parecia com elas. Era tranqüila, leal, educada e trabalhadora.

—Em que está pensando? — perguntou Wendell.

Clarence puxou profundamente a fumaça do cachimbo e soltou-a de uma só vez. — Em nada.

—Nossa, essa fumaça fede.

—O seu maldito café também.

—Pelo menos nisso concordamos — observou Wendell com desdém. — Se quer saber o que eu acho, a cidade está indo pelo ralo. Ficaremos uns contra os outros.

Clarence riu.

—Em que está pensando? — perguntou Wendell.

—Já estamos.

—Não eu. Nem meu irmão Barney e meu primo Haskell. Ou o xerife. Nem tampouco Hackmore — acrescentou, assim que viu o homem em questão passar em sua picape e virar em direção ao cais. — Pode apostar que não faremos isso.

Mas Clarence não era homem de apostar. O mundo estava mudando.

Anos atrás, o velho moinho no alto da estrada estava sendo comido por cupins sem que ninguém soubesse, até que um dia o assoalho ruiu. Clarence imaginava que o mesmo aconteceria a Downlee, que a cidade estaria sendo devorada até que chegaria o dia em que a destruição seria inevitável.

Às vezes, ouvindo Wendell falar, Clarence imaginava que não seria nada mal construir um novo assoalho.

$\mathcal{D}oze$

$\mathcal{A}$nnette levantou cedo, ávida para sair de casa e ir até a cidade. Como Caroline ainda não estava pronta, ela saiu à procura de Gwen. Encontrou-a na lavanderia, retirando da secadora as toalhas ainda quentes. Annette se inclinou sobre a lavadora. —Conte-me alguma coisa sobre a mamãe.

Gwen a olhou espantada, antes de dobrar a toalha ao meio e depois em três. —O que quer saber? — respondeu ela com outra pergunta, dobrando mais uma vez a toalha e deitando-a sobre a secadora.

—Para começar, por que ela não está aqui?

Gwen fez uma careta engraçada. —Terá que perguntar a *ela*.

—Eu o faria se pudesse, mas como ela não está aqui e você é a única pessoa que tem acesso a ela, só posso recorrer a você. Sabemos que ela ainda está na Filadélfia e que está nos embromando. Quero saber por quê.

—Bem, não acho que ela esteja embromando vocês.

— Está nos evitando. Fica adiando sua chegada. Tem algo a ver com sua saúde?

Gwen franziu o cenho e apanhou outra toalha. — Ela está bem de saúde.

— Estou sabendo de sua pressão, Gwen. E do remédio que está tomando, e que o eletrocardiograma acusou uma irregularidade. O que quero saber é se é por isso que ela nos chamou aqui.

Gwen dobrou a segunda toalha ao meio. — Não que eu saiba. — E tornou a olhar para Annette. — É verdade. Embora ela seja teimosa como uma mula. Sugeri que deixasse a mudança por minha conta, e quando tudo estivesse pronto eu voltaria para buscá-la, mas ela insistiu em vir sozinha. Eu realmente esperava que ela estivesse aqui no domingo passado, como disse que estaria.

— Então você não sabia de nenhum plano para nos deter aqui, juntas, sem ela?

— Não sei de *plano* algum — arrematou Gwen, dobrando a última toalha. — Só sei que ela é turrona e ardilosa.

— E quanto à saúde?

Gwen hesitou. — Ela se cansa mais do que antes. Já fez setenta anos.

— Está tomando os remédios?

— Acredito que sim.

— E está seguindo a dieta?

Gwen ergueu a sobrancelha. — Consegue se lembrar de quando ela não seguiu alguma?

Annette sorriu com pesar. Ginny sempre tivera o estômago sensível — pelo menos até onde Annette se lembrava. Não, pensando bem, desde que Leah ficara doente. Parte da recuperação de Leah se devia ao trabalho da nutricionista, época em que Ginny limpara a despensa da cozinha e a abastecera de alimentos selecionados. Por essa razão, as refeições da família se tornaram mais balanceadas. Engraçado como a cronologia dos fatos fugia às lembranças de Annette. Durante anos achou que a preocupação de Ginny com o cardápio se devia a uma obsessão pela magreza. Agora, Annette imaginava se ela não estaria preocupada, na verdade, com a saúde de Leah. Talvez até com a de Caroline e Annette.

Annette se identificava com o fato, embora não houvesse suspeitado que Ginny fosse capaz de tal ato. Curiosa, mas não inteiramente convencida, perguntou a Gwen: — Como é trabalhar para ela?

Gwen sorriu com o canto da boca. — É como ser rico sem as dores de cabeça.

— Ela é boa para você?

— Sempre.

— Afetuosa?

— Hummm...

— Seja sincera — sugeriu Annette.

— Estou tentando, mas não é uma pergunta fácil. Ela não é carinhosa, se é que me entende, mas não é assim com ninguém. Contudo, é uma boa amiga, uma boa companheira. Sim, é afetuosa.

— Quando diz que ela é "uma boa companheira" quer dizer que se preocupa quando você está resfriada?

— Mais do que isso. Sempre foi boa para minha família.

Annette intrigou-se. — De que forma?

Gwen alcançou outra toalha, dobrou-a ao meio, e em três, e mais uma vez ao meio. Segurou-a contra o peito. — Houve vezes em que precisei de ajuda com meu filho. Minhas meninas estavam encaminhadas. Ambas fizeram faculdade. E ambas se casaram e tiveram filhos, e seus filhos agora estão na faculdade. — Ela apertou os lábios. — Jackson é diferente. Esse garoto tem-se metido em encrenca desde o dia em que seu pai nos deixou, e isso foi há trinta e um anos.

— Algum problema com a polícia?

— Isso e muito mais. Começou com vadiagem e roubo de carro. Em meio a tudo isso ele engravidou uma moça e quase a matou com um aborto que ela não queria fazer, e então desapareceu. De vez em quando — observou ela secamente — ele nos dá um descanso, só que sempre volta pior. Está sempre com uma mulher diferente. Está sempre entrando e saindo da prisão, sempre entrando e saindo da faculdade e dos empregos. Jackson é um negro que não deu certo. Já se meteu em coisas que não gosto nem de *pensar*, mas sou sua mãe, tenho que ajudá-lo.

Como Annette faria por seus filhos se, Deus a livre, estivessem encrencados. — O que Ginny fez?

— Ela o ajudou a conseguir empregos — bons empregos — em escritórios. Ela o ajudou a conseguir empréstimos. Mas volta e meia ele deixava de pagar os empréstimos e perdia casa, carro, o que fosse, mas ela sempre saía em sua defesa. Diz que qualquer hora dessas ele toma jeito, mas eu não tenho tanta certeza. Está com trinta e seis anos!

— Onde ele está agora?

— Nesse momento? — Gwen suspirou e apertou a toalha contra o peito. — Está cumprindo pena por desfalque. Roubou dinheiro da patroa, que era a mãe de um amigo seu. Você deve estar pensando que sua mãe não quer mais ouvir falar dele, mas o que você não sabe é que ela já tem outro emprego em vista para quando ele sair. É uma eterna otimista.

Annette estava tocada. — É impressionante.

— Ela é uma dama. Há vezes em que eu gostaria de poder fazer mais por ela. Mas como eu disse, ela é turrona.

— Tem toda razão — concluiu Annette, pensando nas cartas que a mãe lhe enviara e na sua ausência. Já estava se virando para sair quando Gwen tocou seu braço.

— Há uma coisa que eu sei — confessou ela num tom menos aflito. — Quando sua mãe planejou tudo isso, disse que quando tudo estivesse pronto e vocês estivessem aqui, eu poderia sair. Imaginou que vocês poderiam se arranjar sozinhas. Ela realmente queria ficar a sós com vocês. Estou tão surpresa quanto vocês que ela ainda não tenha chegado.

— Você fez planos?

— Só para visitar Jackson.

— E por que não vai?

Gwen pareceu horrorizada. — Oh, não. Não até que sua mãe chegue.

— Mas ela pode demorar dias. E a casa está toda em ordem. Verdade, Gwen. Eu posso dobrar as toalhas para você, e quando estiver cansada, Caroline poderá me substituir. Leah gosta de cozinhar. Você já contratou uma pessoa para fazer o trabalho pesado, e nós mesmas podemos tirar o pó. De que mais precisamos?

Mas Gwen parecia inflexível. — Não posso. Não até que veja com meus próprios olhos que sua mãe chegou e que está bem. É o meu trabalho.

Annette percebeu o toque de preocupação na voz de Gwen, o que a levou a imaginar o motivo de Jean-Paul não ter retornado sua ligação. — Bem — disse ela com um suspiro — pense no assunto, está bem? A mamãe deve estar a caminho.

Era quase meio-dia quando Leah acordou. Apavorada, tomou uma ducha e vestiu-se depressa, descendo em seguida e deixando Star's End antes que suas irmãs tivessem a chance de lhe perguntar por que dormira até tão tarde. Confusa, após deixar a Hullman Road, não sabia que rumo tomar. Na ausência de um local que lhe parecesse familiar, tocou para o restaurante de Julia. Ali, escondida numa mesa de canto que permitia uma visão completa do lugar, ela pediu uma xícara de chá. Quem lhe serviu não foi a garçonete que anotou seu pedido, mas uma mulher esbelta que aparentava a sua idade e envergava um suéter leve sobre uma saia comprida e esvoaçante, de cabelos escuros e ondulados, amarrados no alto da cabeça com uma fita. Algo nela fez com que Leah se sentisse inteiramente à vontade.

— Sou Julia Waterman — disse ela, deitando sobre a mesa o bule de chá. — Eu quis conhecê-la ontem à noite, mas houve uma ligeira emergência na cozinha, e quando tudo estava sob controle, você e suas irmãs já haviam saído. —Ao lado do bule, ela deixou uma cesta de pães e, sorrindo, puxou uma cadeira. — Bem-vinda a Downlee. Quer uma amiga?

Ela fora tão transparente que Leah não pôde resistir. Caso estivesse sozinha, ficaria constrangida. Pior, seria obrigada a refletir sobre certos assuntos, e a última coisa que queria era pensar em problemas. Sentiu-se aliviada. O dilema de Jesse Cray teria que esperar. Além do mais, Julia havia sido bem recomendada.

— Estou sabendo que é de Washington. Morei lá, em Cleveland Park.

Leah sorriu. — Moro bem perto dali, em Woodley.

—Ahhh, um lugar *maravilhoso*. Havia um cabeleireiro lá que cortava muito bem o meu cabelo. Sabe, meu cabelo é rebelde. Ele foi o único que conseguiu dar um jeito nele.

— Aubrey.

— Ele ainda está lá? *Inacreditável!* Ele não é adorável? Depois de Washington, morei em Nova Iorque, e não achei ninguém que tivesse a metade de seu talento. Não imagina quantas vezes desejei voar para lá apenas para cortar o cabelo. Então ele continua trabalhando lá?

— Continua.

— E o Tabbard Inn? O Café la Ruche? O Tombs?

Leah continuou concordando e sorrindo. —Está tudo lá — e os lugares que ela amava, ainda que fossem novos e pouco interessantes para algumas pessoas do seu círculo social.

— Uau! — exclamou Julia. — Às vezes me esqueço como Washington é maravilhosa.

— Por que saiu de lá?

— Eu me casei. Alan foi funcionário da Casa Branca até o final do mandato do presidente, então nos mudamos para Nova Iorque onde ele podia trabalhar como consultor e ganhar três vezes mais. O mandato seguinte chegou ao fim junto com nosso casamento.

— Sinto muito.

— Eu não. Usei o dinheiro do acordo do divórcio para mudar para cá e abrir o restaurante, um antigo sonho do qual nunca desisti.

— Não sente falta da cidade?

— Só quando quero cortar o cabelo. As pessoas daqui são amáveis. E *famintas*. É isso o que importa.

Leah riu. — O jantar de ontem estava espetacular — disse ela, provando um pãozinho. — Uhmmm. Endro?

— Acertou. — Julia se animou. — Tenho um patê que vai muito bem aí... — Fez menção de se levantar e então parou. — Se quiser companhia, estou faminta e preciso de um descanso. Mas se preferir, posso deixá-la sozinha.

Leah não hesitou. Qualquer um que gostasse do Tombs era bem-vindo. — Pegue o patê. Eu espero.

Julia voltou não com um, mas com vários tipos de pasta, uma cestinha com tempura de legumes e uma garrafa de San Pellegrino. — Estou realmente faminta. Dormi a manhã inteira e não tive tempo de comer nada antes de vir para cá.

— Onde você mora?

— No final da rua. Minha casa é antiga, a cozinha é velha, mas possui um certo charme. — Julia alcançou a cestinha de pães. — Ouvi dizer que Star's End tem uma linda cozinha.

Leah riu. — Não me diga que uma de suas clientes mais assíduas é cunhada do homem que instalou os armários lá?

—Quase isso. Tome. Prove esse pãozinho. É diferente do outro. Este é feito com nozes e mel — ofereceu ela, untando-o com patê. — Pães são minha especialidade. O que acha?

Leah achou-o divino e disse isso a Julia revirando os olhos.

— Quando eu era menina — contou Julia — costumava comer os mais variados tipos de pães nas quermesses da igreja. A propósito, essa tempura está ótima, e o patê também, mas o que gosto mesmo é de pão, quentinho e puro.

Esqueça-se de Jesse, pensou Leah. Havia encontrado sua alma gêmea em Julia. Pão quentinho e puro. Sua verdadeira paixão. — Meu *freezer* em Washington está cheio de pães de bordo e *curry*.

— Bordo e *curry*? Parece delicioso — disse Julia, maravilhada.

— Um pedaço dele com uma fatia de queijo substitui uma refeição. — Apenas um pedaço, cuidadosamente controlado, a fim de que não sofresse novamente os percalços dos anos de adolescência.

—Minha Nossa! —exclamou Julia. —Se resolver preparar alguns deles enquanto estiver em Star's End, traga-os aqui. Adoraria prová-los. Adoraria *servi-los*. Seria uma boa idéia, sabe, preparar alguns para que eu os servisse aqui. Já é uma ocupação. Duas semanas é bastante tempo. Leah sorriu. Então Julia sabia quanto tempo ela ia ficar.

— O que mais o passarinho lhe contou?

— Que você é atraente, simpática e solteira. O que achou de Star's End?

— Encantador.

— Não é mesmo? Com exceção de alguns poucos retrógrados, todos o consideram um lugar incrivelmente romântico. Sem falar em Jesse Cray. Ele é um amor. Já ouviu falar das histórias de Star's End, não ouviu?

Na verdade, Leah já havia ouvido falar delas, contudo, considerando a noite passada, decidira encará-las sob outro prisma. — Annette disse que o lugar serve de fonte de inspiração aos artistas.

— Não só aos artistas. A qualquer um.

Leah queria mais detalhes, mas Julia estava entretida com a comida. A fim de dar continuidade ao assunto, perguntou: — Será o ar de lá? — Tinha de haver uma explicação racional para compensar a que Jesse lhe dera. — Será o oceano ou a proximidade com a natureza que deixa as pessoas desconcertadas? — Tudo isso ela havia sentido.

Julia engoliu o que estava comendo. — Certamente existe alguma coisa no ar. Ninguém sabe ao certo. E então, já sabe quando sua mãe vai chegar?

— Ainda não. Deve ligar mais tarde.

— Estamos todos impacientes.

— *Nós* também — disse Leah. Mas não queria falar de Ginny. E estava com medo de fazer mais perguntas românticas a respeito de Star's End, para que Julia não pensasse

que estava enfeitiçada. Seria melhor falar de Julia, pela súbita afinidade que sentira e de quem não sabia praticamente nada. — Onde aprendeu a fazer o que faz?

— Aqui e ali. Sempre adorei cozinhar.

— Estudou culinária?

— Não, mas tenho amigos que estudaram. Aprendi
algumas coisas com eles. Aprendo rápido. E sempre gostei
de experimentar receitas novas, então separei as melhores,
abri esse restaurante e fui ampliando o cardápio pouco a
pouco. Os clientes gostam de encontrar pratos diferentes
a cada semana.

— Nunca fica sem idéias?

— De vez em quando. Sempre que isso acontece, pego
o carro e vou descendo pela costa. Há ótimos lugares cujos
donos são ex-moradores de Manhattan. Eu os espiono.

Leah riu. — Você o quê?

— Com um par de óculos escuros, eu estudo o cardápio até decorá-lo, e peço vários pratos diferentes. Então
volto para casa e tento reproduzir o que comi. Normalmente o resultado é algo inteiramente diferente do que experi-
mentei, mas sempre acaba dando em alguma coisa interessante.

Julia deu uma olhada no quadro negro da parede, que
continha o menu. — Já está na hora de fazer uma viagem.
Não tenho tido idéias novas ultimamente. — E disse num
estalo. — Quer ir comigo? Eu adoraria que fosse, Leah. É
bem mais divertido quando vou com alguém; e não parece
tão estranho quando peço mais de um prato. Geralmente
vou com meu namorado, mas ele está em Kansas, visitando
a mãe. Ela está presa a uma cadeira de rodas e vive num

asilo, mas é uma pessoa muito forte. Tem sido um pesadelo para Howell.

Seu olhar cruzou o salão. — Ih, estão me chamando. — E levantou-se. — Pense no assunto. Podemos ir na semana que vem. Só preciso de um dia de antecedência para deixar tudo em ordem por aqui. — E, apertando o ombro de Leah, disse por fim: — Até mais ver. — E virou-se para a cozinha, voltando em seguida. — E quero provar seu pão de bordo e *curry*. Trará um para mim?

Leah levou algum tempo para reunir tudo o que precisava — não que precisasse de muita coisa, mas porque o povo de Downlee gostava de conversar. Todos eram proprietários de alguma coisa. Todo mundo sabia o que acontecia na cidade. A economia local parecia depender do destino de Star's End. Ao olhos das pessoas, Ginny era uma criatura mística que viria habitar uma casa de sonhos.

Leah trazia um embrulho em cada braço e estava indo para o carro quando Caroline surgiu de uma rua transversal e quase se chocou com ela.

— Ei! — disse ela, examinando um dos pacotes. — O que tem aí?

— Mantimentos. Vou fazer pão.

Caroline tomou um dos pacotes de sua mão e caminhou ao seu lado. — Sentimos sua falta essa manhã. Está tudo bem?

— Tudo ótimo. — Leah levantou o nariz. — Acho que é o ar daqui. Não estou habituada a respirar tanto oxigênio. Ginny ligou?

— Ainda não.

— Caroline?

— Hum?

— Por que não se casou com Ben?

Caroline lançou-lhe um olhar espantado. — Já cansamos de discutir este assunto. Mas Leah sentia-se destemida naquele dia. — *Annette* sempre discute este assunto com você. Não eu.

— Por que quer saber?

— Porque depois de tanto tempo, pensei que estivessem casados ou separados. Mas aí está você, ligando para ele todos os dias. Você o ama?

— É provável.

— Vai morar com ele?

— Futuramente.

— Então por que não se casam de uma vez?

— É difícil conciliar casamento e profissão.

— Mas o relacionamento de vocês não é muito diferente de muitos casamentos que existem por aí.

Caroline duvidou. — À distância?

— Ele a visita no meio da semana, e vocês passam os fins de semana juntos, certo?

— A menos que eu esteja no tribunal.

— As pessoas casadas também fazem isso, quando o trabalho exige. Ron é um bom exemplo.

— E olhe o que aconteceu.

Leah procurou as chaves no bolso. — Não foi esse o motivo do nosso divórcio.

— O que foi então?

— O tédio. — Ela abriu o porta-malas, depositou os

embrulhos no seu interior e alcançou o pacote nas mãos de Caroline. —Aparentemente, Ron era perfeito. Era tudo que a mamãe sempre quis de um genro. Por trás das aparências, enfrentávamos sérias dificuldades. Ele tinha vinte e nove anos e parecia ter cinqüenta. Não tolerava mudanças. Queria costeletas no jantar de segunda-feira, peixe na terça, galinha na quarta e, mesmo quando jantávamos fora, era isso o que ele pedia. Era um gênio da informática. Sua vida era completamente programada.

— O sexo entre vocês também era programado?

— Também. — Mas Leah não estava pensando em Ron na cama, mas em Jesse, que deixava que um sentimento inspirasse o outro num fluxo de consciência carnal. Ellen McKenna o adoraria. Não sexualmente, claro.

— Ben é um amante criativo — comentou Caroline.

Leah tentou tirar da mente o corpo de Jesse e se recompor. — Combina com ele. É um pintor. Precisa ser criativo.

Caroline soltou um gemido de prazer e saudade, exatamente o que Leah estava tentando a todo custo não sentir.

— Então por que não se casa com ele? — perguntou ela, aflita.

— E por que deveria? O que o casamento pode oferecer que eu já não tenha?

— Não tem medo de perdê-lo?

— Ben me adora. Quer passar o resto da vida comigo.

— Então por que não se casam?

— Está sendo *tão* insistente quanto Annette —acusou.

— O que há de tão importante no casamento? Eu entenderia, se Ben e eu quiséssemos ter filhos. Mas eu seria uma péssima mãe, tendo tido um péssimo exemplo. Além do mais, não teria tempo para filhos. Então esse argumento não procede. E não preciso do dinheiro de Ben. E não preciso do seu nome. Então *por que* me casaria?

Leah fechou o porta-malas e apoiou o corpo contra o carro. — É por que ele não se enquadra no esteriótipo?

— Que esteriótipo?

—O tipo de homem que Ginny aprovaria para genro? Caroline soltou uma gargalhada estridente. —Eu faço o que quero, não o que ela quer.

— Claro — disse Leah. —É o que dizemos a nós mesmas. Mas que nem sempre é verdade. Achamos que fazemos o que queremos, como quando me mudei para Washington para reconstruir minha vida após o segundo divórcio. Já que eu havia me casado duas vezes com o tipo de homem que Ginny aprovava, e falhado, estava declarando minha independência. Então o que fiz? Sendo uma estranha, numa cidade estranha, envolvi-me com pessoas que se relacionavam com os amigos de Ginny. Considerei-os aceitáveis porque eram ricos e bem relacionados. Foi o que aprendi a valorizar. Então terminei me envolvendo com pessoas que Ginny teria escolhido para mim, embora estivesse convencida de que as escolhas foram minhas.

— *Eu* faço minhas próprias escolhas — insistiu Caroline. — Ben está aí para provar o que digo.

Leah ficou subitamente impaciente. — Mas não quer se casar com ele. A questão é que ele não é o tipo de pessoa que aprendemos a valorizar.

Caroline sacudiu a cabeça. — Não. Definitivamente

não é o caso. O fato de não querer me casar com Ben não tem nada a ver com isso. Sou eu que não quero. Só isso.

—Não acha que Ginny faria um escândalo se você se casasse com ele?

—Acho que ela preferiria me ver morta. E certamente insistiria num acordo pré-nupcial. É o seu jeito.

—Assinaria um?

—Não.

—Estranho, vindo de uma advogada.

—Conheço Ben. Sei como ele vive e o que ele quer da vida. Possui muito mais orgulho do que ganância.

Leah continuou a olhar para a irmã, e então balançou a cabeça, espantada.

—Qual é o problema? —indagou Caroline.

—Você parece estar tão certa das coisas. Tem sorte. — E Leah a invejava por isso. Deu a volta no carro. —Quer uma carona?

—Obrigada, mas acabei de chegar. Annette e eu passamos a manhã no *shopping center*, pois ela queria comprar *jeans* e camisetas. Disse que não costuma usar esse tipo de roupa em casa porque gosta de parecer uma esposa respeitável, mas como Jean-Paul a mandou para cá, não está se importando mais com isso. Está se rebelando.

—Pobre Annette —disse Leah, então sorriu secamente. — Nunca pensei que diria uma coisa dessa. Acho que estou mais indulgente. — Abriu a porta do carro. — Vou para casa. Até mais tarde.

Leah adorava fazer pão. Adorava mexer na massa e observá-la crescer. Gostava de amassá-la, dividi-la, enrolá-la. Mais do que tudo, gostava do cheiro de pão quente que saía do forno.

Dessa vez, o cheiro forte de bordo vinha misturado a um tempero exótico.

Preparou seis pães. Quando os quatro primeiros já estavam embrulhados e os demais esfriavam, um vento forte trouxe algumas nuvens do oeste, e Caroline e Annette retornaram da cidade.

— O cheiro está divino — observou Annette e provou da fatia que Leah lhe ofereceu. — Hummm. Uma delícia.

— Onde está indo? — perguntou Caroline quando Leah vestiu o suéter.

— Prometi que levaria um pão para Julia.

— *Aquela* Julia?

— Aquela mesma. — Olhou para as nuvens. — Acha que consigo voltar antes da chuva?

— Não.

Mas Leah resolveu tentar. Carregando três deles, correu para o carro. Estava prendendo o cinto de segurança quando o primeiro pingo atingiu o pára-brisa. Rapidamente, procurou descobrir como funcionavam os limpadores. A chuva apertou.

Saiu lentamente com o carro, imaginando se era realmente necessário guiar até a cidade naquelas circunstâncias. Afinal, Julia não precisava dos pães naquela noite. Além disso, apenas dois eram para ela.

Na curva da entrada de carros, de onde não se avistava mais a casa, ela tomou um caminho de terra batida. Minutos depois, estacionou atrás da picape de Jesse.

Com um dos pães sob o suéter, ela correu até a porta dos fundos e entrou num quartinho que abrigava botas, pás, capas de chuva, lanternas e os sacos de lenha. Uma segunda porta dava acesso ao chalé.

Entrou na sala. Mesmo sem a presença de Jesse, Leah foi tocada por uma sensação acolhedora. Não soube dizer se eram os tons castanho-avermelhados dos móveis, as fotografias na parede ou o cheiro da madeira. Talvez fosse a pequenez do lugar que a fazia sentir-se à vontade, e excitada.

Recusou-se a pensar que era o destino. Queria simplesmente viver um dia após o outro.

— Oi — disse ele com sua voz macia.

Ela virou-se, corando imediatamente. — Oi. Eu... a porta não estava trancada.

— Nunca está. — Ele se aproximou, um tanto hesitante. — Está chovendo lá fora?

Ela meneou a cabeça, e foi tudo o que pôde fazer. Não conseguia entender como um homem podia atraí-la tanto, a ponto de deixá-la sem fala. Jesse a deixava assim — os cabelos escuros caídos sobre a testa, a sombra da barba cerrada no queixo, o jeito como jogava o peso do corpo sobre uma das pernas, as veias salientes dos braços. Não podia acreditar que aquele homem incrível a tivesse amado. Sua presença a deixava ofegante.

Ele fungou. — Que cheiro bom é esse?

Corada e sem fôlego, ela tirou o pão esquecido debaixo do casaco. — Fiz pão de bordo com *curry*. É o meu preferido.

— E ainda está quentinho.

— Nem tanto. Preparei dois deles para Julia, mas não sei se devo guiar até a cidade com essa chuva.

— Eu levo você.

— Ah, não, não precisa...

Ele a beijou, e qualquer menção de protesto que ela pensasse em fazer foi esquecida. Estava no céu... provando-o, cheirando-o, sentindo-o.

Quando ele parou de beijá-la, sua cabeça estava jogada para trás, os olhos fechados, a respiração mais lenta. — Não tinha certeza se você era real. Imaginei que tudo não passara de um sonho.

— Não foi um sonho.

Ela jogou os braços em torno de seu pescoço. — Está com um cheiro gostoso. — E abriu os olhos. — Cheiro de terra.

— São minhas mãos. Estive mexendo na estufa.

— É um cheiro forte.

Segurando seu rosto com as mãos que cheiravam a terra, ele tornou a beijá-la, dessa vez mais intensamente. Ela estava lânguida, quando ele disse: — Vou lavar as mãos e levá-la ao restaurante de Julia.

Ela o seguiu até a cozinha, observando-o caminhar, parar diante da pia e alcançar o detergente.

Ele sorriu para ela, constrangido.

Leah engoliu e limpou a garganta. — Adoro as fotografias que você tem aqui. Foram tiradas por algum fotógrafo local?

—Pode-se dizer que sim.

—Foi *você* quem as tirou?

Ele inclinou a cabeça, confirmando. —São lembranças das viagens que fiz. —Ensaboou as mãos. —Há fotos da Tanzânia, dos canais de St. Petersburg, e as traineiras são no Estreito de Bering.

—Você *mesmo* as tirou?

—Por que está tão surpresa?

—São fotos profissionais. Você as comercializa?

—Não. São apenas um *hobby*.

—Não estou vendo nenhum equipamento fotográfico.

—Não tenho equipamento fotográfico. Só uma câmera.

Charlie se interessava por fotografia. Munido de um verdadeiro arsenal fotográfico, que incluía todos os imagináveis, nem assim ele teria conseguido uma foto como as de Jesse, ainda que sua vida dependesse disso.

—Só uma câmera — repetiu Leah, suspirando.

Jesse enxaguou as mãos. — Então, o que achou de Downlee?

Intrometida, foi a primeira palavra que veio à sua cabeça, e uns dois dias antes, ela a teria usado. Agora, soaria ríspida demais. —Curiosa, mas de uma maneira amistosa. Como foi crescer aqui?

—Familiar. Todo mundo sabe da vida de todo mundo.

—Isso pode ser devastador.

—Mas não foi. Minha mãe partiu quando eu era pequeno. Como todos sabiam disso, todos cuidaram de mim.

Leah estava horrorizada. —Por que ela partiu?

— Ela e meu pai tinham algumas diferenças.

— Deve ter sido terrível para você.

Ele sorriu, pesaroso. — As crianças se adaptam. Havia outras pessoas que me amavam.

— O seu pai, com certeza.

— À sua maneira. — Jesse trazia agora um olhar confuso no rosto, enquanto esfregava as mãos. — Não consigo imaginá-la vivendo na cidade.

Leah inclinou-se sobre a bancada, aproximando-se dele. — Por que não?

— Porque você não é embrutecida.

— Eu era.

— Não. Eu a vi assim que chegou aqui.

Ela teve um pensamento estranho. — Quando foi a primeira vez que me viu?

— Tarde da noite. Eu havia ido nadar. Você estava dormindo no balanço.

— E você me cobriu com a colcha. — Aquilo fazia sentido. Uma colcha de retalhos se parecia mais com Jesse do que com Virginia. Podia imaginá-la sobre o sofá de couro da sala.

— Estava uma noite fria — admitiu Jesse, para então acrescentar num tom mais suave: — Foi minha mãe quem a fez. É a única coisa que tenho dela.

Leah estava tocada.

— Eu já lhe disse — continuou ele, voltando-se para o pano de mão. — Estava esperando por você. Bastou um olhar, para eu saber.

— Não fale assim — implorou. — Você me assusta. —

Declarações como essa continham implicações que ela não estava preparada para enfrentar. — É melhor irmos.

Ele sorriu, pôs o dedo na boca jurando silêncio e a conduziu à porta dos fundos.

Andar na picape de Jesse foi uma experiência inteiramente nova. Era um carro masculino, bastante espaçoso por dentro, mas ainda assim era um carro e, por isso, limitado. E ainda por cima, o assento era inteiriço. Leah não estava acostumada com bancos inteiriços — tampouco com a facilidade de sentar-se próxima ao motorista.

Downlee parecia diferente, mais amistosa e familiar, vista sob a proteção do braço forte de Jesse. Estacionaram em frente ao restaurante de Julia, e Leah saltou, vestida com a capa impermeável dele, entrou, deixou os pães e voltou para a camionete. Ele deixara a porta aberta. Ela se apressou em entrar no carro e aninhou-se em seu peito, durante o trajeto de volta. Quando ele estacionou ao lado do chalé, ela estava com o braço em torno de sua cintura e o rosto voltado para o seu pescoço.

Não conseguia deixar de tocá-lo, de sentir seu cheiro. Queria ficar com ele. Mas sabia que suas irmãs ficariam preocupadas.

Jesse desligou o carro, levantou-a e a beijou, e embora ela soubesse que precisava partir, não pôde fazê-lo. Seu gosto era bom demais, e Leah estava faminta novamente.

Com surpreendente desembaraço, ela colocou as mãos entre suas pernas e continuou a beijá-lo, e as mãos dele passearam por seus seios, cintura e coxas. Ela estava quente. — Hummm, Jesse — sussurrou.

— Bom?

— Continue.

Ele abriu o zíper da calça dela e escorregou a mão sob sua blusa.

Ela gemeu. — Preciso voltar para casa.

Ele afugentou o pensamento com a boca, beijando-a até que estivesse ocupada demais para protestar. Ela deslizou a mão por seus cabelos, esfregou seus ombros, acariciou suas costas — aproveitando a realidade de seu corpo para afastar pensamentos estapafúrdios, como o destino. Sussurrou seu nome, implorando por mais, e, ao som da chuva no teto e o ruído da capa impermeável, ela cedeu.

Seus dedos másculos a levaram a um primeiro e trêmulo orgasmo. Parou apenas para recuperar o fôlego antes de tirar o *jeans* e unir-se a ele. Não se moveu, disposta a saborear a abundância dentro de si. Estava ofegante. Seus olhos encontraram os dele.

— Bom, não é? — murmurou ele, presunçoso.

— Uhm, hum. Não sinto vergonha com você.

— Todo mundo deveria ter alguém que fizesse isso. Não ter vergonha significa ser livre.

— Sinto-me livre.

As mãos de Jesse passearam por seu corpo, acariciando seus seios, sua barriga, suas costas. A respiração de Leah estava acelerada agora. Encostou sua testa na dele.

— Podia ficar assim por um mês — disse ele com a voz rouca.

Leah soltou uma risadinha. — É, aposto que sim.

— Você se importaria?

Importar-se? O menor movimento, até mesmo uma

risada, causava uma onda de sensações Quando ele deslizou as mãos em suas nádegas, a sensação aumentou.

— Um não, dois meses — disse ele num sussurro rouco.

— Tenho que voltar para Washington daqui a duas semanas.

— Para quê?

— Reuniões da Sociedade do Câncer. — Ela inspirou fundo quando ele ergueu o quadril e o baixou com ímpeto para dentro dela. — Ahhh, Jesse, isso é bom.

— O que aconteceria se não fosse às reuniões? — indagou.

— Não conseguiríamos levantar os fundos necessários.

— E se não pudesse?

— Pudesse o quê, Jesse? Não consigo pensar, como *consegue?*

— Não é... fácil — rosnou. No instante seguinte ele soltou um som gutural e arqueou as costas, num gozo que fez seu corpo estremecer.

Leah enroscou os braços em seu pescoço e aguardou seu próprio orgasmo. Quando terminou, os dois permaneceram unidos. Finalmente, baixando a mão a fim de tocar sua barriga — um ponto bastante vulnerável, ao que parecia — ela suspirou. — Tenho que ir.

Ele não a soltou.

— Devem estar me esperando para preparar o jantar.

— Eu teria feito o jantar para você.

— Você cozinha também?

— Sou um renascentista — respondeu ele com um sorriso zombeteiro nos lábios.

Ela estava imaginando o que mais ele seria: perito

em jardinagem, viajado, fotógrafo habilidoso, cozinheiro, amante. Imaginou também onde ele se encaixaria em sua vida. Não podia se imaginar fazendo amor com ele num banco do jardim do condomínio de Woodley Park, onde morava, não do jeito que fizeram no banco da picape. Porém, acima de tudo, não conseguia se imaginar *não* fazendo amor com ele, onde quer que estivessem. A atração que havia entre os dois não podia ser negada. Bastava um olhar para ela o desejar, e a recompensa ia além do orgasmo. Em seus braços, Leah se sentia totalmente saciada e amada.

Era como se ele estivesse quase certo quando insistia que haviam sido feitos um para o outro. Ainda assim, era um pensamento assustador.

Jesse a ajudou a se vestir e correu com ela na chuva até o carro. Como Leah não conseguiu dar marcha a ré, ele sentou-se no banco do motorista, fez a volta e despediu-se dela.

Leah estacionou sob o alpendre e teve o cuidado de deixar a capa impermeável de Jesse dentro do carro. Poderia atribuir seu atraso às conversas com Julia, o cabelo desgrenhado ao tempo, mas a capa seria difícil de explicar.

Certamente, suas irmãs estavam à sua espera, pois assim que venceu os degraus de pedra da varanda e abriu a porta de tela, elas a surpreenderam.

— Parabéns — disse Caroline. — Foi unânime. Você foi a escolhida.

— Para quê?

— Para ligar para Ginny. Agora.

Treze

Nunca gostei de dizer adeus, desde aquele verão no Maine, anos atrás, cuja dor me acompanha até hoje. Decidi então que nunca mais o diria, que evitaria qualquer despedida para, assim, minimizar meu sofrimento.

De certa forma, consegui. Quando Caroline entrou para a faculdade, eu mesma a levei ao dormitório de estudantes e voei para Paris, onde não sentiria sua ausência. O mesmo aconteceu quando Annette casou-se com Jean-Paul. Quanto mais me ocupava com os preparativos do casamento — festa, flores, comida — mais insensível fiquei quando Nick levou minha segunda filha pelo corredor da igreja e a entregou a ele. E Leah — querida Leah — que por várias vezes veio de Washington, ano passado, para me ajudar a enfrentar os médicos — como eu poderia despedir-me dela, se não sabia se viveria para vê-la novamente? Era mais fácil fingir que tornaria a vê-la no dia seguinte.

Minhas filhas se ressentem de mim. Acham que sou fria e egoísta. Fico pensando o que achariam se me vissem agora, perambulando por uma casa vazia, há quatro dias, tentando dizer adeus ao lugar que acolheu grande parte da minha vida, sem saber exatamente como fazê-lo.

Imaginamos que a idade nos trará sabedoria, mas não é bem assim. Mais do que qualquer outra coisa, os anos nos trazem a consciência de que não a possuímos. Não me preparei com afinco para tudo isso. Talvez por achar que esse dia nunca chegaria, que simplesmente me deitaria para dormir certa noite, como aconteceu com Nick, e não acordaria mais. Na verdade, foi o que sempre desejei. Não haveria dor em partir.

Mas continuei acordando, com o corpo cada dia mais envelhecido e vagaroso, e um tanto mais consciente de que a vida é uma faca de dois gumes. Aqueles que são abençoados com a longevidade são os que mais sofrem com a proximidade da morte.

Eu sou um deles. Esses cômodos vazios um dia foram ricos de objetos e pessoas. Mesmo hoje, sentada sobre o parapeito da janela da sala de estar, ainda sinto as cortinas de veludo tocando minhas costas, vejo o piano de cauda na outra extremidade da sala, ouço o murmúrio dos convidados sentados diante da lareira de mármore. A sala de jantar, agora vazia e triste sem a mobília, ainda guarda as lembranças da mesa de dezesseis lugares, do aparador repleto de bandejas de prata que um dia haviam sido de minha mãe, cheias de iguarias suntuosas para o almoço dominical.

As meninas não ligavam muito para o almoço de domingo. Quando chegaram à idade de saírem sozinhas, passaram a achar tudo uma prisão. Eu achava que era uma hora de reunião familiar, e ainda acho. Ao meio-dia dos domingos era quando eu mais pensava nelas. Annette estaria em casa, servindo o almoço da família. Caroline estaria no escritório ou com o pintor. Leah estaria... em algum lugar.

Preocupava-me com Leah. Era a mais frágil de todas, a que sempre parecia perdida. Quisera eu poder ajudá-la, mas esse é mais um dos meus defeitos que a idade me ensinou a enxergar. Nunca fui muito aberta ao diálogo, pois para isso é preciso estar aberta a certas discussões difíceis de enfrentar. Foi mais fácil convencer a mim mesma de que Leah era mais forte do que eu costumava pensar do que conversar com ela e descobrir o contrário.

Claro que, como mãe, eu me preocupava com ela de qualquer maneira.

Ela adorava esta casa. Lembro-me dela sentada aqui mesmo, no primeiro degrau da escada, observando a rotina da casa. Pequena e ágil, ela saltava os degraus até alcançar o corredor. Adorava também seu quarto, o papel de flores grandes e reluzentes na parede, suas cores quentes espalhadas como pétalas sobre a colcha da cama, o tapete, a poltrona. Nunca me perdoou por tê-lo redecorado naquele verão.

Oh, Deus. Nenhuma delas me perdoou. E eu que fiquei toda orgulhosa do que havia feito...

Você não perguntou o que nós queríamos, queixaram-se. Ora, claro que não perguntei. Minha mãe não nos perguntava. Apenas *fazia*. Sabia o que era melhor para nós, e não questionávamos nada.

Mas as regras do jogo mudaram rápido demais, e eu

não estava preparada para elas. Minhas filhas me deixaram para trás, comendo poeira — a culpa, portanto, era tanto delas quanto minha. Eu preferia as regras antigas. E ainda prefiro. A vida era mais simples e claramente definida. Até arrisco dizer que se eu fosse da geração de minhas filhas, nunca teria feito o que fiz naquele verão no Maine. Ah, eu teria tido aquele caso. Will sempre insistira de que era o destino, e concordei com ele. Mas se eu fosse da geração de minhas filhas, nunca teria voltado para a cidade com Nick no fim do verão. Teria desistido do conforto material, vivido com Will na cabana do jardim e tido seus filhos.

Teria sido mais feliz? Não sei. Mas sei que teria sido diferente. Se tivesse ficado com Will, não estaria caminhando por esses cômodos vazios.

Seria minha imaginação ou o telefone estava realmente tocando?

O telefone, pensei, e corri até ele.

Tolamente, deixei que os homens da mudança levassem todos os aparelhos, exceto o da cozinha. Corri para lá, mas os corredores eram mais compridos agora, a escada mais escarpada e sinuosa. Segurei com força o corrimão a fim de não ficar tonta e cair. Que pensamento *tenebroso*, jazir aos pés da escadaria com os ossos quebrados e permanecer imóvel, incapaz de pedir socorro, sentindo a vida se esvair.

Aos setenta anos, eu era ainda relativamente nova numa época em que os óbitos se davam aos noventa. Ainda assim, sentia-me velha.

A campainha do telefone soou pela quarta vez. — Já estou indo! — gritei, amaldiçoando a rigidez de meus tornozelos. Como meus cotovelos em dias úmidos, eles não faziam jus à mulher ativa que um dia fui.

— Não desligue! Estou indo!

Ocorreu-me não atender a ligação. Todos sabiam que eu havia mudado. Era provável que fosse um engano. Não, talvez fosse Lillian. Tinha sido um amor em me hospedar e me emprestar o carro. Eu a teria preocupado, ficando horas e horas em minha velha casa vazia.

Ofegante, alcancei o telefone. — Alô?

— Mamãe! Então está aí. É a Leah!

— Deus do céu, Leah! — Apertei o peito aflito. Meu coração estava acelerado — traiçoeiro coração — pelo intenso esforço e súbito temor. Cautelosa, perguntei: — Por que ligou para cá?

— Liguei para Lillian e, como ninguém respondeu, tive um palpite de que estaria em casa. Por que está aí?

Ela não parecia chateada. Talvez ainda não soubesse.

Implorando ao meu coração para que trabalhasse um pouco mais, fiz o possível para soar casual. — Havia certas coisas que eu precisava checar. Coisas que prometi ao corretor. Para os novos proprietários.

— Gwen não tomou conta de tudo?

— São coisas de última hora. Eu já estava de saída. Mais dois minutos e não me encontraria mais aqui.

— Então ainda bem que liguei a tempo. Estávamos preocupadas. Quando vai chegar?

Então elas ainda não sabiam. Ainda não estavam me odiando. Minha respiração quase voltou ao normal. — Gwen não lhes passou meus recados?

— Foram vagos demais.

— Tem razão. Não sei dizer exatamente quando chegarei. Fazer mudança é mais complicado do que imaginei. Envolve advogados e contadores. Tenho que me desligar dos clubes e me despedir dos amigos. Essas coisas levam tempo.

Fez-se uma pausa, e então veio a voz ponderada de Leah: — Mamãe, você nos escreveu dizendo que queria ficar conosco. Se demorar muito para resolver seus negócios, as duas semanas chegarão ao fim antes que consiga chegar a Downlee.

— Não, isso não. Chegarei aí muito em breve.

— Amanhã?

— Depois de amanhã.

— Mãe — ralhou ela — estamos *esperando* por você.

— Não estão se divertindo?

Leah repetiu a pergunta para as irmãs. Tentei ouvir a resposta, mas não consegui. Desejei desesperadamente que estivessem se divertindo. E que estivessem apreciando a companhia *uma da outra*. Minha maior tristeza era que não fossem amigas.

— Estamos nos divertindo — disse ela, e embora eu não estivesse convencida, não quis abusar da sorte.

— O que está achando de Star's End?

— Espetacular! — exclamou ela, desta vez sem consultar as irmãs. Senti o enorme nó dentro de mim se afrouxar. — É um lugar incrivelmente encantador. Não acredito que você ainda não o conheça.

Mordi a língua, apenas por um minuto. Queria saber mais. — A casa está em bom estado?

— Está perfeita.

— A cozinha foi reformada?

— Totalmente.

— Fale-me da varanda.

— Ela circunda quase toda a extensão da casa e se alarga nos fundos. É onde ficamos a maior parte do tempo.

— Foi o que imaginei.

— E os jardins?

— São inacreditáveis.

O nó se afrouxou mais um pouco. Não pude evitar o sorriso. Leah adorara o lugar. A primeira barreira fora transposta. Aliviada, indaguei: — Tem ido muito à cidade?

— Não tanto quanto Caroline e Annette. Estão gastando todo o seu dinheiro.

— Têm feito boas compras?

Leah repetiu a pergunta. Ouvi Annette e Caroline falando ao mesmo tempo. Leah respondeu: — Ótimas compras. Há grandes artistas aqui. Sabia disso?

— Sabia, sim.

— Caroline está dizendo que se você não chegar logo, ela vai pegar as telas que comprou e levá-las com ela para Chicago.

— Gostou tanto delas assim?

— Ela tem uma queda pelas artes e encontrou coisas incríveis aqui. Como está se sentindo?

— Estou bem — respondi, ignorando a dor no peito e as palpitações. — Por que quer saber?

— Pareceu-me ofegante.

— Tive que correr até o telefone. Mas estou bem, Leah. Faça-me um favor. Ocorreu-me agora que a pobre Gwen está aguardando minha chegada. Prometi a ela alguns dias de folga. Por favor, diga-lhe que pode ir agora. Vejo que vocês têm tudo sob controle. Bem, é isso, Leah. Tenho que desligar agora, pois Lillian vai receber uns amigos. Vai ficar chateada se eu não chegar logo em casa.

— Nós é que ficaremos chateadas se não chegar logo aqui. Fez reserva em algum vôo?

— Não ainda.

— Mamãe!

— Posso comprar a passagem na hora.

— Precisaremos de tempo para buscá-la em Portland.

— Não será preciso. Tomarei um táxi.

— Avise-nos com duas horas de antecedência, e estaremos lá.

— É sério, Leah. Posso tomar um táxi. Vou desligar agora. Vejo-a em breve.

Desliguei o telefone, suave, timidamente, quase esperando que alguém saísse da copa e me chamasse de covarde. Pois era isso o que eu era. As meninas estavam me esperando, mas eu ainda não estava pronta para Star's End — e rever o lugar não era a única coisa que me assustava. Era a maldita despedida que teria que enfrentar primeiro.

A dor me corroía o peito. Disse a mim mesma que a decisão estava tomada, que tudo que me restava era sair pela porta nos braços das doces lembranças que ficariam para trás. Lembrei-me do outro adeus. Os dois eram igualmente dolorosos e eternos.

— Estará de volta mais cedo do que imagina — disse Lillian, acenando mais vezes do que pude contar, e compartilhei de sua idéia. Era mais fácil pensar dessa forma.

Mas eu não voltaria. Sabia disso, assim como sabia

algumas outras coisas da vida. Tampouco podia reclamar. Tivera uma vida longa e confortável. Mesmo sem Will. Na verdade, eu havia sido abençoada.

Quatorze

Caroline estava mudada.

Para começar, ela havia *apreciado* o desdejum em companhia das irmãs, o que já era surpreendente. Annette preparara as omeletes, Leah, o chá e as torradas, e Caroline espremera as laranjas para o suco. Comeram no deque, em meio à cerração matinal, sem trocarem uma única ofensa.

Caroline sentia-se *relaxada*, o que era mais uma surpresa. E não via problema em sentir-se assim. A única ligação que fizera para o escritório no dia anterior fora breve e pouco informativa, o que a teria deixado circunspecta, mas não deixou. Sentia-se desligada do trabalho de tal forma que não dera sequer uma olhadela nos papéis que trouxera consigo.

Não sentia-se, entretanto, desligada de Ben, embora não ouvisse sua voz há mais de um dia. Contudo, ouvir sua voz a faria lembrar de que precisava fazer uma escolha.

E havia Ginny. Deveria estar *furiosa* com ela. Mas não estava.

Sentia-se tranqüila. Nem mesmo o cigarro lhe fazia

falta. Podia imaginá-lo — e mentalmente sentir a sensação de tomá-lo entre os dedos, colocá-lo na boca, riscar o fósforo e deixar-se levar pela primeira e longa tragada que enchia os pulmões com a fumaça maldita e, ao mesmo tempo, divina. Deveria estar *louca* por uma tragada. Mas não estava.

Caroline nunca fora supersticiosa. Orgulhava-se de conhecer bem os fatos — Ben era o primeiro a dizer que ela sempre estava coberta de razão — mas algo estava acontecendo com ela. Os pensamentos ríspidos, a raiva, as preocupações haviam se dissipado. Sentia-se leve.

Estranho pensamento. Ela estava quase acreditando que havia realmente algo no ar de Star's End, e foi por isso que chegou em Downlee às dez da manhã e sentou-se no alpendre da madeireira de Simon Fallon.

Simon era carpinteiro. Especializara-se em relógios de pêndulo, como disseram seus informantes, mas estes — os pintores com quem havia falado no dia anterior — não o haviam mencionado por causa dos relógios.

Simon passara dos oitenta. Se havia alguém que conhecia a história de Star's End, esse alguém era ele.

Foi o que disseram. Caroline desejou que tudo aquilo fosse tolice, mas a céptica que havia nela não tinha chance com a mulher que ansiava por conhecer a fundo os fatos.

Sentou-se mais ereta assim que avistou o homem velho e franzino, e levantou-se quando ele se aproximou da loja. — Simon?

Ele tocou a fronte com o dedo indicador. — Você deve ser Caroline — disse ele num tom tão rugoso quanto sua pele. — Ouvi dizer que viria.

— Tenho certeza que sim — murmurou ela.

O homem empurrou a porta da loja e fez um sinal para que ela o seguisse. Dentro, como uma roda de amigos em trajes informais, estavam quatro relógios inacabados. Caroline encantou-se.

— Imaginei que viria aqui mais cedo ou mais tarde —observou Simon, enquanto ela examinava cada um dos objetos.

— São maravilhosos.

— Eu os vendo para reis.

—Sério?

— E astros de cinema. Poucas pessoas podem pagar por eles.

—Caros assim?

— São peças exclusivas.

Caroline tocou a cabeça de um, a garganta de outro. O negócio de Ben era tinta e não madeira, o que a tornava uma leiga em carpintaria. Mas não precisava entender de relógios para reconhecer a qualidade do trabalho de Simon.

Sua sensibilidade estava aguçada e era por isso que tinha ido ao seu encontro. Virou-se, e ele estava encostado em sua bancada, esperando por ela.

— Ouvi dizer que vive aqui há muito tempo — disse ela.

Ele balançou a cabeça, modestamente. — Há oitenta e sete anos.

— E que conhece Star's End como ninguém.

—Costumava cavalgar por lá antigamente.

— Pode me contar sua história?

Ele soltou uma risadinha. —Qual delas? Aquele lugar tem muitas histórias.

— Sobre a lenda. Dos amantes.

— Ahhh. Essa. Por que quer saber?

— Parece importante.

Ele a estudou por um instante e então encolheu os ombros. — Pode ser. — E se calou.

Caroline entrou no jogo. Assim, sentou-se sobre o pó de serragem espalhado pelo chão e sorriu. Podia esperar. Junto com a leveza, ela adquirira a paciência.

Simon tornou a menear os ombros. — Sempre foi um lugar suntuoso, maior do que tudo na cidade. Parece uma pintura, lá no alto do penhasco.

Ela continuou sorrindo.

— O lugar é um sonho. É natural que inventem histórias.

— Então tudo não passa de imaginação?

— Nem tudo.

Ainda sorrindo, e paciente, ela pediu: — Conte-me o que não é.

O homem enfiou as mãos sobre o peitilho do avental e avisou: — Se espera ouvir uma história com final feliz, não tenho o que contar. Essa é uma história triste.

— Tudo bem. Quero ouvir assim mesmo.

— Eles se conheceram no verão.

— Quando?

— Há muito tempo. Antes de você nascer. Ela era a dona de Star's End durante aqueles meses. Ele era um empregado.

— E se apaixonaram?

— Sim. Foi um tremendo escândalo.

— Por causa das diferenças sociais?

— Porque ela era casada.

Caroline respirou fundo e então soltou o ar. — Ah.

— Tem razão de estar chocada, moça. O marido vinha nos fins de semana e voltava para a cidade nas segundas. Quando ele não estava, ela dormia com o caseiro. Caroline lembrou-se de Jesse Cray. Mas claro que isso acontecera bem antes dele. — E então?

— Alguém tirou uma fotografia dos dois juntos e publicou no jornal.

— Era uma foto comprometedora?

— Não como você imagina. No meu tempo, bastava a mulher olhar para um homem daquele jeito, com devoção, para que os outros a condenassem. E o marido viu a foto.

— O que ele fez? — inquiriu Caroline.

— Disse que voltariam para casa. O verão já estava mesmo no fim.

— É só isso? — ela havia imaginado um duelo à beira do penhasco enquanto o dia despontava. — Não houve confronto?

— Ele não era desse tipo. Pelo menos foi o que disseram. Eu mesmo não conheci o marido. Conhecia o caseiro. A cidade inteira o conhecia. Todos gostavam muito dele.

— Devia ser um safado.

— Não. Era um bom rapaz que se deixou levar pela paixão de uma mulher proibida. Quase partiu seu coração quando ela se foi.

— Mas por que ela partiu? Se o amava, por que não ficou com ele?

— Ela nunca contou a ninguém. Nunca mais a vimos.

— *Nunca mais?*
— Nunca mais.

Caroline imaginou os amantes de um único verão, a despedida e a dor por nunca mais se terem visto. Não era romântica. Mas estava tocada. — Tem razão. É uma história triste.

Caroline estava confusa. Mais do que isso. Assustada. Talvez porque amava Ben e não podia pensar em não tornar a vê-lo — mas não tinha intenção de lhe dizer tal coisa, depois do ultimato que ele lhe dera. Não gostava de ulti matos. Ele que esperasse sentado por sua ligação.

Contudo, pensou nos amantes da história de Simon e sentiu um vazio devastador.

— Eles *nunca* mais se viram? — quis saber Annette. Caroline e as irmãs estavam no deque novamente, degustando chá gelado e sanduíches. O chá continha pedacinhos de laranja e limão, e estava saborosíssimo, como a salada de lagosta, levemente misturada com maionese de limão, servida com fatias largas de pão. Chá, salada, pão, tudo feito por Leah, e teria impressionado Annette ainda mais se não estivesse tão interessada na história de Caroline. Uma brisa suave soprou do oceano sobre o rochedo e as roseiras, trazendo o perfume de Star's End e mais vida à história.

Annette deixou-se levar pela emoção. Por tudo o que sentia por Jean-Paul, identificou-se com os amantes. O destino dos dois a entristeceu.

Estava mesmo melancólica. Não falava com ele há dois

dias, coisa que nunca acontecera em toda sua vida de casada.

Ah, ele havia lhe mandado flores, pela manhã, junto com um cartãozinho que dizia apenas *Je t'aime*, e havia ligado à tarde, enquanto ela estava em Downlee, deixando um doce recado com Gwen. Mas nada substituía o som da sua voz.

— Nunca — ecoou Caroline. — Segundo Simon, ela nunca mais voltou a Downlee.

— O que ela fez?

— Se foi para tão longe voltando para casa com o marido, presumo que tenha ficado com ele. Naquela época, as mulheres não se divorciavam facilmente.

— E quanto ao seu amante? — perguntou Leah.

— Simon disse que ele nunca mais foi o mesmo.

— Ele se casou?

— Não perguntei.

— Espero que não — decidiu Annette. — Não acredito que tenha restado alguma coisa para outra mulher, tendo amado tanto a primeira.

— Ele não pode ter-se recuperado?

— *Eu* não acredito. Se algo acontecesse a Jean-Paul, eu *nunca* me recuperaria.

— Isso porque você e Jean-Paul são casados — ponderou Caroline. — Está com ele há quase vinte anos. Tem filhos. Ele se tornou uma parte indelével de sua vida. Mas, e se algo tivesse acontecido com ele antes disso tudo?

— Mesmo assim — insistiu ela.

— Fala sério?

Ela hesitou. Dizer mais seria pisar em terreno minado numa fase em que ela e as irmãs estavam se dando uma trégua. Poderiam terminar discutindo ou, quem sabe, até se entendendo melhor.

Decidiu correr o risco. — Sei que nenhuma das duas acredita nisso — disse ela pausadamente — mas comigo e Jean-Paul foi amor à primeira vista. Bastou um olhar para eu me apaixonar. Com ele foi a mesma coisa. Podem me chamar de romântica incorrigível, mas foi assim que tudo aconteceu. Se algo tivesse acontecido com ele antes de nos casarmos, eu sentiria sua falta pelo resto da vida. Talvez me casasse com outra pessoa, mas ninguém nunca tomaria o lugar de Jean-Paul.

— E se essa pessoa fosse ainda melhor que Jean-Paul? — provocou Caroline.

Annette sacudiu a cabeça. — Ninguém poderia ser melhor do que ele. — Seus olhos se umedeceram. — Outro tipo de homem talvez fosse melhor para você, ou para você, Leah, mas para mim Jean-Paul é o melhor. — Desejou que ele telefonasse. Sabia que sua família estava bem sem ela. Ora, queria apenas ouvir a voz do marido.

— Não acha que é possível amar mais de um homem? — indagou Leah.

Annette levou um instante para se recompor. — Não da mesma maneira. Pode-se amar outro homem por seu companheirismo, sua inteligência ou seu corpo, mas o pacote inteiro só se consegue uma vez na vida.

— Isso é assustador — observou Caroline.

O olhar espantado de Leah dizia que concordava com Caroline.

— Mas também é maravilhoso — acrescentou Annette.

— Significa que se tiver sorte o bastante de conseguir o pacote, estará vivenciando algo excepcional.

— Excepcional — repetiu Caroline. — Continue.

— Jean-Paul e eu compartilhamos das mesmas opiniões. Queremos as mesmas coisas da vida e concordamos quanto ao jeito de obtê-las. Somos parceiros de uma mesma equipe. O que falta em mim, ele possui e vice-versa. Completamos um ao outro.

— Nunca discutem?

Annette lembrou-se da última discussão que tiveram.

— Se brigamos e berramos e batemos as portas? Nunca. Mas discordamos algumas vezes. Como quanto ao fato de eu insistir em ligar para casa daqui. — Sentiu os olhos se umedecerem novamente. — Jean-Paul acha que eu não deveria ligar tantas vezes. Diz que estou sufocando nossos filhos. — Ela olhou para as irmãs, esperando ser criticada. Como não houve crítica, concluiu: — Nunca pensei que fosse possível amar tanto.

Leah afagou seu ombro, mas foi Caroline, com uma surpreendente suavidade, quem falou: — Ele só está querendo dizer que você é super atenciosa. Mas isso não significa que esteja errada em amá-los.

— Eles são tudo para mim —jurou Annette. — Se estou chateando vocês com essa conversa, sinto muito, mas eles são a minha vida. São o que eu faço. Sou esposa e mãe antes de qualquer coisa.

— Eu sei.

— E estou desesperada — apressou-se em completar, pois sentiu que uma porta se havia aberto entre elas, e precisava de apoio. — Eu disse a Jean-Paul que não tornaria a telefonar, e que ele me ligasse se acontecesse alguma coisa, e não que eu queira que aconteça, mas adoraria que ele telefonasse.

— Ele ligou — lembrou Leah — mas você não estava. Aquilo não era consolo para Annette. — Sempre fomos muito unidos. *Nunca* estivemos separados dessa forma.

— Ele deve estar sobrecarregado tendo que trabalhar e cuidar das crianças — arriscou Caroline. — Dará mais valor a você pelo que sempre fez, Annette. E enquanto isso, você está tirando suas merecidas férias.

— Mas estou com saudade. Ele é meu marido.

— Ainda assim pode ter sua própria identidade.

— Não *quero* minha própria identidade. Não quero ser advogada. Não quero presidir nenhuma campanha beneficente.

— Não estou dizendo para ser outra pessoa — prosseguiu Caroline. — Estou dizendo que deve ser você mesma — finalizou, recostando-se na cadeira e sorrindo para as irmãs. — Nesse momento eu não sou advogada. Não sou namorada de ninguém. Sou apenas eu mesma. Aqui sentada. Relaxada. Respirando. Não estou pensando nos clientes que terei que defender. Não estou pensando nas decisões que Ben quer que eu tome. Não estou pensando no escritório e em quem possa estar sabotando meu trabalho. — Suspirou.

— Estou almoçando neste deque, que por sinal está precisando de uma faxina. Pode me chamar de egoísta, se quiser. Mas todo mundo precisa ser egoísta de vez em quando. — Ela fitou Annette. — Precisa aprender a ser egoísta, a pensar em si mesma.

Annette olhou para Leah. — Acha que ela está certa?

Leah foi lenta em responder. Parecia estar ponderando os fatos quando inspirou profundamente e sorriu. — Embora odeie ter que admitir, acho que sim. Jean-Paul a ama. E você sabe disso. Ele lhe mandou flores e telefonou. Se não conseguiram se falar, paciência. Ele está em St. Louis cuidando de tudo enquanto você está aqui com sua mãe. — Ela fez uma careta. — Ora, ela ainda não apareceu, mas nós estamos aqui. Então relaxe e aproveite a boa vida. Não vai durar para sempre.

Annette finalmente concordou. — Suponho que é o melhor que tenho a fazer. Afinal, foram eles que me mandaram para cá.

— É uma pausa merecida — acrescentou Caroline. — Você assumiu muita responsabilidade nesses últimos anos. Merece um descanso.

Os olhos de Annette acompanharam o vôo de uma gaivota ao longo do penhasco. Suspirou e relaxou o corpo na cadeira. Havia anos que não se sentia indolente. Não estava certa se sabia ser indolente. Seus olhos passearam sobre a piscina, os canteiros de flores e o penhasco. — É lindo aqui... tão tranqüilo. Podia ser pior.

O telefone sem fio tocou. Imediatamente, Annette ajeitou-se na cadeira — esquecendo a beleza e a tranqüilidade — e prendeu a respiração, enquanto Caroline o atendia. Só quando Leah tomou o aparelho nas mãos foi que ela soltou o ar e afundou na cadeira.

Elas tinham razão, presumiu. Precisava aprender a relaxar. Afinal de contas, as crianças estavam crescendo. Em breve estariam ingressando na faculdade e partindo. E o que faria ela então? Sentar-se-ia ao lado do telefone esperando que ligassem? Imaginaria que tudo que lesse no jornal estaria acontecendo com eles? Intrometer-se-ia na vida de seus filhos?

Não poderia. Assim como não poderia ligar para Jean-Paul a cada minuto para ouvir sua voz. Teria que arranjar um trabalho. Ou aprender a ser a rainha do ócio. Como Ginny. Aquilo era um absurdo. Não havia como evitar. Era sua natureza. Mais uma vez, Caroline estava certa. Aquele era um descanso merecido. Precisava de férias.

—Era Julia — disse Leah, animada. — Disse que vendeu todos os meus pães com a maior facilidade. Quer que eu prepare mais.

Annette percebeu a excitação da irmã e tentou se lembrar de quando a vira tão feliz. — Que bom — disse ela com entusiasmo.

Caroline virou o rosto para o sol. — Você está de férias. Não deveria trabalhar.

— Assar pão não é trabalho. É diversão. É como preparar um almoço. Para mim, é um prazer.

—Acho que deve fazer os pães — Annettte a encorajou.

— Acho que não — resmungou Caroline.

— Veja por este ângulo — ponderou Leah, levantando-se e raspando o prato. — Você acha que eu não faço nada em Washington...

— Eu não disse isso.

— Mas é o que acha. Então encare isso como se eu estivesse tirando férias do meu ócio.

—Leah... — chamou Annette, mas ela se fora. O argumento era como um eco do passado. Não queria que o rancor tornasse a reinar entre suas irmãs. Gostava do companheirismo que surgira entre elas.

Virou-se para Caroline, furiosa por ela ter perturbado a harmonia, mas Caroline havia saído atrás de Leah. Então o telefone tocou novamente.

Annette deu um pulo da cadeira e sentou-se mais próxima ao telefone. — Alô?

— Oi, mãe.

— Nat? — Seu instinto maternal ressurgiu juntamente com seus medos. Nat era seu bebê de oito anos que precisava de tênis novos a cada três meses. O som da voz do seu garotinho deixou a sua dissonante. — O que houve, meu bem?

— Thomas está sendo egoísta.

Annette soltou um longo suspiro, aliviada. Só então percebeu que Leah e Caroline se aproximavam. Com um olhar apologético para as irmãs, continuou: — Vocês brigaram?

— Ele não me deixa brincar com o videogame.

— Que videogame?

— O que o papai comprou ontem para ele. O papai disse que eu também podia brincar, mas Thomas não quer me emprestar. Quer dizer para ele que eu também posso, mãe?

— Espere um instante, Nat. Thomas só deveria ganhar esse brinquedo no seu aniversário. — Para Caroline e Leah, ela explicou: — Ele está implorando para ganhá-lo desde o Natal passado, quando dois de seus amiguinhos o ganharam. Concordamos em presenteá-lo em novembro, quando completasse treze anos. Por que o papai decidiu comprá-lo agora? — perguntou ela a Nat.

— Porque Thomas está entediado.

— Entediado? Meu Deus, mas eu deixei uma lista de coisas para ele fazer.

— Mas o papai não deixou Nicky e Dev nos levar ao clube, e o videocassete não está funcionando direito, então decidimos ir ao cinema, mas eles não queriam assistir os filmes que *nós* queríamos, por isso decidimos ficar em casa, e Thomas ficou entediado.

Annette não estava conseguindo acompanhar o dilema, uma vez que a premissa básica estava errada. — Por que o papai não quis que vocês fossem ao clube?

— Porque o Thomas não pode nadar — respondeu Nat, impaciente.

— E por que não?

— Porque não pode molhar o gesso!

— *Que gesso?* — perguntou ela, confirmando seu instinto maternal.

— O gesso em *seu braço*. Mãe, ele não quer me *emprestar!*

— O que aconteceu com o braço de Thomas?

— Calma, Annette — murmurou Caroline.

Leah sussurrou: — Jean-Paul teria ligado se tivesse sido sério.

Annette tomou fôlego e repetiu a pergunta lentamente. Mas Nat estava falando com alguém naquele instante e pareceu nervoso e, em seguida, na defensiva; após alguns segundos, Devon estava na linha. — Nat é mesmo um idiota. Não era para lhe dizer nada. Thomas está bem, mãe. Só quebrou o braço.

— Só quebrou o braço? — inquiriu Annette, incrédula.

— Estava andando de *mountain bike* pela trilha do bosque que há atrás da escola...

— Todo mundo sabe que aquela trilha é perigosa. Ele não devia ter andado por lá. — E não teria, caso *ela* estivesse em casa. *Sabia* que era uma época ruim para se ausentar. Dissera isso a Jean-Paul.

— Thomas sabe disso — retrucou Devon, parecendo calma, sensata e madura. — Aí está o castigo.

Annette esfregou a testa. — O que aconteceu exatamente?

— Ele caiu e rolou por um pequeno barranco. Foi uma fratura simples. Não precisou operar nem nada.

— Quando foi isso?

— Anteontem. Pouco antes do jantar.

— E vocês passaram quase a noite toda no hospital.

— Isso explicava por que não havia ninguém em casa até tarde.

— Thomas voltou para casa — explicou Devon — e tivemos que esperar um bom tempo no hospital porque o papai não queria que nenhum outro médico o examinasse a não ser o Dr. Olmstead, que havia saído para jantar com a mulher. Thomas quis ligar para você do hospital, mas o papai achou que isso só iria preocupá-la. Tem sorte de não estar aqui, mãe. Thomas é um pirralho muito chato.

— Ele está com *dor*?

— É, ele está um *terror*. Acha que todo mundo tem que servi-lo só porque quebrou o braço.

— Qual braço?

— O direito. Ele reclama o tempo todo que não pode

fazer nada, mas está de férias e não precisa escrever, e pode muito bem comer com a mão esquerda. E não pode se molhar até o gesso endurecer. E daí? Isso é problema dele. Foi *ele* que andou de bicicleta onde não devia. — Sua voz mudou de direção. — É isso mesmo, Thomas. Foi o papai quem disse. Eu sei que você estava de capacete, mas parece que não adiantou muito.

— Deixe-me falar com ele — pediu Annette, ouvindo em seguida a voz do filho, num tom grave de um pré-adolescente de doze anos que se imagina um homem.

— Não foi culpa minha, mãe. Alguém deixou latas vazias de cerveja espalhadas por lá, e eu tive que dar uma guinada com a bicicleta para desviar delas. Não fui *eu* quem as colocou lá.

— Ainda bem — observou Annette. Ele não parecia tão mal. Estava na defensiva. Um tanto rebelde, talvez. Mas não doente. — Como está o braço?

— Doendo. Robbie saiu para buscar umas fitas de video...

— Mas o videocassete não estava quebrado?

— O moço acabou de consertá-lo, e Nicole está fazendo pipoca, mas tudo o que o Nat quer é brincar com o meu videogame. — E usando agora o tom de voz de um menino de doze anos, acrescentou: — O jogo é *demais*, mãe. Você vai ver. Não, você *não* vai brincar com ele, Nat!

Contendas faziam parte da vida em família. Mas ocorreu a Annette que, justamente naquela hora, era melhor *não* estar lá. — Deixe-o brincar — ordenou ela.

— Devon quer falar de novo.

— Está se divertindo, mãe?

Annette olhou para as irmãs, e mais adiante, para as sombras que se alongavam sobre o deque. Pensou na tranqüilidade do lugar, no grasnido das gaivotas e no marulho das ondas. Ao voltar-se para tais pensamentos, sentiu-se distante do caos de seu lar. — Na verdade, estou.

— A vovó está aí?

— Não. Talvez chegue no sábado.

— Está sendo gentil com as tias?

Ela olhou para Leah e Caroline. — Estou.

— Ótimo. *Parem, meninos*. Tenho que correr, mãe. Thomas e Nat estão brigando. Não seria melhor se eu comprasse um videogame só para o Nat? Posso colocar no cartão de crédito...

— *Não* compre nada. Deixei o cartão com você para alguma emergência. E este não é o caso. Encontre outra coisa para Nat fazer. Seja criativa. Será um bom treino para quando for mãe.

— Isso não é ser mãe. É ser juiz.

— Então agora sabe como me sinto — disse Annette sorrindo, satisfeita por não ter que estar lá. — Seja boazinha, querida. Mande um beijo para todos. Amo você.

— Também a amo, mãe.

Annette desligou. Fitou o aparelho por um instante e então virou-se para as irmãs. — Talvez eu devesse voltar.

— Não! — disseram as duas, ao mesmo tempo.

— Já falou com Thomas — ponderou Caroline — e sabe que ele está bem.

— Ele quebrou o braço.

— E você também, pelo que me lembro, quando tinha oito anos, e sobreviveu.

— Mas ele e Nat estão brigando. Não é justo que os demais tenham que aturá-lo. — Quisera Annette não estar se sentindo culpada.

— E por que não deveriam aturá-lo? — inquiriu Caroline. — Fazem parte da família. E as brigas também.

— Foram eles que a incentivaram a vir — observou Leah. — Insistiram que poderiam dar conta de tudo, então deixe que se arranjem sozinhos. Logo, logo, Jean-Paul vai estar em casa. Deixe que *ele* resolva os problemas.

— É o que eu devia fazer — disse Annette. — Seria bom para ele. Eram onze e meia da noite quando consegui falar com ele. Deviam ter acabado de chegar do hospital, e ele não me disse uma palavra, o danado.

— Estava tentando protegê-la.

— É, e o que mais estará escondendo? Será que o braço de Thomas vai voltar a ser o que era? Vai recuperar a antiga destreza? O que *mais* estará acontecendo por lá?

Caroline bufou. — Do jeito que Nat sabe guardar segredos, não acho que tenha acontecido mais nada.

Annette suspeitou que a irmã estivesse certa, e, ao que parecia, todos haviam sobrevivido ao incidente. Devon parecia amuada com os irmãos, porém controlada, e a doce Nicole estava por perto, na cozinha, e havia ainda Rob, em quem podia confiar, e o bom e equilibrado Jean-Paul.

Certamente Jean-Paul providenciara para Thomas excelentes cuidados médicos. Não havia sentido em preocupar-se com ele.

Mas os velhos hábitos não desaparecem de uma hora para outra. Quanto mais pensava no assunto, mais ficava apreensiva. — Sinto-me culpada. Devia estar lá.

— Por que Ginny nunca estava? — provocou Leah.

— Sim, e porque gosto de estar por perto quando meus filhos precisam de mim.

Leah e Caroline se entreolharam.

Annette suspirou. — Devem estar pensando que as crianças não estão precisando de mim. Bem, talvez não. Então vou retificar o comentário. Sou *eu* quem precisa estar lá quando meus filhos estão doentes. Às vezes não há nada a fazer senão segurar a mão deles, ou afofar o travesseiro ou sentar-se na cama ao seu lado, mas para mim é o bastante. Se tivessem filhos, entenderiam como me sinto.

As palavras escaparam-lhe inadvertidamente, e Annette arrependeu-se do que disse. Comentários como este teriam dado início a discussões no passado, embora Annette não tivesse intenção de parecer superior.

— Não é preciso ter filhos para entender — Caroline a surpreendeu com o comentário. — Já fui criança e sei o quanto é importante o apoio moral.

— Idem — disse Leah.

Annette as fitou, desconfiada. — Então concordam comigo?

Leah olhou para Caroline, que deu de ombros. — Apenas quanto ao apoio moral. Não em voltar correndo para St. Louis. Sempre esteve com eles e sempre estará. Agora é a nossa vez. Precisamos de você aqui.

Annette estava atordoada demais para questionar.

Leah não tinha intenção de encontrar Jesse aquela noite. Não estava apaixonada. Não havia a menor possibilidade disso. Quando chegasse a hora de partir, ela o faria sem problemas.

Sentou-se no escuro de seu quarto por algum tempo. Pensou em Washington e na vida que construíra lá, mas as imagens eram pálidas. Pensou em Julia, que adorara seus pães e prometera querer mais. Pensou no jantar, no *boeuf bourguignon* que preparara, que Annette e Caroline juraram que não comeriam por causa da carne vermelha, mas acabaram devorando tudo. Pensou nas pessoas que conhecera na cidade, afetuosas e bastante acessíveis. Pensou com pesar nos amantes de Star's End.

Inevitavelmente, pensou em Jesse. Imaginou-o saindo da piscina e procurando por ela. Mas estaria procurando uma amante, não uma covarde. Ela lhe devia uma explicação.

Desceu a escada e saiu da casa em direção à piscina, mas ele não estava lá. Percorreu o deque, à luz da lua, à procura de poças ou pegadas, mas nada encontrou.

Ele não viera. Sentindo-se rejeitada, apesar de tudo, ela tomou novamente o rumo de casa.

— Leah?

Leah parou, esperançosa. Tentou reprimir seus sentimentos, sem sucesso.

Ele veio por trás e gentilmente a virou. Não estava vestido para nadar, tampouco ela estava vestida para dormir. Sua voz soou profunda e repleta de emoção. — Pensei em fazer um teste e não aparecer. Queria saber se faria alguma diferença não vê-la esta noite, mas faz.

— Minha vida é em Washington — disse a parte esmagadora que havia nela. — É o que eu sou.

— Não quando está aqui.

— Sou outra pessoa aqui.

— Qual delas é você de verdade?

Ela começou a responder, mas parou. Era em Washington que estava sua vida, mas talvez não fosse o que queria para si. Estava gostando de usar *jeans* e deixar o cabelo secar naturalmente, e sua pele respondia ao ar marinho com um brilho que maquiagem nenhuma jamais faria igual.

Mas trezentos e sessenta e cinco dias no ano?

Ele a puxou para si. Permaneceram abraçados por um longo tempo.

— Quer um *cappuccino*? — perguntou ele por fim.

— Hummm.

Ele a levou ao chalé e preparou-lhe uma xícara, usando a máquina que comprara não em Downlee, mas em Harvard Square, sete anos atrás — mas Cambridge fora sua mais monótona estadia de inverno. Enquanto a máquina fazia o café, ele lhe mostrou as fotografias penduradas na parede, contando sobre suas viagens. Visitara lugares que ela jamais ousaria. Leah sentiu-se pequena e um tanto invejosa.

Levaram as xícaras até a estufa, onde o cheiro úmido de terra nova e folhagens enchia o ar. A atmosfera do lugar a envolveu ainda mais quando Jesse acendeu uma vela e puxou um banco. Sentaram-se, frente a frente, com as xícaras entre o curto espaço que os separava.

Leah suspirou. — Tudo isso é muito romântico.

— Alguns ficariam incomodados com a umidade e o desconforto.

— Não. Não aqui. Star's End é muito romântico. O charme do lugar tem o poder de transformar as coisas. Veja eu e minhas irmãs. Nunca tivemos um bom relacionamento depois de adultas, mas estamos nos dando bem aqui. Elas têm sido agradáveis. Caroline não está mais arrogante como antes, e Annette está um pouco menos maternal.

— E você?

— Não estou agindo como uma tola.

Jesse lançou-lhe um olhar intrigado. — Como assim?

— Deixando que Caroline e Annette acreditem que freqüento festas todas as noites, que durmo até tarde pela manhã ou que passo as tardes no cabeleireiro ou comprando roupas.

— Por que iria querer que acreditassem nisso?

— Porque só assim seria diferente delas. E evitaria comparações. Não gosto de ser comparada a elas. Sempre acabo ficando com a pior parte.

— Não estou apaixonado por nenhuma delas.

— Não. Não está. — Leah não sabia se ria ou chorava, pois se ele estivesse apaixonado por uma de suas irmãs, seu dilema seria outro. — Mas elas fizeram mais da vida do que eu. Caroline é sócia de um famoso escritório de advocacia, e Annette tem cinco filhos. Isso mesmo. Cinco. E apesar do fato de ridicularizá-la por bancar a supermãe, tenho que admitir que ela faz isso muito bem.

— Você quer ter filhos?

Ela meneou a cabeça. — Quero. Mas acho que não seria uma boa mãe.

Ele balançou a cabeça lentamente, convicto.

— Está sendo tendencioso — comentou ela.

Ele concordou.

Jesse a amava. Leah via em seus olhos e na suavidade com que tocava suas mãos. E em seus gemidos ardentes quando faziam amor, sons que diziam que queria estar ainda mais próximo do que já estava. Insistia que os dois haviam sido feitos um para o outro, e uma parte de Leah acreditava nele. A outra imaginava se não seria o charme de Star's End que os enfeitiçara. — Caroline ouviu uma história hoje em Downlee — disse ela — sobre dois infelizes amantes de Star's End. Ouviu falar dela?

— Depende de qual delas esteja falando.

— Sobre uma mulher casada e o caseiro.

— Ouvi falar.

— É verdade?

Ele fez que sim.

— Nunca mais se viram depois daquele verão?

— Não.

— Nunca se escreveram, nunca se falaram?

— Não.

— A história diz que os dois se amavam.

— Muito.

— Então por que ela o deixou? Por que o marido a convenceu a ir?

— Ele não a convenceu a nada. A decisão partiu dela.

— Ela amava o marido?

— Não sei dizer.

— Mas amava o caseiro.

— Amava.

— E ele a ela. É muito triste. Você o conhecia?

— Todos na cidade o conheciam.

— Ele ainda mora por aqui?

— Não. Morreu faz algum tempo.

— Como?

— Seu coração simplesmente parou de bater.

— Morreu de amor — disse Leah o que lhe pareceu óbvio. Mas em seguida se arrependeu. — Esqueça. Isso não é científico.

— Morreu de amor. Ela arrancou um pedaço de seu coração, e ele nunca mais se refez da perda. Tentou sobreviver, mas não conseguiu.

— Mas isso tudo não passa de especulação. É claro que ele devia estar clinicamente debilitado.

— Chame do que quiser, mas ele nunca se recuperou.

— Nunca foi atrás dela?

— Não.

— Por que não?

— Por orgulho. E por amor. Ela fizera sua escolha. Ele precisava respeitá-la. Temia que sua presença tornasse as coisas mais difíceis para ela. Além disso, não tinha muito a oferecer. Ela era rica. Ele era pobre.

Leah desviou os olhos dos dele e concentrou-se no *cappuccino*. — O que você teria feito se estivesse no lugar dele?

— Exatamente o que ele fez.

— Não teria lutado por ela?

— Dadas as circunstâncias, não.

Tornou a olhar para ele. — Mesmo se acreditasse que ela era a única pessoa do mundo que amaria?

— Mesmo assim. — Jesse ficou em silêncio, e seu rosto assumiu o ar solene que ela percebera no início. — Existe o amor e existe a vida. Algumas vezes os dois se chocam. Foi o que aconteceu nesse caso. —Os olhos dele encontraram os dela. —Mas eu não estou no lugar dele. Eu estudei. Tenho algumas economias. E poderia morar em qualquer outro lugar, apenas escolhi morar aqui. Ela sabia disso. E o amava ainda mais por isso. Mas não mudava nada.

Com um nó na garganta, ela se levantou e levou a xícara de volta à cozinha do chalé. Estava lavando a xícara, quando ele surgiu e, por trás, pôs uma mão em cada lado da bancada da pia, encurralando-a.

—Percorri o mundo, Leah, e quanto mais viajava, mais percebia o quanto gosto daqui. Não estou sendo turrão. É apenas uma convicção que carrego comigo. Poderia morar em Washington e trabalhar no Jardim Botânico. Tenho contatos lá, uma pessoa que estudou comigo, mas não seria feliz. E se não fosse feliz, nunca poderia fazê-la feliz.

Mas lá é a minha casa, Leah quis dizer. Fechou os olhos e recostou-se nele. Por trás, Jesse, forte e protetor, a envolveu em seus braços sem que ela precisasse pedir, e subitamente ela não quis mais pensar no futuro.

Ele a tocou. Abriu sua blusa e definiu seu corpo com as mãos e a boca, como só ele sabia fazê-la sentir.

Fizeram amor ali mesmo, na cozinha, e novamente quando ele a carregou para a cama, pois somente através da paixão ela conseguia dizer o que sentia. Quando despertou, ele estava à janela, a silhueta de sua nudez contra a luminosidade precoce da alvorada, e mais arrebatadoramente másculo do que qualquer pintor poderia retratar. Afastar-se dele era como não poder respirar. Aproximando-se, deslizou as palmas abertas sobre seu peito e, com o rosto contra suas costas, ela o abraçou apertado.

Banharam-se juntos, vestiram-se e voltaram para a casa principal para que ela deixasse um bilhete avisando às irmãs que saíra para um passeio matinal. Jesse molhou o prado de flores-do-campo, um lugar especial, emoldurado pelo verde exuberante do bosque junino, uma pintura turbulenta de cores primárias, de lupínios, gailárdias e cardos.

— O caleidoscópio de Deus — disse Jesse de mêdo lírico, seu testemunho de amor pela terra. — Uma ligeira modificação no tempo, a virada do mês, e as cores mudam.

Leah sentou-se ao seu lado entre os botões de flores. O perfume, o frescor da manhã, o brilho abundante do sol os cercava, mas o que mais a cativava era ver o seu rosto. Aproximou-se dele e percorreu com os dedos as rugas de seus olhos. Sua pele mostrava saudáveis sinais do tempo. Leah sabia que os anos não o fariam parecer mais velho e sim mais irresistível.

Horas mais tarde, ela pensava nisso enquanto estudava os rostos dos habitantes locais que tomavam café da manhã no restaurante, quando Julia sentou-se na cadeira da qual Jesse acabara de se levantar.

— Aonde ele foi?

— À loja de ferragens. Está querendo instalar um sistema de *sprinkler* no jardim e saiu para pesquisar o preço da tubulação.

Julia suspirou. — Gosto muito dele. — Partiu um pedaço do bolinho de amoras e o pôs na boca. — É um dos homens mais sensíveis que já conheci. Às vezes penso que estou louca por não ter tentado conquistá-lo. — E apanhou outro pedaço. — Mas eu tenho o Howell, e Jesse não está interessado em mim. Está interessado em você.

— Acha mesmo? — Leah imaginou que estava mais do que óbvio.

O rosto de Julia ganhou um ar presunçoso. — Eu vi o jeito que ele a olhava. Nunca o vi olhar para ninguém daquele jeito, e não foi só eu que reparei. Nos últimos quarenta minutos, três diferentes pessoas vieram me falar a mesma coisa.

— Ai, meu Deus.

Julia sorriu. — Não se preocupe. Vocês formam um belo casal. E é claro que todo mundo estava esperando por isso. Quer dizer, é uma ironia, depois do que aconteceu com sua mãe.

— Ironia?

— Deve estar no sangue, algo que não as deixa se afastarem da civilização. Os intelectuais são homens frios. Os que trabalham com as mãos são *hábeis*, se é que entende o que eu digo. Leah? Leah, está me ouvindo?

Leah estava absorta. Sabia que tudo fazia sentido, mas ainda assim precisava indagar. — O que aconteceu com minha mãe?

Subitamente Julia pareceu incrédula. — Você sabe, não sabe?

— O que aconteceu?

— Merda.

— Conte-me, Julia.

— Não poderia. Droga, não me diga que ela não lhe contou? Por que outro motivo ela compraria Star's End?

— Precisa me contar. Por favor.

Julia parecia arrependida. Por fim, suspirou. — Era ela, Leah. Ela e o caseiro.

$\mathcal{Q}$uinze

$\mathcal{W}$endell alcançou a varanda do armazém mais cedo e mais agitado do que de costume. Não entrou para tomar café. Estava muito irritado.

Clarence não ajudava em nada com seu atraso, avançando a furta-passo pela rua, vagaroso ao subir os degraus e caminhar em direção ao banco de madeira.

— Bem na hora — anunciou Wendell com um grunhido.

Clarence ajeitou-se no banco e saudou o companheiro. — Wendell.

Wendell pousou as mãos sobre as coxas e passou os olhos pela rua principal, implacável como sempre. — Jesse está de caso com a mais moça. Sabia disso?

Clarence sabia que os dois foram vistos juntos e que andavam trocando olhares apaixonados. Ele mesmo tinha dado uma boa olhada na garota. Não diria que era culpa de Jesse.

— Eu mesmo vi os dois — disse Wendell — de um modo que *num tava* certo.

Clarence pôs o cachimbo entre os dentes.

Wendell o fitou. — E então?

Clarence apanhou sua bolsa de fumo. — Então o quê?

—*Num tá* certo *sentá* quase no colo dele enquanto ele dirige.

—*Num* existe lei que proíba isso.

—Mas devia existir.

—Fizemos isso uma vez.

—*Num* interessa. *Num tá* certo. *Tô* lhe dizendo, Star's End está em perigo, e a mãe ainda *num* deu sinal de vida.

Clarence tirou o cachimbo da boca, enfiou-o na bolsa de fumo e socou o tabaco dentro dele.

—Malcolm diz que ela morreu —anunciou Wendell.

— Gus disse que ela *tá* em Nova Iorque.

— Morreu — insistiu Wendell. — *Tá* morta há muito tempo.

Clarence sabia que se Virginia St. Clair estivesse morta, a cidade já teria sabido há muito tempo. Todos tinham um interesse de direito na mulher. — O que diz Elmira?

Wendell bufou. — Elmira diz que ela *tá* a caminho, mas o que Elmira sabe? Eu digo que ela *tá* morta.

—Se ela morreu, quem *comprô* Star's End?

— As filhas, ora.

Clarence não acreditava nisso. —Por que fariam isso? Star's End não significa nada para elas. Elas nem sabiam sobre a mãe e Will.

Wendell o fitou, carrancudo. — Quem lhe disse isso?

—A mais jovem *tava* conversando com a Julia, e quando ela *deixô escapá*, a moça ficou branca que nem papel.

Wendell o encarou. — Como é que sabe disso?

— Eu vi — respondeu Clarence, enfiando o cachimbo na boca.

— E como foi que *ocê* viu?

— Eu estava no Julia's.

— Por que *ocê tava* lá? — O restaurante Julia's era território inimigo. Clarence não tinha nada a fazer lá. Wendell não podia confiar em mais *ninguém*.

— Ela faz um pãozinho muito *bão* — explicou Clarence, riscando o fósforo e acendendo o cachimbo.

— Sabe o que tem naqueles pãezinhos?

— Trigo... manteiga... nozes... — respondeu Clarence entre baforadas, até sentir a plenitude da fumaça.

— *Num* sei por que *ocê* gosta tanto dela.

Clarence olhou sério para ele.

— Sim, *sinhô* — continuou Wendell sacudindo a cabeça. — *Num tá* certo ela *fazê* pãozinho.

— *Ocê num* gosta da Julia.

— Ela *num* é daqui.

— Já está aqui há três anos.

— *Num* interessa. Você *num* devia *freqüentá* aquele lugar.

Clarence esticou as pernas.

— Estamos conversados — ordenou Wendell.

— *Ocê* é quem pensa.

Wendell o encarou por um minuto e desviou o olhar para a rua.

— E tem outra coisa — acrescentou Clarence. — Num vejo nada demais em Jesse se *encontrá* com ela. A mais moça. Leah.

— Ela é encrenca. É a maçã que tentou Adão.

— A moça tem um cabelo bonito.

— Mas não é daqui.

— Ora, diabos, Wendell, poucos são hoje em dia. A cidade *tá* mudando, quer goste ou não.

Wendell, enfurecido, ergueu-se com dificuldade. — *Vô pegá* um café — resmungou ele, entrando no armazém.

Clarence deitou o braço sobre o encosto do banco. Tirou um trago do cachimbo e soprou com força a fumaça. Quando Callie Dalton surgiu na varanda, ele tocou a ponta do boné com o dedo. — Dia, Callie.

— Dia, Clarence.

— Cuidado com Wendell.

Callie espiou, cautelosa, pela tela da porta e esquivou-se rapidamente quando Wendell a abriu, entrando em seguida.

— Creme irlandês — resmungou Wendell, cheirando o conteúdo da xícara com repugnância. — *Num* sei o que há de errado com o café puro.

— O problema — concluiu Clarence — é que *num* tem graça. *Num* tem gosto.

Wendell rezingou.

— E tem mais uma coisa — acrescentou Clarence. — A cidade *tá* precisando de um novo romance. O antigo *tá* ficando rançoso.

Wendell o fitou.

Clarence soltou a fumaça do cachimbo. Passado alguns instantes, como os olhos de Wendell permaneciam sobre ele, Clarence o encarou de volta.

— O fumo *tá* destruindo seu cérebro.

— Nãããão. Aqueles dois são um casal bonito, só isso.

— Ela vai *matá* o moço, como a mãe *matô* Will. Que vergonha! Jesse era a nossa última esperança.

— Esperança de quê? *Salvá* o passado? Nããão. Jesse caminha para a frente. É mais esperto do que nós dois juntos.

· — É um nativo como nós.

— A cidade *tá* mudando. É melhor *encará* os fatos, Wendell. Julia vai *continuá* vendendo pãezinhos. O livro de culinária da igreja vai *tê* um capítulo só sobre espaguete. E o café vai *ficá* cada vez mais diferente.

Wendell soltou um gemido.

— Acho que — prosseguiu Clarence — só temos uma escolha. Ou nos juntamos a eles ou morremos. Eu *num* vou *morrê* tão cedo. *Num* ligo *pro* que Julia coloca no pãozinho, se ele fica gostoso. Nunca gostei mesmo das roscas ressecadas que Mavis costumava servir com o café que *ocê* tanto gostava.

Dezesseis

Caroline estava certa de que havia entendido mal. Segurando o telefone mais próximo ao ouvido, ela pediu a Doug que repetisse o que acabara de dizer.

— Assistiu ao noticiário, não assistiu? — perguntou ele.

— Não. Não temos visto televisão aqui.

— Isso explica por que não ligou antes.

— Estou ligando agora, e não sei por que ninguém ligou para mim. — Sentiu uma pontada de indignação. — Luther Hines é meu cliente e não de Walker Housman. Há três anos que estou trabalhando com ele e seu filho.

— Ele estragou tudo, Caroline. Matou o rapaz.

Pela segunda vez, Caroline considerou difícil digerir tais palavras. Contudo, desta vez, sentiu-se nauseada. Passara horas a fio com Luther e seu filho, tentando negociar com o rapaz, primeiro quando foi acusado de molestar sexualmente uma de suas professoras do colégio e, mais tarde, quando foi acusado de estupro propriamente dito. Em ambas as instâncias, ela conseguira negociar a suspensão da pena alegando insanidade mental. Houve ainda subseqüentes acusações de direção perigosa, que resultaram em multas e na suspensão de sua licença de motorista, e várias lutas corporais com o pai, que passaram incólumes pela polícia.

Caroline nunca imaginou que terminaria assim. — O que *aconteceu?*

— Luther alegou legítima defesa. Os dois discutiram e o rapaz sacou de uma faca. Infelizmente, não foi a faca que o matou.

— O que houve, então?

— Foi estrangulado.

— Por *Luther?* Impossível.

— Luther era o único na casa. Chamou a polícia e fez uma confissão.

Caroline sabia que Luther tinha um temperamento difícil — Jason não entrara na história por acaso —, mas nunca imaginou que chegasse ao ponto de ser violento. Sim, ele se exasperava com Jason, mas exasperação não era o mesmo que ódio ou qualquer que seja a emoção que leve alguém a cometer um assassinato. Presumiu que poderia ter sido o medo. Mas Luther *amava* seu filho. Só Deus sabe —além da Holten, Wills e Duluth—as quantias que pagara a Caroline no passado para ajudar o garoto.

Segurando a emoção, ela disse: — Ele tinha o direito de dar um telefonema quando foi preso. Para quem ligou?

— Para você, mas como não estava aqui, Walker o atendeu. Isso foi no meio da noite, Caroline. Walker saiu da cama para encontrá-lo na delegacia e esteve no tribunal ao lado dele ontem de manhã.

— Tempo o bastante para se declarar advogado dele nos autos — disse ela inconformada. — Liguei para aí ontem, Doug, e ninguém disse uma palavra sobre isso. — Sentiu-se traída.

— Porque o caso não é seu. É de Walker.

— Mas Luther é meu cliente — argumentou ela, tentando manter a calma. — Sou eu quem deveria defendê-lo.

— Você não estava aqui.

— Se Walker tivesse me telefonado, eu teria tomado o primeiro avião de volta. Chegaria a tempo para o julgamento. Sócios não devem roubar os casos de outros sócios.

— Convenhamos, Caroline. Está fazendo uma tempestade em copo d'água. A verdade é que Walker é bem mais experiente em defender suspeitos de assassinatos do que você.

— Nem tanto, se contar os que processei.

— O trabalho da defesa é diferente.

Caroline estava se sentindo *duplamente* traída. Doug sempre estivera do seu lado. — Está sugerindo que Walker é mais competente do que eu?

— Estou sugerindo que deixe estar. Luther Hines estará bem representado. Isso não é o mais importante?

— Mas eu *conheço* Luther muito melhor do que Walker. Trabalhei com ele. Acredito na sua inocência.

— Caroline, ele confessou.

— Ele não é um assassino, Doug. É uma pessoa decente que pode ter agido em legítima defesa, movido pelo medo ou por insanidade momentânea. Acredito nesse homem. Também acredito que deva estar terrivelmente deprimido agora. A culpa deve tê-lo levado a aceitar uma punição maior do que realmente merece.

— Luther Hines? Está brincando? Ele sabe manter a calma. É um empresário bem-sucedido porque sabe dar as cartas.

— É também candidato a prefeito, ou era, e isso significa que seu advogado vai estar sob os refletores. Não acha que Walker quer os refletores para ele, acha?

Doug foi lento demais em sua resposta.

— Aproveitou-se do fato de eu estar fora da cidade. Ele é uma cobra. Diga isso a ele por mim, certo, Doug? — Caroline bateu o telefone, perambulou pela sala e deixou-se cair na poltrona. Para Annette, que estava no sofá, ela disse: — Um dos meus sócios acabou de me roubar um cliente importante.

— Isso parece ilegal.

— Não é ilegal, é falta de ética. Droga, é ilegal, sim — bradou ela, e, saltando da poltrona, saiu em direção à cozinha. Alguns minutos mais tarde, estava ao telefone com a secretária de Walker Housman.

— Ele está em reunião, Srta. St. Clair.

— É muito importante. Não vai demorar.

Ficou aguardando, mas foi a voz da secretária, e não a de Walker, que retornou. — Sinto muito. Ele não pode atender sua ligação agora.

— É sobre o caso Hines. Pode dizer isso a ele?

Desta vez, ela esperava que Walker viesse com alguma desculpa esfarrapada sobre ter assumido o caso, mas, novamente, foi a secretária quem a atendeu. — Terá que falar com ele outra hora.

— Quando? — perguntou Caroline, tamborilando os dedos sobre a bancada. Desejou ter um cigarro. Mas, não. Não deixaria um tipo como Walker Housman fazê-la sucumbir.

— Deixe-me ver — respondeu a secretária. — Bem, sua agenda está lotada. Talvez no final da tarde... também não.

Caroline estava fervilhando de ódio. — Coloque-me na linha com ele agora.

— Por que não deixa o seu número, e eu lhe passo o recado.

Caroline não sabia o que era pior — a interferência da secretária ou Walker a evitando. Sabia o que ele faria com seu recado. Amassaria o papel e o atiraria na cesta de lixo mais próxima.

Mas havia mais de uma maneira de esfolar um gato. Obediente, ela deixou seu telefone e desligou. Em seguida, discou novamente.

Graham Howard era do comitê executivo da firma e, por conseguinte, fazia parte da equipe administrativa. Se Caroline quisesse protestar, era com ele que deveria falar.

Graham sempre fora cordial com ela, e não foi diferente nesse dia. — Como estão as férias, Caroline? — perguntou ele.

— Estavam indo muito bem até pouco tempo atrás, quando tomei conhecimento do caso Luther Hines. Tentei falar com Walker, mas ele se recusa a aceitar minha ligação. Graham, confesso que estou estarrecida com o que Walker fez.

Graham não fingiu desconhecer o que havia acontecido, embora tivesse tentado despistar. — Posso entender sua decepção. Será uma defesa interessante.

— Luther é meu cliente. O caso é meu.

Houve uma pausa. Em seguida, Graham acrescentou polidamente: — Acho que não. O nome de Walker consta dos autos como sendo o advogado de defesa. Luther concordou com isso.

— E ele teve outra escolha?

— Isso eu não sei. Terá que perguntar a Walker.

— É o que eu teria feito, se ele tivesse concordado em me atender. Deve saber por que estou ligando. Graham, isso não é direito.

— Claro que é, Caroline. Walker é um experiente advogado de defesa. Luther estará muito bem representado.

— Ele não fará um trabalho melhor do que eu faria, e Luther é meu cliente.

— Mas você não estava aqui. Realmente não entendo por que está tão chateada.

Caroline cerrou o punho na tentativa de se conter. — Estou chateada — disse ela deliberadamente — porque sou advogada de Luther há três anos e durante todo esse tempo venho construindo um relacionamento com ele, e não tem sido nada fácil, e tudo isso só beneficiou a firma. Vocês me devem este caso.

— Nada disso. Walker está no caso. A firma se beneficiará disso. Olhe, Caroline, não há motivo para histeria.

— Não estou histérica — retrucou ela, tentando ser sensata.

— Está, sim. Walker não fez nada de errado. Os sócios devem trabalhar juntos.

— Se fosse assim, ele não deveria ter-me ligado antes do julgamento? Não deveria ter-me deixado a par do destino do meu cliente? Não deveria ter-me consultado sobre a melhor forma de defesa?

— Walker sabe qual a melhor forma de defesa — anunciou Graham. —Será a insanidade temporária. Agora, você sabe tanto quanto eu, Caroline, que não tem se saído muito bem ultimamente. O caso Baretta foi embaraçoso. Deixe que Walker tente fazer sua defesa neste. Será melhor assim, para todos.

Caroline estava pasmada. Subitamente a raiva tomou conta de seus pensamentos e palavras. — Quero que saiba — sua voz estava trêmula — que o que acabou de dizer é tremendamente ofensivo.

Graham suspirou. —O problema é seu, não nosso. Se quer jogar no nosso time, tem que estar acima desse tipo de coisa. Isso se chama profissionalismo.

— Estou falando de ética. De respeito mútuo. De escrúpulo.

— Isso parece uma acusação.

— Se a carapuça lhe serve — disse ela, reticente.

— Vou esquecer o que falou. Você está nervosa. Está dizendo coisas que não diria se estivesse raciocinando. É melhor que esteja longe, Caroline. Está precisando mesmo de férias. Tenho outra ligação me esperando. Conversaremos quando voltar.

Caroline desligou o telefone, caminhou pela sala e jogou-se novamente na poltrona. — Não *acredito* nesse homem. Disse que sou *eu* quem está com problemas. Eu estava "histérica"?

— Achei que foi bastante sensata — opinou Annette.

— Foi o que achei. Os homens se prendem a certos esteriótipos femininos, ainda que percebam que estamos cobertas de razão. Estou *muito* ofendida. — Ela inspirou e soltou o ar num longo suspiro.

— Existe alguma coisa que você possa fazer?

Voltar, pensou ela. Tomar o primeiro avião para Chicago. Mas, diabos, não *queria* ter que fazer isso. Merecia essas férias. Tinha o direito de estar com sua família.

Com outro suspiro, sua raiva deu lugar à resignação.

—Posso lançar um protesto diante do comitê da firma, mas é provável que o tiro saia pela culatra. Graham me deu sinais da posição da firma em relação ao problema. Se eu fosse homem, seria incentivado a lutar por meus direitos. Como mulher, serei ridicularizada e tachada de histérica. O fato é que eu não estava lá quando Luther Hines ligou, e Walker Housman estava.

Annette deitou a cabeça no encosto do sofá. — Está chateada?

— Furiosa.

— Não parece.

Caroline sabia disso. Não conseguia concentrar as forças da retórica e da raiva estando tão longe de Chicago. — Mas racionalmente estou furiosa. Sinto-me traída. É a primeira vez que me afasto da firma desde que entrei. Por que não imaginei que algo assim pudesse acontecer?

Ela mesma deu a resposta. — Porque vivo num mundo onde um quer passar a perna no outro, e meus sócios são uns velhacos. São bem-sucedidos porque são desumanos. Infelizmente, a crueldade não tem limite.

— Você não é assim.

— Muito obrigada.

— Falo sério.

— Eu também — disse Caroline. Diabos, não sentia vontade de voltar correndo para Holten, Wills e Duluth.

— Obrigada.

— De nada. Então por que trabalha com eles? Como pode suportar tudo isso?

— É o que Ben sempre me pergunta. — Sentiu a dor da falta que ele lhe fazia, do som da sua voz, do seu jeito realista. Sentia falta de suas visitas inesperadas e de como se sentia sempre que ele aparecia.

Tentara telefonar para ele na noite passada, mas ele não estava em casa.

— Ben acha que eu deveria abrir minha própria firma. Uma firma menor, mais indulgente.

— E por que não abre?

Subitamente Caroline se viu sem resposta. Precisava pensar no assunto, mas estava desnorteada. — Não sei. Sempre almejei fazer parte de uma firma grande e sólida.

— Estaria acostumada então?

— E conseguiu. É a primeira sócia-mulher da firma. Mas não me parece tão bom assim.

Caroline cruzou os joelhos e começou a balançar a perna. — Quer saber de uma coisa? É lamentável. Aqueles homens sabem jogar, Annette. Competem entre si por causa de honorários, de mulheres, de nomeação nos conselhos das fundações, associações e clubes, e quando há uma pausa nas reuniões, sabem sobre o que discutem? Carros! Não falam de filhos ou de família, nem de comprar um presente

para um diretor que está se aposentando. Falam de carros!
— Exasperada, ela jogou a mão para o ar. — Não sei *por que*
continuo lá! Sentada aqui, neste exato momento, nada disso faz sentido!

— Oi, gente.

Caroline parou de balançar a perna e se inclinou para
a frente. — Deus do céu, Leah. Parece que viu um fantasma.

De certa forma, era verdade. As palavras de Julia ainda
ecoavam em seus ouvidos. Leah tentava aceitá-las, tentava
entender por que Ginny nunca dissera nada, por que *Jesse*
não lhe contara a verdade, tentava entender o que estava
acontecendo. Estava assustada e magoada.

Sentou-se na parte do sofá ainda aquecida pelas pernas de Annette. Sentiu-se aliviada por ter encontrado as
irmãs. Passado, presente e futuro pareciam se fundir. Talvez, juntas, elas pudessem se ajudar.

— Não imaginam o que acabei de saber — disse ela
com a voz embargada. — A mamãe já esteve aqui antes.
Ela e o papai alugaram Star's End por um verão. Isso foi
muitos anos antes de você nascer, Caroline. Durante o período em que esteve aqui, ela teve um caso com o caseiro.

As duas empalideceram. Então Caroline disse: — E
eu sou o papa.

— É verdade.

— Isso é um *absurdo* — protestou Annette.

Caroline concordou. — Está falando da mulher *errada*.

— Se é esse o tipo de fofoca de que esta cidade gosta...

— Ginny não seria capaz de uma coisa dessas.

As duas a encaravam, obrigando-a a retirar o que havia dito. Tudo o que Leah fez foi encará-las de volta. Ela própria não queria acreditar. Sua reação inicial fora semelhante a delas — até começar a raciocinar.

Aparentemente, Annette estava fazendo o mesmo, pois seu olhar parecia flutuar. — Então era ela aquela mulher?

Caroline continuava inflexível. — Impossível. Ginny não teria tido um caso. Sempre foi correta demais. Não teria tido coragem.

— O cenário era perfeito — prosseguiu Leah. — O papai costumava viajar. Passava cinco dias da semana na Filadélfia e os outros dois aqui.

— Quem lhe contou isso?

— Julia. Eu sei... ela só está aqui há três anos, mas o povo daqui vai ao seu restaurante e comenta. Os comentários começaram tão logo a mamãe comprou esse lugar, e desde então não pararam mais. Pensem na curiosidade intensa a respeito dela.

— É compreensível — ponderou Caroline. — De repente uma estranha é a maior latifundiária da cidade.

— Mas pense nas perguntas — sugeriu Leah. — Eles não perguntam se ela é rica, o que está fazendo pelas terras ou se pretende vender algum lote. Querem saber como era sua vida na Filadélfia, se ela continuou casada com o papai, se era feliz.

Jesse fizera perguntas semelhantes. Ele sabia quem Virginia era. Justamente na noite anterior, Leah lhe fizera perguntas sobre a lenda. Estiveram na estufa, mas ele não deixara escapar o que sabia.

Tentou imaginar por quê, se a amava.

— São só intrometidos demais — concluiu Caroline com repúdio.

Mas Annette parecia preocupada. —São? Lembro-me de como fiquei chocada quando li a carta que ela me escreveu. Não podia acreditar que ela havia escrito e não telefonado para comentar algo tão sério como ter vendido a casa em que crescemos. Não consegui entender por que ela faria as malas e mudaria para um lugar totalmente estranho, com pessoas estranhas, a essa altura da vida. Nada me tirava da cabeça que havia um motivo maior do que simplesmente querer descansar. Isso explica tudo.

— Como assim? — indagou Caroline. — Mesmo que ela fosse a tal mulher, por que voltaria para cá? Se estivesse envolvida num escândalo, a *última* coisa que faria é dar as caras aqui novamente.

— Talvez não tenha conseguido evitar — sugeriu Leah. — Talvez tenha sido atraída para cá, num impulso.

— Ela mesma não compreendia tudo isso muito bem. As pessoas sempre fazem coisas sem sentido. — Talvez precisasse de clausura. — Uma das razões pela qual Leah aceitara o convite de Ginny para ir a Star's End.

Clausura? Ah! A visita se transformara numa caixa de Pandora!

Annette tinha os olhos arregalados. — A compulsão em retornar quase faz sentido... se for verdade que ela estava perdidamente apaixonada.

— A mamãe? Perdidamente apaixonada? — resmungou Caroline. — Está bem. — Carrancuda, caminhou até o deque e voltou em seguida. — Vocês estão fazendo duas suposições improváveis. A primeira é que Ginny, com sua conduta rígida, pudesse desafiar a sociedade mantendo um caso extraconjugal. A segunda é que ela foi *capaz* de ter um caso. Não sei quanto a vocês, mas a última palavra no mundo que eu associaria à mamãe é *paixão*. Annette estava paralisada. —Meus filhos pensam da mesma forma em relação a Jean-Paul e eu. Levou algum tempo para que eles aceitassem que se a porta do quarto estivesse fechada, não deveriam entrar sem bater.

— Não, não é apenas pelo fato de que ela é minha mãe — insistiu Caroline. — Passei a vida inteira observando seu comportamento. Nunca foi apaixonada pelo papai. Nunca foi apaixonada por nós. Nem pelos amigos, ou pelo clube, nem mesmo pela *sala de estar* que ela mesma havia decorado. Ocupava-se de coisas que julgava corretas, mas nada a tocava profundamente.

Leah pensou em si mesma, na mulher que era em Washington, um ícone de graça social, de modos polidos e respostas suaves. Era apaixonada por tudo aquilo? Não. Estava apaixonada por Star's End? Sim. Mais do que isso. Jesse destruíra suas inibições. Em seus braços, transformava-se numa criatura desconhecida. Mas isso também era emocional. Estava envolvida com Star's End como nunca estivera envolvida com nada antes. Ali, sua sensibilidade aflorara como nunca.

— E as rosas litorâneas? — disse, pois não conseguia deixar de pensar nelas. Eram a prova concreta do que Julia havia lhe contado. — Todos esses anos a mamãe mandou fabricar um perfume especial. Vocês se lembram de ela ter usado alguma outra essência?

— Não, mas...

— Certa vez, eu encontrei uma fragrância semelhante — continuou Leah. — Vinha num vidro lindo, então comprei para presenteá-la em seu aniversário. Anos depois, ele continuava sobre sua penteadeira, cheio. Convenci-me de que ela gostara tanto dele que quis preservá-lo, mas a verdade é que ela não quis usá-lo, só isso. Gostava da essência pura, a mesma que permeia este lugar. Será pura coincidência ter comprado uma propriedade que tem o mesmo cheiro do seu perfume? Ou será que ela usa esse perfume porque ele cheira como esse lugar? Se ela era essa mulher perdidamente apaixonada que se foi com o fim do verão e nunca mais voltou, talvez precisasse de algo que lembrasse esse lugar para ajudá-la a continuar vivendo.

— Ajudá-la? — perguntou Annette, com a voz entrecortada. — Pensei que a lembrança constante teria sido dolorosa para ela.

— E para o papai — concluiu Caroline, sentada na beirada da poltrona com as mãos entrelaçadas entre os joelhos. Parecia subitamente vulnerável, de um jeito que Leah jamais a tinha visto. — Posso lidar com tudo nessa vida. Deus sabe o que precisei aprender durante todos esses anos na minha profissão, contanto que pudesse ter o controle das coisas. Hoje foi um dia e tanto. Primeiro Chicago, agora isso... — Ela apertou os olhos, amargurada. — A *mamãe*?

— O que aconteceu em Chicago? — Leah quis saber, e Annette lhe explicou. — Ah, Caroline. Sinto muito. — Vendo Caroline com outros olhos agora, Leah entendeu que o pior não fora perder o caso, mas ter sido traída pelos sócios.

— É engraçado — disse Caroline, sem sorrir. — O que houve em Chicago foi terrível. Estou furiosa. Magoada. Mas não estou lá, estou aqui, e o que aconteceu aqui é muito mais perturbador. Mais importante. Tem a ver com crenças muito mais fortes. — Ela engoliu. — Suponhamos que a mamãe realmente tenha tido um caso amoroso no início do casamento. Isso suscita muitas outras questões.

Leah estivera tonta demais com a revelação de Julia para pensar em tais ramificações. Com a deixa de Caroline, sua mente começou a trabalhar. — Como seus sentimentos pelo papai e por nós...

— E seu jeito pedante — incluiu Annette — e sua preocupação com as aparências e com sua condição social.

— Isso me faz pensar — arriscou Caroline — por que ela nos queria aqui e por que não chegou até agora? Isso traz à luz uma série de coisas. Presumindo que seja verdade.

— Podemos checar — disse Leah, pensando em Jesse. Não queria expor seu relacionamento até que descobrisse mais a respeito de Ginny. — Se a fotografia dos dois saiu no jornal, deve haver um arquivo de cópias em algum lugar. O *Diário* ainda existe. O escritório fica no centro da cidade.

O *Diário de Downlee* foi fundado em 1897. Suas primeiras publicações eram pouco mais do que uma única folha contendo as fofocas locais. Nos anos 20, a publicação aumentou para quatro páginas que incluíam notícias da guerra, e com seu término, as notícias do condado as substituíram. Nos anos 50, o *Diário* tornou-se uma edição semanal de doze páginas, com uma animada combinação de notícias e esportes, fofocas e histórias em quadrinhos.

Para mérito do editor, a fotografia não saíra na primeira página, mas mesmo escondida na página cinco, tornara-se um escândalo. Caroline abriu o jornal, agora amarelado e ressecado, e localizou a foto. Não havia dúvida de que era Virginia. Contudo, parecia diferente daquela que Caroline conhecia. Sentiu-se traída mais uma vez.

Annette e Leah a ladeavam, cochichando entre si, a fim de que a mulher que as levara ao arquivo do jornal não escutasse o que diziam.

— Ela parece tão jovem.

— E era.

— Parece mais jovem do que em suas fotografias de casamento, tiradas bem antes desta.

— É o seu cabelo. Está desalinhado.

— E mais comprido. Deve tê-lo cortado logo em seguida e nunca mais o deixou crescer. Olhe o seu rosto.

— Olhe o rosto *dele*. Do amante.

— Isso soa estranho.

Caroline estava sofrendo. Considerava Virginia uma mulher independente, entediada, e achava que lhe faltava coragem para ser ela mesma. Esta Ginny havia sido ela mesma e escondera de suas filhas parte de sua vida.

Caroline foi a primeira filha de Ginny e, por três anos, a única. Racionalmente, isso não lhe dava nenhuma vantagem sobre as irmãs. Emocionalmente, sentia-se menosprezada. A Ginny da fotografia estava loucamente apaixonada. Caroline sentiu-se lesada.

— Simon chamou esse olhar de devoção — murmurou ela.

— Ela nunca olhou para o papai desse jeito.

— Nunca olhou para *nós* desse jeito.

— Ele é muito atraente.

— Meu Deus, eles estão de mãos dadas.

— No meio da cidade?

— Atrás da igreja — disse Caroline e começou a ler:

— "O Festival Anual da Colheita de Downlee foi comemorado na última sexta-feira no campo de beisebol da Primeira Igreja Congregacional. Virginia St. Clair, que alugou a mansão de veraneio Star's End, gozava das festividades ao lado de seu caseiro, Will Cray."

Leah tomou o jornal das mãos de Caroline. — Quem?

— O pai de Jesse? — indagou Annette.

— Deve ser. — Caroline não conseguiu se lembrar das feições exatas de Jesse, embora achasse que tivessem o mesmo tipo de beleza. — A reportagem não seria incriminadora se não fosse pela foto. Esqueçam as mãos. Simon tinha razão. O modo como ela o olha não deixa dúvidas.

— Will *Cray?* — repetiu Leah com tristeza, devolvendo o jornal. — O que acha que aconteceu? — murmurou Annette. — Será que ela fez um acordo com papai para evitar o divórcio? Minha Nossa, não acredito. A mamãe é a última pessoa que eu sonharia que tivesse tido um caso. Com certeza nunca mais repetiu a dose depois que nascemos.

Caroline estava tentando imaginá-la tendo outros casos. Estava tendo problemas em conciliar a mulher vibrante da fotografia com a pessoa desinteressada que a criou. A mulher vibrante zombava da outra e das emoções que Caroline aprendera a cultivar.

Frustrada, atirou o jornal para o lado. — Ainda acho que tudo não passa de fofoca.

— Mas *como?* — inquiriu Annette. — Está bem aqui, preto no branco.

Mas Caroline estava acostumada a lidar com esse tipo de coisa nos tribunais. — O preto no branco pode ser uma farsa. Se tirarmos o texto, a foto pode ter outro significado.

— Está se iludindo, Caroline.

— Estou tentando ver a questão como um todo. A foto não se encaixa aqui — disse ela, socando o jornal.

— Está dizendo que não é a mamãe nesta foto?

— Ah, é ela, com certeza — respondeu Caroline, ciente de que estavam sendo ouvidas na outra sala, porém, com intenção de refutar as acusações levantadas contra Ginny.

— Mas podemos estar interpretando mal sua expressão. Pelo que sabemos, ela estava contando a Will Cray sobre o papai.

— Nunca a vi olhar desse jeito para o papai.

Nem tampouco Caroline. Contudo... — A saudade enternece o coração. Ele ficava fora cinco dias na semana. Ela devia sentir sua falta.

— Caroline, *ela está de mãos dadas com Will Cray.*

— E daí? Seis meses atrás, peguei um caso cuja preparação exigia que me encontrasse com D.A., meu patrão. Mais do que isso, meu amigo. Estava na sala de espera, certo dia, e ele estava voltando do almoço. Ele disse qualquer coisa. Rimos. Ele pegou minha mão e me puxou para o elevador. Alguém tirou uma fotografia nossa, presumindo que estávamos tendo um caso, mas não estávamos. Por que estão tão certas de que a mamãe estava? Não temos provas.

— A cidade *inteira* sabe!

— Alguém os pegou na cama? — inquiriu Caroline.

— Então é fofoca. Por isso é uma *lenda*. É o tipo de malícia de que uma cidade pequena se alimenta. Tudo isso pode muito bem ter sido pura fantasia.

— Mas não foi — disse a voz que vinha da porta. Caroline achou que era a voz de Leah, parada naquela direção, os braços cruzados. Mas não foi o rosto de Leah que surgiu sob o alizar da porta.

Martha Snowe era a atual editora do *Diário de Downlee*. Era grande, deselegante e tinha o rosto corado. Sua aparência era repugnante, apesar da firmeza de seu jeito manso de falar. Ocorreu a Caroline que ela não queria se intrometer, mas que se viu forçada, o que dava um certo crédito ao que ela tinha a dizer.

— Você morava aqui na época?

— Sim. Eu tinha dezessete anos.

— Continue.

— A vinda de seus pais para cá no verão foi uma notícia e tanto. Éramos mais provincianos na época, e eles eram ricos e bonitos. Eu e minhas amigas ficávamos olhando sua mãe passear pela rua principal e sonhávamos em ser como ela um dia. Ela era refinada. Caminhava e falava de uma maneira diferente. E era simpática. Todos gostavam dela. Então a convidavam para piqueniques e coisas assim, e parecia normal que Will a levasse a todos os lados.

Ela fez uma pausa. Caroline a apressou novamente.

Lentamente, ela continuou: — Ele começou a acompanhá-la com mais freqüência... não apenas até a cidade, mas sempre que ela saía.

— Não há nada de errado nisso.

E mais lentamente ainda. — Eram vistos passeando de carro tarde da noite pela cidade.

— Ele era seu motorista.

E quase num sussurro: — Ela não se sentava atrás.

Caroline começou a imaginar a cena. — A que distância exatamente estavam um do outro?

— Muito próximos.

— Como soube?

— Várias pessoas disseram a mesma coisa. Várias vezes. Inclusive o xerife.

Annette estava ansiosa, Leah, pálida, e Caroline quase não tinha argumentos. — Foi isso que deu início à lenda? Duas pessoas sentadas próximas dentro de um carro?

Martha balançou a cabeça. — Foram vistos juntos no bosque de Star's End.

— Fazendo algo comprometedor?

— Bastante.

— Por invasores — acusou Caroline. — Na propriedade de minha mãe.

— A cidade sempre se entendeu com os donos de Star's End. Nosso povo pode entrar na propriedade e sair dela quando quiser, contanto que fique longe da casa. Quem foi até lá naquela noite não estava fazendo nada de ilegal.

— Adolescentes?

— Artistas.

Caroline enfiou as mãos nos bolsos traseiros da calça. Os artistas que conhecera em Downlee a faziam lembrar de Ben. Embora não fossem exatamente excêntricos, possuíam um estilo próprio de vida. Não teriam ficado chocados em ver Ginny e Will no bosque, mas tampouco espalhariam uma notícia infundada.

Era verdade. Ela estava atordoada. Olhou para as irmãs, igualmente desalentadas. Munida da dignidade que lhe restara, disse: — Por que não voltamos para casa?

Não se falaram durante o trajeto de volta. Caroline remoeu a história pelo caminho, tentando compreender por que estava tão amuada, uma vez que era tão distante de Ginny.

Apenas quando alcançaram a Hullman Road, ela disse: — Sempre achei que a mamãe era fria por natureza. Atribuía sua indiferença a uma personalidade limitada, o que era mais fácil de aceitar. Como se não fosse nada pessoal. Ela era daquele jeito e pronto. Mas acreditar nessa história é o mesmo que acreditar que ela era perfeitamente capaz de amar. Apenas escolheu não nos dar seu amor.

— Ou isso — disse Annette suavemente — ou não sobrou nada para nós.

Caroline sentiu um aperto no peito e em seu rastro surgiu uma imensa tristeza. Não teve tempo de dar atenção ao que estava sentindo, pois, tão logo chegaram a Star's End, decidiu que o mais importante a fazer era localizar Ginny.

Ninguém atendeu na casa de Lillian, nem na mansão vazia que os St. Clair um dia chamaram de lar. Seus parceiros de golfe do clube não a tinham visto, nem o *maître* do restaurante.

— Pode estar em qualquer lugar — disse Caroline a Annette, e, imaginando que Leah pudesse ter alguma idéia do paradeiro da mãe, virou-se para ela.

Mas Leah já havia saído pelas portas envidraçadas da sala e atravessado a piscina.

Dezessete

$\mathcal{L}$eah não estava se importando se suas irmãs veriam aonde estava indo. Precisava falar com Jesse.

Deixando o deque para trás, percorreu rapidamente os jardins e a relva em direção ao bosque. Como não avistou nada que lembrasse uma figura humana por trás dos vidros grossos da estufa, abriu a porta de tela. Ele não estava lá, nem no quarto lamacento dos fundos ou em sua picape, estacionada sob o sol tórrido da tarde.

Ansiosa, desejando encontrá-lo o mais rápido possível, um tanto temerosa de que Jesse não tivesse passado de uma fantasia de sua mente, criada pelo fantasma de Will Cray, ela correu de volta em direção à casa. Passou pela entrada de carros e continuou, atravessando o urzal, com suas formas rusticamente esculpidas, e as roseiras, com seu perfume inebriante. Jesse não estava em lugar algum.

Lutando contra as lágrimas, ela se embrenhou no bosque e alcançou uma antiga picada de bétulas brancas, espruces e pinheiros gadanhados. A presença de Jesse era

287

uma misteriosa certeza, uma familiaridade silvestre. Leah seguiu por desvios e curvas, por agulhas de pinheiros e raízes expostas até que o bosque se abriu abruptamente para o sol, a relva e a beleza das flores-do-campo. Jesse estava ali, capinando, em meio à beleza do cenário.

Ao vê-lo, Leah foi tomada pela mesma sensação de antes, um desejo tão intenso que achou que não fosse suportar. Permaneceu na extremidade do prado, retomando o fôlego. Ele a viu, fez menção de sorrir, mas parou. No instante seguinte, estava caminhando a passos largos por entre as flores, em sua direção, e subitamente o pavor tomou conta dela. O que sentia por ele era forte *demais*. Perto dele, sentia-se uma menina, apesar de seus trinta e quatro anos.

Instintivamente, ela recuou, mas ele apertou o passo antes que ela tivesse tempo de fugir.

— Não — ela implorou quando ele a envolveu em seus braços.

— Eu não podia dizer nada, Leah — disse ele com o rosto entre seus cabelos. — Não tinha esse direito.

—Mas você sabia! — gritou ela, tentando empurrá-lo. Ele a segurou ainda mais forte. — Desde os nove anos, quando meu pai explicou por que minha mãe o havia deixado.

Leah não escutou. — Quando lhe perguntei sobre a lenda, você sabia a verdade!

— Eu não menti.

— *Mas não me contou tudo!*

— Por que *ela* não tinha lhe contado! — exclamou, trocando a posição do braço de modo a suavizar o abraço, embora não a tivesse soltado. Ele estava ofegante, sua voz vibrava em seu peito. Em seu ouvido, ele falou: — Pensei que soubesse, justamente por ela ter comprado a casa, então começamos a falar no assunto e percebi que você não sabia. Imaginei que ela estivesse planejando lhe contar, uma vez que a trouxe aqui, mas achei que eu não tinha o direito de dizer coisa alguma. Achei que ela teria uma razão para esperar tanto tempo.

— Tivemos que saber através dos boatos — disse ela.

— Desculpe. — Desta vez, quando mudou a posição do braço, ele o fez com carinho. Leah sentiu o calor do corpo de Jesse em seus seios, envolvendo sua cintura, percorrendo seus ombros e suas pernas. — Se soubesse que isso iria acontecer, eu mesmo teria lhe contado, mas você insistia em dizer que sua mãe estava para chegar a qualquer minuto.

Ela lembrou-se da primeira vez que o viu. — Você sabia quem eu era antes mesmo de eu ter dito meu nome pela primeira vez!

— É, eu sabia. Vê-la foi como levar um soco no estômago, a mesma sensação que meu pai disse que teve ao ver sua mãe, e ainda que não tivesse sido dessa forma, eu teria notado a semelhança. Tenho fotos guardadas, Leah, encontrei um monte delas depois que meu pai morreu.

Ela sentiu a dor em sua voz e percebeu que ele também tinha sofrido. Tentou se lembrar do que havia dito sobre sua infância, sobre sua mãe, sobre o relacionamento com seu pai, mas não dissera muita coisa. Ela o encarou sobre o ombro, com a dúvida no olhar. Seu rosto, mosqueado pelo sol que atravessava os galhos dos pinheiros à margem do bosque, deixava transparecer sua angústia.

— Oh, Deus — suspirou ela. Não podia sentir raiva dele. Ele também era vítima. Fechando os olhos, virou-se e recostou a testa em seu peito.

Ele a deixou ficar ali por um instante, então a puxou mais para perto e a abraçou com força. Quando sentiu que Leah estava trêmula, ele a fez sentar-se na grama à sua frente, as pernas cruzadas, mãos e joelhos se tocando. Baixinho, ele disse:

— Minha mãe ficou até que eu estivesse na idade de ir à escola e então partiu, juntou as coisas e desapareceu. Meu pai não me disse muita coisa, apenas que os dois tinham diferenças e que um filho deveria crescer com seu pai. Segui seu conselho e, como ele não ficou magoado, eu também não fiquei. Passaram-se dois anos, e comecei a sentir falta dela, mas ele não. Não era uma pessoa emotiva. Acordava de manhã, fazia o seu trabalho e voltava para a casa à noite. Nunca gritava, nunca chorava.

— Oh, Deus — suspirou ela, novamente. *Sabia* do que ele estava falando.

— Mas eu era uma criança — prosseguiu — e chorava algumas vezes, principalmente quando minha mãe me escrevia. Disse que havia se casado de novo e que tinha tido mais dois filhos. Vivia insistindo para que eu a visitasse um dia. Chegou até a me mandar as passagens de avião no meu nono aniversário. Eu queria ir, mas não podia. Não podia deixar meu pai sozinho. Havia alguma coisa... ele era uma figura trágica, triste, desprovida de emoção. Eu era um menino que sentia algo que não conseguia entender.

— Quando foi que ele lhe contou a verdade? — perguntou. Ela viu a dor em seus olhos, uma dor infantil nos olhos de um adulto.

— Quando as passagens chegaram. Discutimos. Foi uma das poucas vezes em que ele levantou a voz para mim. Ele me disse para ir. Eu disse que não iria. Ele disse que não podia ser pai porque era apenas uma concha vazia. Eu disse que não, mas ele insistiu. Foi então que me contou sobre sua mãe.

— Ficou com raiva dele?

— Fiquei triste. É uma história triste. Ele a amara de todo coração. E ainda a amava, quatorze anos depois que ela se fora.

— Sentiu raiva de minha mãe?

Jesse balançou de leve a cabeça. — Do jeito que meu pai me contou a história, ela não teve muita escolha. Era uma senhora decente, íntegra. Ele não a culpava por ter partido, assim como não se culpava por não tê-la impedido. Mais tarde, cheguei a sentir raiva dela por um dia ter aparecido por aqui, mas ele sempre a teve consigo.

Leah arfou.

— Apenas em sua imaginação — assegurou Jesse com um sorriso triste no rosto. — Nunca mais se viram, nunca mais se falaram. Durante seus últimos anos de vida, ele passou a fingir que ela estava com ele. Tem gente que fala sozinho; ele falava com Virginia. Sempre a chamou de Virginia. Nunca de Ginny. Dizia que era o nome mais bonito que ouvira.

— Que tristeza — suspirou Leah.

— Ele era um romântico. Dizia que estava predesti-

nado a amá-la e perdê-la, e que embora nunca mais se tivessem encontrado, uma parte dele sempre estaria com
ela. E essa parte ele não poderia dar a mais ninguém. Não
lhe pertencia mais.

Annette dissera palavras semelhantes. Leah estremeceu. Como poderia duvidar da história de Jesse, se tudo
nela se encaixava? — Nunca houve outra mulher?

— Não.

— Nem mesmo um flerte?

— Não foi possível, Leah. Ele não conseguiu mais se
recuperar.

— Mas ele se casou com sua mãe.

— É verdade. Mas isso aconteceu porque, naquela
época, ele ainda se achava capaz de continuar a viver sem
Virginia. Depois que minha mãe o deixou, ele se deu por
vencido.

— Por que ela o deixou? Quais eram suas diferenças?

— Compromisso. Dedicação. Amor. Ele gostava dela.
Respeitava-a. Mas não conseguiu amá-la.

— Muitos casamentos sobrevivem assim. — O casamento de seus pais sobrevivera.

Mas a história de Jesse não terminava aí. — Minha
mãe não era daqui. Veio para cá passar o verão, como a sua,
e se apaixonou pelo meu pai, que era um homem atraente.
Estavam casados havia pouco mais de um ano quando eu
nasci, e depois de mais dois ou três anos, ela achou que
aquela não era a vida que queria.

— Ela ainda está viva?

— Está. Eu a vejo uma vez por ano. Não aqui. Nunca

mais voltou a Star's End. Não gostava daqui como sua mãe. Não gostava do meu pai como Virginia. Leah estava tonta. — Para mim, esse é um lado inteiramente novo de Ginny. Difícil de aceitar. Jesse levantou-se e a puxou com ele. — Venha. Vou lhe mostrar umas fotografias.

Não estava certa se queria vê-las. Parte dela não queria mais saber de novidades naquele dia. Outra parte estava ávida por saber de tudo o que se relacionava com o lado amoroso, afetivo e sensível de sua mãe.

Mais do que tudo, precisava estar com Jesse.

Assim, ela segurou sua mão, e os dois cruzaram o bosque, passaram pelo urzal e pelas rosas litorâneas e tomaram o atalho pela entrada de carros até o chalé. Lá, ele removeu uma pilha de revistas, um círio e uma tora de madeira, e abriu um baú, tirando dali um enorme envelope de papel manilha.

Nele havia uma série de fotografias, em dias e cenários distintos. Leah reconheceu a foto editada no jornal. Além desta, a única que mostrava algum sinal de contato físico entre os dois fora tirada enquanto estavam, ombro a ombro, debruçados sobre a cerca de madeira no cais da cidade. Não que o contato físico fosse necessário. Mesmo sem ele, estava claro o que havia entre os dois.

Junto das fotos, havia uma grinalda de rosas, amassada entre folhas de papel encerado e dois anéis de couro, um menor e outro maior.

— Alianças de casamento — disse Jesse. — Costumavam fingir-se de casados.

Leah sentiu-se deprimida. Segurando o par de alianças na palma da mão, pôs-se a chorar. Ele a envolveu em seus braços. — Deviam ter ficado juntos — disse ela entre soluços.

— Os tempos eram outros. Ela era rica e casada. Ele não passava de um pobre trabalhador.

— Mas eles pagaram um preço *muito* alto — disse ela, enxugando as lágrimas. — Ficaram emocionalmente mutilados.

— Esta é apenas uma forma de encarar o que aconteceu. Existe outra.

Ah, claro. *Antes ter amado e perdido esse amor, do que nunca ter amado.* Exatamente o que aconteceria entre ela e Jesse.

Começou a chorar novamente.

Ele a envolveu até que ela se acalmasse e separou-se dela apenas para buscar lenços de papel no banheiro. Enquanto enxugava as lágrimas, ela disse: — Você contou que ele havia morrido de desgosto. Acredita mesmo nisso?

— Totalmente.

— Ele esperava que ela voltasse um dia?

— Não. Sabia que isso nunca iria acontecer. Apenas se cansou de viver sem ela. — Leah soltou um gemido, e ele acrescentou: — Eu não a culpo por sua morte, nem por nada do que aconteceu. Ele deveria tê-la procurado, mas aconteceu tanta coisa, e ele amava Star's End. Está enterrado aqui. Quer ir até lá?

Leah enxugou as derradeiras lágrimas. Sim, queria ir até lá. E, com um nó na garganta, disse-lhe isso meneando a cabeça.

Tomando sua mão, ele a guiou pelo penhasco, mais

longe do que ela jamais havia ido. Sentindo o peito acelerar, como se o túmulo de Will Cray fosse a prova definitiva de uma lenda pessoal, ela apertou a mão de Jesse, e mais forte ainda quando ele a levou ao afloramento do rochedo. Recuaram um pouco ao alcançarem um declive relvado, e desceram a passos apressados, subindo pela outra extremidade da rocha.

Foi quando Leah o viu, a pouco mais de seis metros. O cenário era deslumbrante. A relva, bordeada pelas pedras, dava para o mar aberto, e ao fundo, o som das gaivotas e das ondas enchia o ar. O túmulo de Will Cray não era o único ali. Leah observou outras lápides, todas em granito igualmente desgastado, mas não teve dificuldade em encontrar a de Will. Diante dela, havia a fotografia de uma pequena figura grisalha.

Dezoito

Will adorava este lugar. Disse isso uma ocasião em que me trouxe aqui. Foi na última semana de minha estada, quando já sabíamos que a separação seria inevitável. Quis que eu conhecesse o lugar onde desejava ser enterrado. O local não mudou quase nada depois de todos esses anos. Os rochedos eram os mesmos, a relva açoitada pelo vento, as gaivotas, o marulho das ondas quebrando contra as pedras, o zumbido da sirene que anuncia o nevoeiro em Houkabee. Lembro-me de ter pensado, naquele dia longínquo, que a morte jamais seria o fim para quem quer que fosse enterrado aqui. A imensidão do céu e do horizonte revelam novos mundos a serem explorados em outra dimensão.

Ahhh, esse era um pensamento típico de Will. E eu compartilhava dele quando estávamos juntos — não depois que parti, embora tenha me lembrado disso agora. Suspeitei que tinha muito a ver com a aura de Star's End e de Will.

Toquei seu nome, cada letra gravada na lápide, e senti sua presença. Senti também a serenidade do lugar e o alívio por finalmente ter retornado. Tantas vezes sonhei com esse momento, principalmente nos últimos anos. Houve tempo em que pensei que jamais conseguiria voltar. Receava que a angústia de outras despedidas pudesse me deter, ou que fosse morrer antes que esse dia chegasse.

Mas as despedidas ficaram para trás, e eu estava viva. Finalmente voltara para Will.

Ouvi um som — suave, diferente do grasnado das gaivotas que adejavam acima — e me virei. Um homem e uma mulher haviam me descoberto ali. Estavam no alto da colina. Suas silhuetas me pareceram familiares. Sem dúvida, seriam amigos — e, assim sendo, novos para mim. Levantei-me.

Seria o primeiro dos meus três momentos de verdade, após anos e anos de incontáveis fantasias. Imaginei duras palavras de acusação. Imaginei reprovação e escárnio. Temi a rejeição.

Mas ela não agiu assim. Não obstante, meu coração batia acelerado em meu peito. *Seja forte, coração, só um pouco mais*, supliquei, enquanto caminhava em direção a eles. Ela me encontrou a meio caminho. Notei que havia chorado.

Toquei seu rosto e sorri, pois ela estava linda. — Leah. Você parece outra pessoa. — Passei a mão em seus cabelos.

— E pensar que costumávamos esconder tanta beleza. Está linda assim.

Quando seus olhos se embaçaram, eu a tomei em meus braços. Fazia anos que não a abraçava. Nosso relacionamento nunca fora físico. Aliás, nenhum de meus relacionamentos o foram, depois de Will, e me senti um tanto constrangida ao experimentar tal sensação. Ainda assim, continuei a abraçá-la e, pouco a pouco, fui perdendo o constrangimento.

Mais um pouco, e a soltei. Enxuguei suas lágrimas, ela enrubeceu e sorriu. Ocorreu-me que, para ela, eu era uma outra pessoa também.

— Não vai me apresentar o seu amigo? — perguntei gentilmente, embora, obviamente, soubesse quem era.

Não havia como deixar de reconhecer o belo par de olhos castanhos, os traços másculos do rosto, o jeito de apoiar o corpo sobre uma das pernas. Ele parecia abalado. Certamente, também sabia quem eu era. Todos esses anos, imaginei se Will teria lhe contado. Eu merecia que ele me odiasse, porém, também ele me poupou.

Ofereci-lhe minha mão esquerda à medida que eu e Leah nos aproximávamos. Meu braço direito envolvia sua cintura. Achei que precisava de apoio. Estava trêmula.

— Você se parece muito com seu pai — eu disse, admirando sua beleza austera, como Will o teria feito se estivesse ali. Senti orgulho por Will. — E é bastante habilidoso. Vi os jardins. São maravilhosos.

Ele concordou, meneando a cabeça distraidamente. Não estava buscando elogios. Não estava pensando nos jardins. Seu olhar era penetrante como o do pai. — Sinto-me como se já a conhecesse. A senhora não mudou nada.

— Está sendo generoso — disse eu com um sorriso nos lábios, porém descrente. Meu cabelo estava branco, minha pele, flácida, e meu corpo, apesar de esguio, já não era mais o mesmo. A gravidade não poupa ninguém, apesar de nossas vãs tentativas de vencê-la. Embora ainda me orgulhasse de minha postura, estava menor do que fora há quarenta e três anos.

— É verdade — insistiu ele, observando-me atentamente. — Os olhos são os mesmos, o sorriso também.

— É o sorriso de Star's End que a senhora conserva até hoje — observou Leah. — Acabei de vê-lo numa das fotografias que Jesse me mostrou.

Meu coração tornou a pulsar forte em meu peito. Supliquei para que se acalmasse. — Will as guardou? — indaguei.

— Sim. E a grinalda de rosas e as alianças de couro.

— Oh, meu Deus — suspirei, tentando conter as lágrimas. Havia anos e anos que não chorava. Pensei que meus canais lacrimais houvessem atrofiado. — Talvez queira mostrá-las a mim mais tarde?

Ele concordou e olhou para Leah. Notei o jeito com que ela o olhou de volta e, em um lampejo que aqueceu meu coração, percebi por que ela não estava magoada com meu segredo. Estava amando. E compreendia.

Minha filha e o filho de Will — era maravilhoso.

Leah foi feita para Star's End. Os cabelos revoltos, as feições relaxadas, o tom claro dos cabelos sobre a pele nua, a harmonia com Jesse — eu nunca a tinha visto desse jeito. Até mesmo o choro. Suas emoções estavam mais soltas ali — exatamente como as minhas.

Rezei para que isso acontecesse. Leah precisava de um lar. Deus fora bom.

— Já esteve na casa? — perguntou ela.

Meus pensamentos voltaram à Terra. — Não. Quis estar com Will primeiro. — Tornei a olhar para seu túmulo e senti um aperto no coração. — Este lugar é lindo. Fico feliz que o tenha enterrado aqui, Jesse.

— Star's End foi seu lar desde os dezessete anos de idade — disse Jesse. — Não poderia enterrá-lo em outro lugar.

— Você também viveu aqui todo esse tempo?

— Exceto quando fui para a faculdade.

Tentei imaginar como teria sido minha vida com Will. Receei que Jesse houvesse sofrido como minhas filhas e senti que parte da culpa era minha. — Sinto muito sobre sua mãe. Deve ter sido difícil para ela viver à sombra de outra pessoa. Foi igualmente difícil para a minha família. Sinto muito. — Isso eu disse para Leah, e dessa vez sorri e respirei aliviada. — Queria ter-lhe dito antes, mas não consegui. E foi essa a minha intenção ao comprar Star's End.

Ela balançou a cabeça e chorou novamente.

— Venham — sugeri, subitamente munida de coragem e ansiosa por não desperdiçá-la. — Vamos contar às outras que estou aqui.

Voltarei, querido, prometi a Will, e então deixei que Leah e Jesse me ajudassem a transpor as subidas e descidas do rochedo até que alcançássemos o planalto que levava à casa. Sabia que estariam imaginando como eu havia conseguido percorrer todo o caminho sozinha. Pobres queridos. Jovens demais para conhecer a força que se adquire por se desejar alguma coisa mais do que a própria vida.

Mas ainda assim eu era humana, e minha coragem

esvaecia à medida que nos afastávamos do túmulo de Will.
Era assustador ter de enfrentar Caroline e Annette.
Mas essa era a minha missão. E há muito tempo esperava cumpri-la. Apesar do temor, havia o alívio de estar
me aproximando do fim da jornada, de finalmente ter voltado a Star's End.

E a excitação.

E o respeito. Durante todos esses anos, imaginei como
encontraria o lugar, se sua exuberante beleza teria desapa-
recido, provando que tudo não teria passado de fantasia
minha — mas não. Era real. Na verdade, superara minhas
lembranças.

Não conseguia fixar os olhos num só lugar por muito
tempo. Encantava-me o viço do bosque e o colorido intenso
dos jardins, e havia a casa, cujas paredes ganharam agora
uma nova pintura. Meus olhos percorreram a piscina e o
deque, e a sala íntima envidraçada que antes, anos atrás,
não existia.

Fiquei surpresa ao ouvir Jesse dizer: — Vou deixá-las
a sós.

Protestei. Queria-o conosco. Ele era uma parte de Will.
Sua presença era encorajadora.

Mas ele argumentou: — Elas não sabem. — E então
percebi que ele falava sobre Leah e ele. Percebi também
que o momento era entre mim e minhas filhas. Certamente
Jesse sabia disso.

Ele partiu em direção ao chalé que ocupava agora o
lugar onde antes fora a cabana de Will. Parecia ser uma boa
casa, ligada a uma estufa, mas aquela não era a casa de

minhas lembranças. Melhor assim. Ter visto a cabana de
Will teria sido ainda mais difícil.

Leah e eu prosseguimos. Ela segurava meu braço
como as mocinhas de antigamente costumavam fazer ao
acompanharem as senhoras, com a outra mão levemente
pousada sobre a dobra do meu cotovelo. Ao contrário do
que parecia, ela não estava tentando me impedir de fugir.
Seu intuito era de me oferecer apoio. E recebê-lo. O momento era por demais importante em sua vida.

— Como foi a viagem? — perguntou.

— Tranqüila.

— Está cansada?

— De modo algum. Esse lugar sempre me encheu de
energia. — E acelerava meu coração. — Gosta daqui, não
gosta, Leah?

— Adoro.

Instantaneamente, enchi-me de júbilo, mas esmoreci
ao ver Caroline de pé na varanda, olhando para nós. Annette rapidamente se juntou a ela.

Acenei. Nenhuma das duas repetiu meu gesto.

Suspirei, e por um instante, sentindo-me velha e cansada, desejei apenas me deitar, fechar os olhos e me isolar
do mundo. Então respirei fundo, e o ar transbordava de
aromas que há muito eu sonhava sentir. Criei alma nova.
Will estava comigo. Podia sentir sua força silenciosa ao meu
lado.

— É estranho — disse às minhas filhas quando já podiam me ouvir. — Naquele distante verão, quando precisei
tomar uma importante decisão, imaginei ter de contar aos
meus pais sobre Will. Pareceu-me, à época, ser a coisa mais

difícil do mundo, mas eu estava errada. Esse momento é agora.

— E quanto ao papai? — indagou Annette. — Pensei que a coisa mais difícil seria contar a *ele*. Era seu marido. A força da acusação me fez querer retroceder, mas só por um instante. Na verdade, não esperava ser recebida com festa. — Sim, era. Mas o que eu sentia por ele era diferente do que sentia por meus pais e minhas filhas.

— Pensei que eles pudessem ser mais fortes — argumentou ela, parecendo confusa. — Afinal, era *ele* o pai de suas filhas.

— Não ainda — lembrei-lhe gentilmente. Ela estava, obviamente, pensando em Jean-Paul, seu amado marido. Em dezoito anos de casamento, acredito que ela jamais tenha tido um único pensamento de infidelidade. Imaginava como eu pude ter sido tão fraca e inescrupulosa. — Naquela época, éramos apenas dois jovens que se casaram por motivos que iam além de amor e romance. Estávamos lutando para o nosso casamento dar certo. Foi exatamente por isso que viemos para cá.

A expressão de seus rostos era de surpresa. Estava claro que suas fontes desconheciam essa parte da história. Ninguém mais sabia, além de Nick e eu. E Will, é claro.

— O que havia de errado com seu casamento? — quis saber Annette.

— Faltava alguma coisa.

— Você não amava o papai?

Hesitei por um minuto. Essa era a hora da verdade, talvez minha última oportunidade de ser sincera. Sem or-

gulho, respondi: —Não, eu não o amava quando me casei
com ele. Não era um pré-requisito no meu tempo.

— O que era então? — inquiriu Leah, um tanto afastada de mim.

— Nome. Posição social. Dinheiro.

—Isso é de uma frieza incalculável —julgou Caroline.

— É verdade — concordei. — Assim como os casamentos arranjados desde o nascimento, os pedidos que
chegavam pelo correio, os casamentos por conveniência...
Mas nem sempre eram ruins. Nem todo mundo se casava
por amor. Às vezes, o amor vinha com o tempo. — Sem
poder resistir, passei a vista pela casa, a varanda, os canteiros de flores. — É encantador. — Passando por minhas filhas, aproximei-me das portas de vidro, puxei a tela e entrei.

Ouvi passos atrás de mim e a voz de Annette. — O
que faltava em seu casamento?

Mas eu estava perplexa com o que via. — Ficou *maravilhosa*. Tão aconchegante. Percorri a cozinha, toquei os armários de madeira, a bancada de granito, o fogão reluzente.
— Fizeram um excelente trabalho. Estou satisfeita.

—O que faltava em seu casamento? —ecoou Annette.

Ao me virar para conhecer o resto da casa, respondi:
—Não tínhamos afinidades, Nick e eu. Não conseguíamos
nos comunicar. Ficávamos constrangidos na presença um
do outro. — Na sala íntima, caminhei em direção a uma
das poltronas, ligeiramente afastada das demais e perfeita
para a ocasião. De certa forma, eu era a convidada de honra,
a atração principal. Sentei-me, cruzando as mãos sobre o
colo.

Annette e Caroline me olhavam por trás do sofá. Na cozinha, Leah preparava um bule de chá.

— Vocês me parecem muito bem — observei.

Caroline fez uma careta. — Isso é irrelevante.

— Não para mim. Preocupo-me com vocês. Muito.

— Nunca demonstrou isso claramente.

— Não. — Respirei fundo. — Tem razão. — Meu coração palpitou por um instante, fazendo-me sentir cada um dos meus setenta anos. A culpa e o arrependimento eram companheiros da velhice. E eu estava atolada em ambos.

Mas havia imaginado esse momento diversas vezes na vida e não quis adiá-lo mais uma vez. Calmamente, prossegui: — Para entender o que aconteceu, é preciso que saibam como foi minha vida em criança. Eu e meus irmãos éramos a quarta geração de opulência da família e nossas vidas refletiam o dinheiro que possuíamos. Tínhamos roupas bonitas, carros, uma casa de veraneio e outra de inverno. E empregados, que faziam tudo para nós. Éramos parte da casta social; pertencíamos ao Country Clube; freqüentávamos as melhores festas. Cresci com a expectativa de debutar, como todas as minhas amigas, e, mais tarde, ansiei pela festa de casamento.

— Então por que *diabos* — inquiriu Caroline, minha filha feminista — cursou a faculdade?

Mas eu não era feminista. Muito menos minhas amigas. Na verdade, o feminismo nem existia naquela época.

— A faculdade — repliquei, impassível — era para moças como eu que ainda não haviam encontrado um rapaz à altura para se casar.

— A faculdade então não tinha a menor importância? — bradou Annette, mãe de cinco candidatos à universidade. — Tem idéia de quantas moças *sonham* em entrar para Harvard?

— No meu tempo — observei — as moças não iam para Harvard. Iam para Radcliffe, e a principal exigência para ingressar nela era ter dinheiro para custeá-la. Nunca pretendi ser um gênio. Sim, podem dizer que desperdicei uma carreira, mas as mulheres daquele tempo não trabalhavam, não como as mulheres de hoje. Não estou questionando se está certo ou errado. Estou apenas contando como eram as coisas.

— Eu era um produto daquela época. Se não consegui entender sua vontade de ser advogada, Caroline, é porque as mulheres da minha época não eram advogadas. Tornávamo-nos esposas ou solteironas, e ser uma solteirona era algo terrível, pelo menos assim achávamos. Não podíamos conceber mulheres trabalhando e ganhando dinheiro como homens.

— E agora, pode? — perguntou Caroline.

— Um pouco. Não estou alheia ao mundo que me cerca. Vejo as mulheres fazendo coisas que só os homens faziam. Estou mais acostumada com essa idéia agora. Mas ainda não compreendo totalmente os motivos que as levam a agir assim. Certas idéias estão profundamente arraigadas em mim. E a principal delas é que o casamento traz segurança.

— Uma profissional *não precisa* de segurança — argumentou Caroline.

— Talvez não — admiti, embora não estivesse inteiramente convencida. — Mas eu não era uma profissional. Conheci seu pai quando ele estava terminando a escola de comércio, e parecia ser um bom homem. Não estávamos apaixonados; entre nós, havia apenas uma forte compatibilidade social. Sua formação era semelhante à minha. E ele era aceitável aos olhos de meus pais. Nem todos os homens de Harvard o eram.

— Você teve outros namorados? — perguntou Leah da cozinha.

Sorri. — Os tempos não mudaram tanto assim. Morava no dormitório da faculdade, longe de casa, e mesmo com os rígidos regulamentos vigentes, possuíamos uma certa liberdade.

— Não posso imaginá-la freqüentando as festas dos estudantes — disse Caroline.

— Eu não as freqüentava. Mas tampouco ficava em casa nas noites de sábado.

— Você se apaixonou por algum desses rapazes que seriam malvistos por seus pais? — Leah quis saber.

— Não. Nunca. E foi por isso que não estava preparada para Will. Não fazia idéia do que era se apaixonar por alguém.

— Mas como pôde deixar que isso acontecesse? — indagou Annette. — Já estava casada. Devia respeito ao seu marido. Como pôde se envolver com outro homem?

— Não planejei nada disso — respondi, sem me desculpar. Pagara um preço alto demais pelo que fiz e recusei ser punida mais uma vez. — Simplesmente aconteceu.

— Não pensou nas conseqüências? Não se lembrou que era casada e não podia levar aquilo adiante?

Suspirei. — Annette, o que teria feito se seu pai e eu tivéssemos odiado Jean-Paul à primeira vista?

— Isso jamais teria acontecido. Ele era perfeito para mim.

— Mas era estrangeiro. Não falava bem o inglês. Não conhecia ninguém no país. Se tivéssemos transformado tudo isso num empecilho e proibido que se casasse com ele, o que teria feito?

— Teria me casado com ele de qualquer jeito.

— E se prometêssemos bani-la da sociedade caso insistisse em casar-se com ele?

— Não teria me importado.

— E se ameaçássemos deserdá-la?

— Isso não faria a *menor diferença*. Eu estava *apaixonada*.

— Exatamente — concluí.

— Está querendo dizer — interrompeu Caroline com ceticismo — que não sabia mais distinguir o certo do errado quando se envolveu com Will Cray?

— Não. Estou dizendo que havia me envolvido tão profundamente com alguém que o que era certo ou errado simplesmente não fazia a *menor diferença*.

— Talvez, se o seu relacionamento com papai fosse mais forte, teria tido forças para resistir — sugeriu Annette.

— Talvez.

— Por que não era forte? — inquiriu Caroline.

— Faltava alguma coisa.

— Para ambos?

— Principalmente para mim. Estávamos casados há quatro anos e nada parecia funcionar. Não tínhamos filhos. O tempo não mitigara nossa falta de intimidade. O amor que deveria surgir entre nós não aconteceu. Sentia-me frustrada porque seu pai trabalhava demais. Estava convencida de que a vida me reservara algo mais. Comecei a nutrir tal noção romântica da vida. Foi então que resolvemos alugar Star's End durante o verão. Eu era uma mulher romântica. Star's End parecia ser o lugar perfeito para estarmos a sós. Infelizmente, só nos restou os fins de semana.

— E perceberam que era uma idéia *estúpida*.

Respondi o comentário de Caroline com um olhar pungente. — Às vezes, as melhores idéias são impróprias. A vida nem sempre é preta ou branca, boa ou ruim, culpada ou inocente. Precisamos encontrar um meio termo. — Tomei fôlego, fechei os olhos por um minuto e me recompus.

Gentil, tristemente, levada pelas lembranças, prossegui: — Precisávamos mais do que apenas fins de semana, mas as coisas pareciam não funcionar. Os negócios exigiram muito de seu pai naquele verão. As semanas tornaram-se cada vez maiores e os fins de semana cada vez mais curtos. Eu estava desapontada. Desejava muito mais do que aquilo.

— Foi vingança, então, ter-se envolvido com Will Cray?

— *Caroline* — disse Annette, cutucando-a com o cotovelo. — Deixe-a contar sua versão.

Caroline, a advogada, estava guiando a testemunha, enquanto Annette, metade mãe, metade filha, tentava um acordo. Suas personalidades se encaixavam perfeitamente com suas atividades, e eu lhes disse isso.

Disse também, pois era importante que soubessem a verdade: — Não foi vingança. Foi tristeza. E imaturidade.

E solidão. E tempo demais para pensar sobre coisas que deveriam ser mas não eram. Costumava passar horas caminhando pelo penhasco. Era reconfortante ouvir o barulho das ondas. —Reconfortante até nas *lembranças*, embora não precisasse mais delas. Estava tudo ali, o ritmo hipnótico do mar, sob o penhasco. De onde estávamos, o silêncio era tudo que ouvíamos, contudo, a batida suave da rebentação era inconfundível; aquietava minha alma e me levava de volta ao dia que mudou minha vida.

— Eu o via de tempos em tempos, trabalhando na propriedade. Sabia que ele era o caseiro, mas, como locatária, não tinha o direito de saber mais. Nick falara com ele diversas vezes, mas eu nunca me aproximara o bastante para saber como era de perto, até um certo dia, quando voltava da cidade com uma pilha de embrulhos, e ele apareceu e me ajudou a colocá-los no carro. —Fiz uma pausa, procurando as palavras, deseperada para descrever com exatidão aquele momento, mas nada parecia se encaixar. Olhei para cada uma delas, mesmo para Leah, do outro lado da sala, tentando transmitir a impotência que havia experimentado. Por fim, revivendo aquele exato momento, sussurrei: —Perdi o fôlego. Foi como se tivessem me tirado o chão.

Leah arregalou os olhos. Experimentara a mesma sensação. Não pude evitar o riso, mas não deixei transparecer que Leah guardava um segredo. Para todos os efeitos, eu estava zombando de mim mesma.

— E eu — disse, ainda sorrindo —, que fora treinada desde o berço para saber exatamente o quê e quando falar, emudeci. Minha experiência se restringia a homens de negócio e políticos, e, certa vez, até mesmo um príncipe. Sabia lidar com encanadores e açougueiros e os frentistas que enchiam o tanque do meu carro. Mas nunca conhecera alguém como aquele homem.

— O papai era um homem atraente — argumentou Annette em defesa do pai.

— Muito atraente. Mas não foi a aparência de Will que me roubou as palavras. Foi o *modo* como olhou para mim. Foi o que vi em seus olhos, o que vinha de dentro. Um sentimento arrebatador.

— Atração física — concluiu Caroline com uma frieza que achei por bem ignorar.

— Sim. Mas a atração também foi emocional e intelectual.

— Intelectual? Ele era um caseiro.

— *Caroline.* — Dessa vez foi Leah quem protestou, e entendi por quê.

— Tudo bem, Leah — apaziguei. — Caroline, Ben possui diploma de Direito?

— Claro que não. Ele é um artista.

— Você o considera intelectualmente inferior?

— *É claro* que não.

— Por ser ele o artista brilhante que é?

— E porque ele foi criado num meio intelectualmente privilegiado. Não precisa de diploma para entender meus casos. Possui um dom natural para as coisas.

— Will também. Era um autodidata. Possuía uma curiosidade natural e sabia como satisfazê-la. Era um leitor voraz. Sabia muito mais coisas do que você e eu.

— Sentiu-se atraída por sua inteligência? — perguntou ela secamente de novo.

— Senti-me atraída pelo *conjunto*.

— Num único instante, quando o viu de perto pela primeira vez.

— Pode parecer improvável, mas foi o que aconteceu.

— Então pulou na cama com ele.

— Caroline!

— *Caroline.*

Caroline virou-se para as irmãs. — Estão realmente acreditando nessa história?

— O que queremos — disse Annette, enquanto rodeava o sofá para se sentar — é ouvir o resto da história sem a sua intervenção. Pode guardá-la para mais tarde?

Prendi a respiração, pois estava certa de que Caroline se alteraria com Annette, tornando as coisas ainda mais difíceis. Lembro-me perfeitamente bem de suas brigas — entre as três — mesmo depois de adultas. Passaram a vida inteira discutindo e se ressentindo umas das outras. Só agora percebo que era de mim que se ressentiam. Mas era difícil enxergar o que acontecia com elas. Sempre ignorara suas rusgas.

Caroline não se alterou. Mas tampouco se sentou ao seu lado no sofá. Fiquei surpresa quando Leah juntou-se a ela e pôs a mão em seu ombro. E mais surpresa ainda quando Caroline permitiu que a irmã a tocasse.

— Continue — Leah me pediu calmamente.

Estudei cada uma das três, antes de continuar. Algo tinha acontecido durante a minha ausência. Para mim, era um consolo.

Respirei aliviada. Meu coração estava se portando bem. Agradecida, mergulhei de volta nas lembranças de Will e daquele primeiro instante em que o vi. — A atração foi instantânea. Ele era minha segunda metade. Mas, não, não pulamos para a cama. Não fazíamos isso naquela época, pelo menos, não mulheres como eu. Nem ao menos me *passou pela cabeça* que pudéssemos fazer algo semelhante. Eu era inocente. Além disso, era casada com seu pai, e levava meus votos a sério.

Dirigi o olhar para Annette, pois sabia o que a fizera explodir. Ela havia se programado na vida para ser totalmente devotada ao marido e aos filhos. E, de certa forma, eu também. Dei a minha família o que pude, apesar do buraco em meu peito. Queria muito que ela entendesse isso. Queria que ela entendesse que eu havia tentado, e que merecia algum crédito por isso. Queria que entendesse o que me fez explodir também.

Queria que todas soubessem. Não planejei trair meu marido. Fui levada por uma força tão poderosa que de nada adiantaria toda a resistência do mundo.

— Will e eu começamos devagar. Conversávamos bastante sobre Star's End. Ele me mostrava lugares da propriedade que eu nunca tinha visto. Mostrava-me lugares de Downlee que eu não conhecia. Sabia que eu era casada e me respeitava. E eu a ele. Eu ansiava pela chegada de seu pai a cada fim de semana.

Franzi o cenho e examinei minhas mãos. — Seu pai chegava tarde nas sextas-feiras e saía cedo nas segundas, mas dois dias na semana não nos bastavam. Não estávamos nos comunicando como deveríamos. Nosso relacionamento não estava melhorando. E então conheci Will. Comecei a encontrá-lo com freqüência. Àquela altura, conversávamos sobre tudo. Sempre tínhamos assunto, embora pertencêssemos a mundos diferentes. — Isso me intrigara na época.

— Essa era a magia da nossa relação. E havia ainda a parte física. — Olhei para cima. Os três pares de olhos estavam grudados em mim, e os ouvidos não deixavam escapar uma só palavra. Se a situação não fosse dolorosa, teria sido engraçada. Como uma velha mãe contaria a três filhas adultas sobra a paixão desenfreada que sentira por outro homem?

— Will fez algo comigo — disse eu, embaraçada. — Abriu meu coração. Quando eu estava com ele, sentia-me livre. Não era filha, nem esposa, nem amiga de ninguém. Era mulher. Ao seu lado, eu era forte e confiante. Não havia regras ou tabus. Com ele, sentia-me desinibida e ousada.

Estávamos no bosque na primeira vez. Ele me mostrava os cogumelos que cresciam na escuridão úmida da mata, quando começou a chover. Estávamos protegidos, mas não totalmente. De mãos dadas, corremos pela mata, e seu chalé nos pareceu mais próximo do que minha casa. Ele sugeriu que fôssemos até lá para buscarmos capas de chuva. Eu teria ido ao inferno com ele, de tão apaixonada que estava.

Nossas roupas estavam encharcadas quando chegamos, e nos pareceu mais sensato esperar a tempestade passar ali dentro. Ele acendeu o fogo do pequeno fogareiro e tirou a camisa. Ele me ajudou com a blusa e depois com a saia. Senti meu corpo estremecer ao lembrar do que aconteceu entre nós. Os olhos de Will sobre mim eram algo assombroso. Aqueciam-me, amparavam-me. Acariciavam meu corpo e me faziam gemer, e isso foi antes de Will me tocar pela primeira vez. E quando ele me amou, o mundo simplesmente deixou de existir para mim.

Inspirei profundamente, ainda trêmula, emergi do passado e sussurrei: — Ainda hoje me sinto chocada com o aconteceu.

Tudo que se ouvia era o som das ondas do mar. Sequei as lágrimas que insistiam em escorrer em meu rosto e olhei para minhas filhas. Pareciam atordoadas.

Sorri para elas. — Foi a época mais bonita da minha vida. Mas foi difícil desde o início. Nosso amor era perfeito, mas estava errado, muito errado. Eu amava Will mais do que imaginei ser capaz de amar alguém nesse mundo. Mas era casada com outro.

— Nunca me esqueci disso. É importante que saibam que nunca esqueci que era casada. Embora deixasse de lado a realidade da vida quando estava nos braços de Will, sabia que ela existia. A princípio, não falávamos no assunto. Achávamos que nosso amor terminaria com o verão. Mas isso não aconteceu. Tornou-se mais forte.

Cada vez mais forte. Ainda hoje, sinto como se Will estivesse atrás da porta, e não enterrado à beira do penhasco. Ele era minha segunda metade. Eu nunca me senti inteira antes dele. Ou depois.

Engoli, revivendo o peso do meu dilema. — Tinha duas escolhas. Ficar com Will ou voltar com Nick. Ficar com Will significava ter de abandonar tudo — meu marido, meu nome, família, amigos, reputação. Nada restaria. Nenhum de meus amigos entenderia. Para ficar com ele eu teria de renunciar a tudo que aprendi a valorizar a vida inteira. Cerrei os olhos, sentindo a dor novamente. Pressionei dois dedos contra o peito, onde a pontada era mais forte. Lentamente, ela foi sumindo.

— Mãe? — chamou Leah.

Sorri. — Estou bem. — Mas precisei de mais um minuto para me recuperar. — Foi uma decisão difícil.

— Em que baseou sua escolha? — ela quis saber.

— Em tudo o que disse. E no dever. Disse a mim mesma que devia isso a Nick e ao nosso casamento, tentar fazê-lo dar certo. Eu gostava de Nick. Não o amava, não da maneira que amava Will, mas sentia-me responsável por ele. Achei que continuar casada seria a decisão mais acertada.

— Ergui o queixo, não por orgulho, mas por auto-reprovação. — Sim, foi isso o que fiz, mas o tempo provou que eu estava errada. O fato é que eu gostava da vida que seu pai e eu levávamos. Queria a aprovação de meus pais. Queria que meus filhos tivessem do bom e do melhor. Will não podia me oferecer nada disso. Imaginei-me ao seu lado e odiando a vida que ele proporcionaria a mim.

— Mas se o amava... — começou Leah, os olhos embaçados de lágrimas.

Levantei-me da poltrona e fui até ela. Toquei seus cabelos, pus o braço em seu ombro e puxei-a para perto. O constrangimento havia se dissipado ainda mais e a sensação de tocá-la foi ainda melhor. Senti o grito preso em minha garganta, por tudo o que havia privado a mim e as minhas filhas durante todos esses anos.

Que ironia. Em nome do amor, eu havia deixado de amar.

— Eu também amava as outras coisas — disse eu, pesarosa. — Faziam parte de mim. Eu era materialista. Tola, talvez. Mas era assim que eu era na época. E realmente aprendi a amar Nick. Construímos um sólido relacionamento a partir das experiências que compartilhamos. Quando vocês vieram ao mundo, nós nos tornamos ainda mais unidos, e quando cresceram, estávamos tão acostumados um ao outro que seria inconcebível vivermos separados.

Como fiz no penhasco, enxuguei as lágrimas de Leah e notei que suas irmãs nos olhavam admiradas. Desconheciam meu lado carinhoso. Não faziam idéia de que meu coração sofria por Leah porque ela amava Jesse.

— Mas você nunca esqueceu Will... — disse Leah aos soluços.

— Não. Nunca o esqueci. Sempre foi parte da minha vida, não necessariamente uma parte consciente, mas nunca distante. Outros amigos morreram ao longo dos anos. Sofri por eles, senti sua falta, mas segui adiante. Mas nunca me recuperei quando perdi Will. Ele ficou com uma parte de mim, e eu com a sua.

Um silvo estridente rasgou o ar. Pulei, temendo ter dito alguma blasfêmea e ser atingida por um raio. Quando Leah desvencilhou-se do meu abraço, entendi que a chaleira havia apitado. Levei novamente a mão ao coração.

— O papai sabia disso? — perguntou Annette, olhando-me de esguelha.

— Nunca contei a ele, não com palavras. — Apoiei o corpo contra o encosto do sofá. — Mas ele sabia.

— É espantoso que nunca tenha se ressentido.

— Na verdade, não — eu disse, referindo-me a ele com ternura. — Seu pai era um homem compreensivo. Nunca falamos sobre o que aconteceu. Não éramos o tipo de casal que conversaria sobre tal coisa. Tudo o que ele sabia, e tudo o que importava para ele, era que eu decidira ficar ao seu lado.

— E quanto à confiança? — perguntou Annette. — Ele não ficava nervoso caso você conversasse com outro homem?

— Não. Eu havia feito minha escolha. Ele sabia que eu a levaria até o fim.

— Quem mais sabia sobre aquele verão? — perguntou Caroline, empalidecida. Julguei que se identificara comigo e com Will, pois seu relacionamento com Ben era um tanto semelhante.

— Ninguém mais — respondi.

— Nem seus pais? — indagou Annette.

Balancei a cabeça. — Teriam ficado escandalizados se soubessem. Nossos amigos também.

— Temeu ser descoberta?

Não pude deixar de sorrir. — Não. Nunca. O povo de Downlee sabia o que se passara comigo, mas vivia a milhares de quilômetros de distância de minha vida com Nick.

— Eu teria temido uma carta anônima — disse Caroline.

— Quem faria isso? — Dei de ombros. — Nick sabia

de Will. Não, quanto a isso nunca me preocupei. Com outras coisas talvez. Mas não com isso.

— Que outras coisas?

Senti o cheiro de pêssego do chá de Leah e estava
ávida por uma xícara. — O cheiro está divino — eu lhe
disse, enquanto ela alcançava a porcelana.

— Que outras coisas? — repetiu Caroline.

— A perda dos sentimentos.

Leah assentou a bandeja sobre a mesa ruidosamente.
Annette e Caroline se entreolharam.

— Vocês mesmas sofreram com isso — continuei, impassível. — E este é o meu maior arrependimento.

— Arrependeu-se de não ter ficado com Will? — Leah
desejou saber.

— Arrependo-me do preço que paguei por deixá-lo.
Pensei que poderia suportar. Pensei que pudesse retomar
meu casamento e esquecê-lo. Mas ao abandoná-lo, desco-
bri que ficara emocionalmente mutilada. A dor da partida
foi tanta que simplesmente me fechei para o mundo. Para
não arriscar futuras perdas, esquivei-me de qualquer tipo
de emoção. Deixei de sentir.

— Você precisava de um psiquiatra — observou Caroline.

— Tive um — admiti, e notei que minha resposta a
satisfez. — Visitei-o durante anos a fio. Ele me ajudou a
compreender por que eu estava do jeito que estava, mas
não pôde me ajudar a recuperar o que eu havia perdido.

— Você se ressente de nós? — inquiriu Annette. —
Nós representávamos as correntes que a prendiam ao papai? Era isso?

— Deus, *não!* — exclamei, tocando seu ombro, mas recolhi a mão quando percebi sua tensão. Imediatamente, propositalmente, coloquei-a de volta. —Nunca me ressenti de vocês por isso. Talvez por outros motivos.

— Que motivos? — indagou-me Caroline.

Tentei expressar o que ainda tentava compreender. — Ciúmes. Vocês três eram capazes de mostrar seus sentimentos, e, em comparação, faziam-me parecer ainda pior. O que vocês tomavam por desaprovação de minha parte, era autodefesa. Aprovar tudo o que faziam era o mesmo que admitir minhas próprias falhas. E isso me deixava muito mal.

Com um tapinha no ombro de Annette, retornei à pergunta. —Vocês sempre fizeram parte da minha vida. Nunca me ressenti de vocês. Correntes? Ao contrário. Durante o tempo em que perguntei a mim mesma se fizera a escolha certa, vocês três me davam a certeza de que sim. Se tivesse optado por Will, não teria tido vocês.

— Mas teria ficado com ele — contestou Annette. — E teria tido os filhos dele. Nunca pensou nisso? Nunca desejou tê-los?

Sacudi a cabeça. — Fiz minha escolha e nunca olhei para trás. A única coisa de que me arrependo é não ter-lhes dado mais de mim. Havia vezes em que podia sentir o sofrimento de vocês, precisando mais da minha atenção, mas não havia o que lhes dar.

— Se é assim — Caroline disse — por que estamos aqui? Por que comprou Star's End?

Aceitei a xícara de chá que Leah me ofereceu. —Creio que saibam a resposta.

— Está certo. Queria que soubéssemos a respeito de Will. Mas não teria sido mais simples nos convidar para ir a Filadélfia e nos contar tudo lá mesmo?

— Ah, mas não bastava conhecer a história. Era preciso ver o lugar. Senti-lo. Compreendê-lo. Queria que experimentassem a sensação de estar aqui. Além disso, eu precisava voltar. Essa idéia estava na minha cabeça há anos. Não lhe dei muita atenção mesmo depois da morte de seu pai. Mas não consegui deixar de pensar no assunto. Precisava voltar. Precisava ver Star's End mais uma vez. Precisava visitar Will.

— Mas não precisava *comprar* o lugar — protestou Caroline.

— É aqui que quero morrer.

— Mamãe!

— Não diga *isso*.

— Deus do céu!

— É o que quero — insisti, sentindo-me confiante diante da morte como uma mulher em toda sua plenitude jamais se sentiria.

— Mas por quê? — veio a pergunta de Annette. — Toda a sua vida estava na Filadélfia.

— Nem toda. A maior parte dela, talvez. Creio que tive cinco grandes conquistas na vida. A primeira foi meu casamento com seu pai, as três seguintes foram vocês, e a outra foi o tempo que passei com Will. É verdade, foi uma grande conquista. Enquanto estive com ele, atingi uma plenitude emocional que algumas pessoas jamais experimentaram e jamais experimentarão. Nesse sentido, apesar da dor, eu fui afortunada.

Sorvi o chá. Meu corpo pedia para que me sentasse de novo, mas relutei em me afastar de minhas meninas. Queria estar perto delas, ser uma delas. Ademais, se havia me sentido desafogada por ter visitado o túmulo de Will, sentia-me muito mais agora. Cada nó desatado me fortalecia a alma.

—Disse adeus ao seu pai. Não havia mais nada a fazer. Mas havia algo a fazer a respeito de vocês, meninas. E de Will. Queria que vocês o conhecessem, através de mim e de Star's End. Só mesmo estando aqui para entender por que nosso amor floresceu.

Olhei pela janela os canteiros de flores, o penhasco e, mais adiante, o horizonte. — E precisava me desculpar. Não havia como criar coragem na Filadélfia. Só poderia fazê-lo aqui.

Retornei, auspiciosa e lentamente, o olhar para minhas filhas.

É tarde. Estou deitada na cama, exausta, mas em paz. Hoje, eu fui mãe, e foi deveras trabalhoso e excitante. Passamos a tarde conversando, minhas filhas e eu, durante o chá, depois no jantar, e então decidimos tomar sorvete na cidade.

Foi divertido termos nos amontoado no Volvo até Downlee. Nunca estivemos tão unidas e felizes, certamente não depois de adultas. Quando elas eram pequenas e fazíamos coisas como essa, tudo era por demais cerimonioso. Hoje à noite, houve camaradagem. Talvez pela primeira vez, agimos como uma família.

Seria a magia de Star's End funcionando? Prefiro pensar que fomos nós. O potencial estava ali. O cenário apenas nos possibilitou usá-lo.

O passeio até a cidade transformou-se num momento de leveza do qual estávamos precisando. Desoprimir a alma é tarefa árdua. Recontei a história de Will e tornei a responder perguntas — sem me importar nem um pouco. Na verdade, era um alívio poder finalmente contar-lhes o que acontecera.

Provavelmente foi isso que nos aproximou, o simples fato de ter me desvendado. Minhas filhas não aprovavam o que fiz — não pedi nem esperava por isso — mas acho que, no fim, elas gostaram de conhecer um pouco da minha dramática histórica com Will.

Após o passeio, de volta a Star's End, tornamos a falar seriamente. Enfrentei outras acusações — que havia sido negligente com elas quando mais precisaram de mim, que as fazia competir entre si, que favorecia Leah. Admiti a primeira, fiquei desnorteada diante da segunda e esclareci a terceira. Disse que amava minhas três filhas da mesma forma, que sempre amei e sempre iria amar.

Amava as três. Admirava as três. Queria vê-las felizes.

Sorrimos, choramos, gargalhamos, vertemos lágrimas catárticas, mas valeu a pena. E nos abraçamos. A maioria das manifestações de afeto partiu de Leah, embora alguns dos abraços carinhosos tivessem vindo de Annette. Ela e sua família adoravam se abraçar. Sinto-me finalmente parte de sua família.

Apenas Caroline se mantém reservada. Acredita que eu a traí por ter guardado meu segredo durante tantos anos. Receio que tenha ferido seu orgulho. Só o tempo poderá ajudá-la. O que aconteceu hoje foi apenas o começo. Mas um bom começo. Ah, foi. Deitada aqui no escuro, sinto-me realizada. Pelo alívio. Pela paz. Inevitavelmente, deitada aqui neste lugar que tanto desejei estar, penso em Will. Nem uma vez sequer dormimos juntos nesta casa, contudo, agora, posso senti-lo ao meu lado. Talvez tenha a ver com a umidade, a melodia das ondas, a fragrância divina que paira no ar. O perfume das rosas litorâneas me levam de volta ao passado. Lembro-me dos piqueniques nas pedras, do pão crocante, do queijo, do vinho caseiro. Da bruma matinal que emanava da água e do sol quente do meio-dia ardendo sobre o rochedo. Lembro-me das escunas deslizando no oceano e cortando as ondas, e das borboletas adejando por entre as íris, os lírios e as cenouras silvestres.

Recordo-me dos braços de Will. Fortes e bronzeados. E de suas mãos. Calejadas e marcadas, de toques sempre suaves.

Estou aqui, Will. Estou aqui.

Sorri e suspirei. E suspirei mais uma vez, profundamente feliz.

Dezenove

Annette trazia na mão três pedaços de papel. Um deles era o cartão que chegara junto com as flores que Jean-Paul lhe enviara. Os demais eram recados telefônicos, novamente de Jean-Paul. O primeiro recado datava do dia anterior e garantia que Thomas estava bem. O segundo era daquela manhã. Dizia simplesmente que Jean-Paul estava com saudade.

Ela não retornou a ligação, inicialmente por achar que tinha algo para provar a si mesma. De mais a mais, viu-se envolvida em outras atividades durante o decorrer do dia.

Agora, ela finalmente pegou o telefone, segurou-o por um minuto e o pôs de volta. Era quase uma hora, meia-noite em St. Louis. Jean-Paul estaria dormindo.

Mas desejava lhe falar. Seguir um princípio era uma coisa, ceder ao coração e à alma era outra.

Dessa vez, ela pressionou os números sem dar atenção ao adiantado da hora. Já no primeiro toque, ouviu uma voz diferente da de Jean-Paul. Também era grave, mas não parecia sonolenta.

— Oi — disse alguém, esbaforido.

Annette sorriu. Imitando a voz, respondeu: — Oi.

Houve uma pausa. Ela imaginou Robbie tentando adivinhar quem era. Logo em seguida, ele disse num tom mais agudo. — Mãe?

Ela continuava sorrindo. — Não. Jessica. — Pelo menos era essa sua mais recente paixão quando Annette viajou, cinco dias atrás.

— Manhêêê — protestou ele.

— Por que ela ligaria tão tarde?

— Porque estávamos conversando agora há pouco, e ela precisou desligar para lavar a cabeça e disse que ligaria mais tarde. Está tudo bem por aqui, mãe. Estamos todos muito bem. Não tem com o que se preocupar. Ninguém mais quebrou o braço, Charlene tem vindo todos os dias, e o papai está ótimo. Está dormindo. Direi a ele que você ligou.

Annette sabia que Robbie queria desligar, antes que Jessica telefonasse — quanto a isso, tudo bem. Mas ela também queria falar com sua paixão. — Tem certeza de que ele está dormindo? — perguntou. — Talvez o telefone o tenha acordado.

— Acabei de descer até a cozinha. Ele estava dormindo feito um anjo no sofá. Desliguei a televisão.

— Não o acordou e o mandou para cama?

— Tentei, mas ele me olhou como se eu fosse um alienígena e voltou a dormir. Tem feito isso toda noite. Não gosta de ir para cama sem você.

— Que *gracinha* — sussurrou Annette. Essa era a confirmação, como as flores e os recados, do que suas irmãs haviam dito sobre o verdadeiro amor.

— Está tudo bem aí, mãe?

— Tudo bem. — Annette inspirou e pensou na noite que tiveram juntas. — Está tudo ótimo. Sua avó finalmente chegou. Nós nos divertimos bastante hoje. Estou contente por ter vindo. Está sendo muito importante para todas nós.

— Isso é ótimo, mãe. O papai pode ligar para você amanhã?

— Se ele quiser. Thomas está bem?

— Thomas é um moleque malcriado, mas seu braço está bem.

Annette arrependeu-se da pergunta. Seu instinto lhe disse para não perguntar mais nada sobre ele. — Como vão Nat e as meninas?

— Ótimos. Estamos todos ótimos. Que tal se eu pedir ao papai que ligue para você assim que acordar?

— Não é urgente. Não é preciso me telefonar tão cedo. Na verdade, nem precisa ligar, se estiver ocupado. — Ela não *precisava* falar com ele; apenas *queria* lhe falar. Sentiu-se reanimada ao saber que o marido não queria dormir na cama sem ela. — Só queria dizer olá.

— À meia-noite?

— Por que não?

— Já está tarde.

Annette se recusou a aceitar a censura. — Como é?

— Está tarde.

Para você também, rapazinho, e ainda assim estava esperando um telefonema. — Como?

Houve um instante de silêncio, e em seguida ela ouviu

a voz envergonhada de Robbie. — Está bem. Não vamos demorar. Boa noite, mãe.

— Boa noite, Rob.

Satisfeita com seu modo independente de agir, Annette desligou.

Caroline não conseguia pegar no sono. Era assim que se sentia quando estava no meio de algum julgamento, quando sua mente recusava-se a parar de pensar. Felizmente, não estava trabalhando, mas seu nível de adrenalina estava tão alto como se estivesse. Muita coisa acontecera naquele dia, e sua mente não conseguia relaxar.

Pensou em fumar um cigarro, mas ficou só nisso — não era uma necessidade, apenas um pensamento distante e passageiro. Cigarros eram para reuniões estressantes e almoços poderosos. Não combinavam com Star's End.

O que queria — a única coisa que poderia acalmá-la — era estar com Ben, mas ou ele não estava em casa ou não queria atender o telefone. Nenhuma das duas possibilidades a tranqüilizou.

Afastou o lençol e pulou da cama. Deslizou a mão pelos cabelos e saiu do quarto. A casa estava em silêncio, todos dormiam. Pé ante pé, ela desceu a escada e atravessou o soalho de tábuas corridas do corredor. Ligou a luz da cozinha, balançou a chaleira para saber se continha água e acendeu o fogo. Antes de a chaleira apitar, ela desligou o gás e despejou a água fumegante sobre a caneca, onde descansavam as folhas de chá.

Enquanto maceravam, ela foi até a porta envidraçada.

A lua se escondia atrás de uma cortina de nuvens prateadas. Entre elas, Caroline avistou um séquito de estrelas e uma luzinha cruzando o horizonte. Havia uma outra, que parecia se mover por entre os galhos das árvores. Era a cabana de Jesse Cray, onde um dia Ginny St. Clair se permitira ser livre. A imagem a estarreceu.

— Está sem sono?

Caroline olhou sobre o ombro. Era Annette, parada atrás dela. — Estou. Você também?

— Não sei por quê. Deveria estar exausta. O que está olhando?

— Aquela luz atrás das árvores. Estava pensando que aquela foi, um dia, a pequena cabana que a mamãe descreveu. Estou tentando imaginá-la correndo descalça pela grama no meio da noite.

Annette soltou um gemido. — É bizarro. Nunca imaginei.

— Nem eu.

— Queria contar para Jean-Paul, mas ele estava dormindo.

— Queria contar para Ben, mas ele não está em casa.

— Onde ele está?

— Não faço a menor idéia — disse ela, tentando, em vão, parecer indiferente. Sentiu o olhar de Annette sobre si, mas não pôde enfrentá-lo. — Acho que não tenho lhe dado a atenção que merece.

— Ele está saindo com outra pessoa?

— Não. Mas eu o frustrei.

— Ele viaja muito. Talvez tenha viajado.

— Teria me dito se fosse viajar.

— Talvez tenha saído para dar uma volta e espairecer.

Caroline sabia que era possível. Mas ele adorava ficar na cabana nesta época do ano, em que os dias eram mais longos e a floresta mais fecunda. Dizia que o cenário o inspirava. O fim da primavera e a chegada do verão eram sempre produtivos para ele.

— Tem que se casar com ele, Caroline. Ele a ama. Notei isso no enterro do papai, e se ele continua por perto, ainda que frustrado, é porque a ama *de verdade*.

— Se estamos juntos, que diferença faz se somos casados ou não?

— Faz diferença. É um compromisso. Um compromisso *legal*.

— É. Conheço bem as implicações desses compromissos.

— Este é o ponto.

— Qual?

— Lutar por alguém que se ama. A mamãe não fez isso. Não quis abrir mão da boa vida que levava, mas veja o preço que pagou. Ah, mas ela não disse isso em palavras. Disse que aprendeu a amar o papai, e que se não tivesse desistido de Will, não teria nos tido, mas o fato é que se tivesse ficado com Will, teria levado uma vida *completamente* diferente. Quem pode dizer que não teria sido uma vida mais rica?

Aturdida, Caroline estudou a irmã. — Mas você era contra o que eles fizeram. Acredita em fidelidade. Pelo menos foi o que pensei que você tivesse dito.

— *Acredito* em fidelidade. Mas também acredito no

amor. É difícil ponderar quando nossa própria mãe foi infiel com nosso pai, mas tenho pena dela por ter desistido de algo tão raro como o que sentia por Will. Não quero que você cometa o mesmo erro. — Annette levantou a mão. — Não vou mais tocar nesse assunto. Sinto muito se a ofendi, mas é desse jeito que vejo as coisas. — E com uma expressão mais suave, concluiu: — Nem sempre concordamos em tudo, você e eu, mas você é minha irmã, Caroline. Quero que seja feliz.

Caroline estava engasgada. Mas mesmo que tivesse encontrado palavras para dizer qualquer coisa, teria sido interrompida por Leah, que irrompeu na cozinha, mas assustou-se ao ver as irmãs.

— Ôpa. Desculpe. Pensei que estivessem dormindo.

— Acho que nossos relógios estão adiantados — pilheriou Annette, espiando o da cozinha. — Devem ser dez horas agora, talvez onze. Não. É uma e quarenta. — E voltou-se para Leah. — Também está sem sono?

Leah deu de ombros. O xale cor de vinho sobre a camisola comprida teriam lhe emprestado um ar de fragilidade, não fosse pelo tom corado das maçãs do rosto. Caroline imaginou que ela também estivesse excitada pelas descobertas do dia. — Estou — respondeu ela, e acrescentou: — Pensei em dar uma volta.

— A essa hora? — protestou Annette.

Caroline riu de seu tom maternal. — Ela é maior de idade — lembrou-lhe.

— Mas está escuro lá fora.

— Não vou muito longe — disse ela, abanando a mão

no ar. — Vou sentar na beira do penhasco. Não é perigoso. Já fiz isso antes.

Caroline afastou-se para que ela passasse. — Quer levar uma xícara de chá?

— Não, obrigada, disse ela com um aceno, e se foi.

— Ela está bem? — quis saber Annette.

Caroline não soube dizer. A confissão de Ginny fora doída para Leah. Parecia melhor agora, um tanto mais alegre. Ocorreu a Caroline que Ginny estava certa em defender o que para elas parecia favoritismo. — Ela é a mais frágil, eu acho. Talvez até um pouco perdida. Ela telefona para você freqüentemente?

— Não. Talvez eu devesse ligar mais para ela. Poderia ir me visitar.

Caroline estava pensando a mesma coisa. — Ela sempre gostou de Ben. — Suspirou. — Esqueça. Não sei nem onde diabos ele está.

Tentou novamente seu número quando voltou para o quarto, sem sucesso, e então começou a imaginar o inimaginável.

Ben saíra numa viagem de três meses sem ao menos dizer adeus.

Ben sofrera um acidente de motocicleta.

Ben estava com outra mulher.

A primeira opção a teria desalentado, a segunda a teria destroçado e a terceira a faria experimentar uma dor da qual nunca se recuperaria. Poderia lidar com a traição dos sócios; não sabia se poderia lidar com a traição de Ben.

Curioso. Havia horas que não pensava no escritório. Algo estava definitivamente errado com ela. Mas o escritório não merecia sua preocupação. Fora apunhalada pelas costas simplesmente porque ousara tirar uns dias de férias. E provavelmente porque era mulher. Duvidava que algum deles ousaria roubar um caso de outro sócio. Eram um bando de hipócritas que não mereciam sua consideração. Ben era outra história.

Adormeceu e acordou sobressaltada. Imaginou que sua ansiedade seria semelhante ao que Annette sentia em relação à família, e, com isso, achou que a irmã merecia respeito. Era bem verdade que Annette levava as coisas ao extremo, mas ainda assim, pensou ela, a preocupação caminhava junta ao zelo.

Imaginou ainda que Ginny devia realmente ter-se preocupado com as filhas, como dissera. A preocupação se apresentava de diferentes formas. Com Annette, ela se manifestava nos telefonemas constantes. Com Ginny, deve ter sido de forma mais sutil. Caroline sabia que a mesma prova podia ser vista de maneiras distintas pela defesa e pela acusação. Um telefonema semanal de sua mãe poderia ser visto como sinal de zelo ou descaso.

Mamãe. Ben. Annette e Leah. Holten, Wills e Duluth. Havia tanto a considerar. E tanto a reconsiderar.

A aurora despontou, e Leah, encolhida no sofá de couro do chalé, observava alternadamente a grinalda de flores secas, as velhas alianças de couro e o sótão onde Jesse dormia. Não se falaram muito. Fizeram amor — como sempre acontecia quando se encontravam — e ele a abraçou até que finalmente pegou no sono.

Agora, ela o ouviu mover-se na cama e chamar por ela. — Leah?

— Aqui embaixo — respondeu.

A cama rangeu outra vez. Usando apenas um par de cuecas folgadas, ele apareceu no topo da escada. Seu cabelo estava desalinhado, seu rosto, barbudo, seu corpo, firme. Observando-o descer, ela abraçou os joelhos contra o peito. Ele se agachou diante dela e afastou os cabelos que cobriam o rosto de Leah. — O que foi?

— Eu olho para você e me derreto.

Ele a pegou no colo e sentou-se no sofá. Ela apoiou o queixo em seu peito e espalmou a mão sobre ele, tocando sua pele. Seu colo era quente e macio, e seu cheiro era másculo.

Ginny teve suas rosas selvagens, Leah tinha Jesse. Sabia que onde quer que fosse, não poderia sentir aquele perfume almiscarado sem lembrar-se de Jesse. Sentiu uma pontada de dor só de pensar.

Não se falaram, como não se falaram antes, apenas se abraçaram, a respiração dos dois compassada.

— Tenho que ir — ela finalmente sussurrou. Então o beijou e envolveu seu pescoço num abraço. Mas conteve-se a fim de não parecer desesperada. Ainda havia tempo.

Correndo, ela atravessou a relva sob a luz púrpura do novo dia, passou pela piscina e o deque. Abriu a porta da cozinha e entrou pé ante pé, com a intenção de alcançar seu quarto sem ser vista.

Mas a porta da geladeira estava escancarada. Caroline encontrava-se diante dela com uma caixa de suco na mão e um olhar surpreso no rosto, e Leah também se assustou.

Sua irmã descobriria tudo. Os cabelos desalinhados, o rosto corado e a respiração arfante eram os indícios de que ela precisava para descobrir onde Leah passara a noite.

— Deus do céu, Leah, esteve fora todo esse tempo?

— Não estava com sono — disse ela sem mentir. — Não adiantaria tentar dormir. Acho que vou tentar agora. E você? Está com sede?

— Estou agitada. — Fechou a porta da geladeira e alcançou um copo. — Quer?

— Não, obrigada. Acho que vou subir. — Sorriu. — Até mais tarde — disse ela, desaparecendo escada acima.

Somente quando já estava na cama, coberta até as orelhas, Leah pensou por que não contara a Caroline sobre Jesse.

Não tinha vergonha dele. E, pelo que sabia, nem ele dela.

Mas não sabia qual seria a reação de Caroline — nem tampouco a de Annette — se soubessem de tudo.

Se? Quando.

Mas não agora.

Caroline permaneceu na cozinha, sentada no banco, observando o sol despontar no horizonte e escorrer pelo mar. Sorvendo o suco de laranja, ela pensou em tudo o que fizera de errado.

Não dera a Ben a devida atenção. Seria bem feito para ela se ele desaparecesse por três meses. Era um homem livre. Tudo culpa sua.

Havia esteriotipado suas irmãs, julgara-as vazias,

quando não o eram. Não eram profissionais como ela, mas Caroline, por sua vez, não possuía uma família como a de Annette ou a habilidade de Leah em fazer amigos. Talvez fossem iguais. Com todo o seu profissionalismo, a revelação de Ginny fora tão estarrecedora para Caroline quanto para suas irmãs. Talvez até mais. Leah foi capaz de ouvir a mãe, compreender o que ela havia feito e chorar a perda com ela. O mesmo aconteceu com Annette. Mas Caroline não perdoara nada. Bem, perdoara. Mas não fora capaz de demonstrá-lo.

Ocorreu-lhe que era como Ginny. Mas como, se passara a vida inteira tentando ser *diferente* dela? Sempre detestara a indiferença da mãe. Orgulhava-se de sua autenticidade.

Percebeu então o quanto não havia sido honesta com suas emoções. Não fora honesta com Annette ou Leah. Não fora honesta com Ginny. Não fora honesta com Ben.

Ansiosa, alcançou o telefone e discou para ele; ouviu a campainha chamar e chamar. Contou dez toques para ver se a secretária eletrônica atenderia. Como isso não aconteceu, ela desligou, sentindo-se frustrada e mais ansiosa do que antes.

O relógio marcava seis e vinte. Leah estivera acordada a noite inteira e certamente estaria dormindo. Annette, que estivera com ela na cozinha havia poucas horas, provavelmente teria sucumbido ao cansaço.

Restava Ginny.

Caroline lembrou-se de certa vez, quando tinha dezesseis anos e sua rebeldia levou Ginny a ignorá-la. Queria se desculpar mas não sabia de que jeito. Ofereceu-se para ajudar nas tarefas domésticas. Ofereceu-se para levar Annette e Leah ao cinema. Ofereceu-se para buscar o pai na estação de trem. Como nada parecia funcionar, ela entrou sorrateiramente no quarto de Ginny pela manhã, sentou-se na cama e esperou que ela acordasse. Não trocaram uma única palavra. Ginny simplesmente tocou sua mão e sorriu. Estava desculpada.

Deixando a cozinha, ela avançou degraus acima em silêncio. Suavemente, bateu na porta de Ginny. Como não houve resposta, ela girou a maçaneta, abriu a porta e entrou. Ginny estava dormindo, e parecia tranqüila. O dia anterior fora exaustivo para ela. Se para Caroline fora bastante significativo vê-la sorrir e chorar, levantar a voz, falar de paixão e romance, para Ginny teria sido muito mais. Aliviar a alma era algo difícil de ser feito. E Ginny não era jovem.

Contudo, deitada ali, sua fisionomia serena, despreocupada, fazia-a parecer mais moça e feliz.

Sentindo uma pontada de ansiedade, Caroline atravessou o quarto. Aproximou-se. Ginny parecia relaxada, as pálpebras cerradas, a boca curvada num ligeiro sorriso. Mas estava pálida, e havia um reflexo ceroso em sua pele.

— Mãe? — sussurrou. Seu coração bateu mais forte, e sua mão trêmula a tocou. Estava fria.

Timidamente, ela dirigiu a mão vacilante ao cabelo de Ginny. Os cachos curtos estavam alinhados como sempre, uma coroa apropriada para enfrentar esse mundo ou qualquer outro. As maçãs do rosto eram salientes, a boca e o queixo perfeitamente esculpidos. Ginny era uma mulher bonita, mesmo embalsamada nessa serenidade alva. Os olhos de Caroline encheram-se de lágrimas. Sentou-se na beirada da cama e tomou a mão fria nas suas. — Oh, mamãe — disse ela — como *pôde* fazer isso? — Não era justo! Ginny havia sido delas pela primeira vez! Ontem fora apenas o *começo*.

A urgência que a levara ao quarto da mãe retornou. Subitamente acometida por uma pontada de remorso, ela sussurrou com a voz entrecortada por soluços. — Sinto muito. Devia ter dito mais. Fui turrona e orgulhosa. Pensei que conhecesse vocês, mas não conhecia, e isso me deixou *furiosa*. — Caroline chorou baixinho, segurando a mão de Ginny.

— Acorde, mãe. *Precisamos conversar.* — Caroline soltou longamente o ar, inspirou novamente e enxugou os olhos no ombro, mas as lágrimas insistiam em rolar. — Nunca conversamos. Por minha culpa também. Minha responsabilidade como adulta. Mas eu me distanciei de você. E você de mim. Porque doía menos. A ignorância é uma bênção. Oh, Deus... — Caroline soltou um lamento profundo, longo, e então vieram os soluços.

— Caroline? — veio uma voz da porta. E então, mais assustada. — O que houve, Caroline?

Ela se balançava na cama, segurando a mão de Ginny sobre sua coxa. De trás, ela ouviu alguém arfar sobre seu ombro, e em seguida veio o choro angustiado. Braços a envolveram. Ela recostou-se neles, chorando junto com Leah.

— Não é justo — repetiu Caroline, querendo gritar e berrar e voltar no tempo.

— Eu sei.

— Havia ainda *tanto* para ser dito.

— Eu sei.

— Ontem foi apenas o *começo.*

— Ou o arauto — disse a voz trêmula de Annette da porta. Empalidecida, ela entrou. Seus olhos mostraram-se pesados de lágrimas ao verem a mãe. — Deve ter sido seu coração.

— Mas o médico disse que ela estava bem — protestou Leah.

— E estava, da primeira vez. Pedi a Jean-Paul que verificasse. Ela foi outras vezes ao médico, e foi constatada uma irregularidade em seu eletrocardiograma.

Leah suspirou. — Ela não disse nada. Como pôde fazer segredo sobre isso?

— Talvez por não querer aceitar que estivesse doente. O médico lhe passou uma medicação. Não deve ter usado.

— Se soubéssemos disso, nós a teríamos *obrigado* a tomar os remédios.

Caroline esfregou as costas de Leah. Era mais fácil pensar claramente quando alguém dependia de você para isso. — Não, Leah — murmurou ela. — Não era nossa a decisão. Ginny fazia as coisas ao seu modo. — Puxou o ar e riu entre lágrimas. — Eu achava que ela era fraca. Que tolice. Era uma mulher de ferro. Tomava suas decisões e ia até o fim. Disse que queria morrer aqui e morreu aqui. Deve ter planejado tudo.

— Veja seu rosto — sussurrou Annette, assombrada.

— Tão sereno. Tão feliz.

— Ela está com Will — disse Leah.

Caroline não tinha certeza se acreditava em vida após a morte. Mas estava errada sobre outras coisas. Podia estar errada quanto a isso também. Sentindo-se pequena e impotente diante da morte, ela suspirou. Enxugou os olhos no dorso da mão e segurou novamente a mão fria de Ginny.

— Não deveríamos chamar alguém? — perguntou Annette. — A polícia? A funerária?

— Ainda não — respondeu Caroline. Não estava pronta para deixar Ginny, não a nova Ginny que mostrara ter tanto brilho. — O que teria acontecido se soubéssemos antes?

— Sobre Will? — indagou Leah.

— Teríamos conversado mais. Teríamos tido mais tempo para conhecê-la. É uma pena.

— Não se pensarmos que ela poderia ter morrido há uma semana ou há um mês sem que soubéssemos de nada — ponderou Annette. — Ela estava esperando por isso. Há um certo triunfo em toda essa história.

— Acha que ela comprou a casa pensando em morrer? — Leah perguntou.

— Ela disse que queria morrer aqui.

— Será que se pode realmente determinar certas coisas?

— Jean-Paul diz que nossa mente pode nos curar, que é poderosíssima.

Caroline começava a entender. — Isso faz dos advogados uns ineptos.

—O que quer dizer?

—Prova física. É nisso que nos baseamos. Mas ela só conta a metade da história. Como pode um júri determinar a extensão da culpa ou inocência de alguém apenas com a metade da história?

—Vocês estão ali para esclarecer os fatos.

—Certo, mas o que nós sabemos? Não sabemos o que se passa na cabeça do acusado. Não de verdade. A mamãe, por exemplo. Eu achava que sabia o que se passava em sua mente, mas estava errada. Eu a condenei baseada em meros indícios. — E tornou a chorar.

Leah a confortou, passando o braço sobre seu ombro.

—Você não foi a única, Caroline. Todas nós a condenamos.

Annette fez menção de tocar em Ginny, hesitou, e então passou a mão em seu rosto. — Ela nos deixou. Não argumentou. Não se defendeu.

—Diabos —berrou Caroline. —Por que não?

A pergunta pairou no silêncio do ar. Ela sabia que lá fora o mar continuava a formar suas ondas, as gaivotas grasnavam sobre o penhasco, a sirene anunciava o nevoeiro nas montanhas Houkabee; mas ali dentro o mundo havia parado.

Foi Annette quem finalmente quebrou o silêncio. — Ela achou que estava fazendo a coisa certa. É o que todos nós sempre pensamos. Ninguém quer cometer erros na vida. Eles simplesmente acontecem. A mamãe achou que estava agindo corretamente em não nos contar sobre Will Cray. Achou que, dessa forma, estaria protegendo a imagem do papai.

— Talvez estivesse querendo se proteger — acusou

Caroline. E no instante seguinte acrescentou, confusa. — Ou se punir.

— É melhor ligarmos para alguém — murmurou Annette.

— Espere. — Ainda não. Ainda não. Caroline não estava preparada. — Ela iria gostar se ficássemos aqui com ela. Queria que ficássemos juntas. Ressentia-se por sermos tão distantes.

— E por que somos distantes?

— Porque tomamos caminhos diferentes na vida.

— Essa é uma desculpa esfarrapada.

— Antes não pensávamos assim.

— Antes não *pensávamos* — concluiu Caroline. — Não como irmãs. Eu realmente não odeio vocês.

— Só não quer nossa companhia.

Não era isso. — Vocês têm suas vidas, eu tenho a minha — disse Caroline em sua própria defesa — o que é uma tolice. A advocacia é apenas uma parte da minha vida. Talvez a maior. O que também é uma tolice. Creio que é preciso ponderar.

O silêncio tornou a cair sobre elas. O dia agora estava claro o bastante para iluminar o peitoril da janela. Uma réstia de sol escorreu tortuosa pela cama e alcançou o rosto de Ginny, emprestando-lhe um brilho lúgubre.

Por fim, Caroline anunciou: — Creio que chegou a hora. Ela merece descansar.

Dessa vez, Annette ofereceu resistência, aproximando-se da cama, pousando a mão sobre o ombro da mãe. Leah soltou Caroline e envolveu Annette pela cintura. Com um gesto suave, relutante, porém ciente de que nada mais adiantava fazer, Caroline deitou a mão de Ginny sobre a cama.

Antes que voltasse atrás, rapidamente contornou a cama e pegou o telefone. Minutos depois ela acordou o agente funerário de Downlee e o informou sobre o acontecido.

— Ele está a caminho — disse ela às irmãs.

— Não devíamos ligar para o advogado dela na Filadélfia? — perguntou Annette. — Talvez tenha deixado instruções com ele.

— É provável — reconheceu Caroline. — Por outro lado, acho que ela teria nos dito. Planejou tudo tão bem. Não deixaria seu enterro lançado à própria sorte. — Não era fraca, mas determinada, segura. Caroline olhou para as irmãs. — Suponho que sabemos exatamente o que ela queria.

— Queria ser enterrada aqui — disse Annette.

— Star's End tem seu próprio cemitério — disse Leah.

— Num promontório no penhasco. Will está lá.

— E quanto ao papai? — inquiriu Caroline, bancando a advogada do diabo.

Leah fez menção de dizer qualquer coisa, mas se conteve. Annette então tomou sua vez. — Ela deu ao papai todos os anos de sua vida, desde quando deixou Will até a morte dele. Achava que lhe devia respeito. Creio que cumpriu com sua palavra.

Caroline concordou. A expressão do rosto de Leah dizia que também concordava.

Acertado isso, parecia não haver mais nada a ser feito de imediato senão aguardar a chegada do agente funerário.

Caroline deixou que as irmãs se trocassem e ficou ao lado de Ginny. Não podia deixá-la só, não naqueles derradeiros minutos em que sua mãe seria sua. Quando a vissem de novo, seria na casa funerária e, mais tarde, no cemitério do penhasco, junto da família e dos amigos.

Segurando a mão de Ginny, ela chorou mais uma vez, sem lutar contra as lágrimas. Não tinha mais forças. Nem vontade. Não chorara muito na vida. Era bom chorar.

Mais tarde, tentou ligar para Ben, ansiosa para ouvir sua voz, mas ninguém atendeu. Imaginou que tão logo o enterro estivesse acertado — e o dia raiasse em Chicago — começaria a telefonar para os amigos que provavelmente conheceriam seu paradeiro. Até lá, só lhe restava aguardar.

Leah voltou, e ainda assim Caroline teria gostado de ficar com a mãe. Era a mais velha. Era sua responsabilidade — mas não, não era por isso. A verdade era que tinha mais a reconciliar com a mãe do que as outras.

Mas sabia que era importante estar vestida antes que o agente funerário chegasse. Além do mais, Leah também merecia ficar a sós com a mãe. Assim sendo, retirou-se para o seu quarto, onde observou a cama em que dormira apenas algumas horas durante a noite e imaginou quando exatamente Ginny teria morrido. Ocorreu-lhe que, tragicamente, nenhuma delas havia estado com ela naquele momento. Estiveram todas por perto. Muito perto. Mas não ao seu lado.

Essa era, de certo modo, sua trágica história familiar.

Pensando nisso, voltou ao quarto de Ginny, onde Annette juntara-se a Leah na vigília. A cena salientava ainda mais a tragédia — as três ao lado da mãe em seu leito de morte, o que nunca fizeram quando ela era viva. Havia um consolo em estarem juntas, um amargo consolo.

Caroline sentia-se como se lhe tivessem tirado o chão, o que era no mínimo espantoso, uma vez que nunca se imaginara dependente da mãe. E não era, no tocante à vida diária. Mas Ginny era sua mãe. No fundo, Caroline sabia que ela estava lá. Agora, de repente, não estava mais.

Pouco antes das nove, a campainha soou. Os olhos de Caroline encontraram os de Annette e em seguida os de Leah. Ela engoliu em seco e sussurrou: — Isso torna tudo realidade. —As duas balançaram a cabeça convulsivamente, concordando.

Annette atendeu a porta e mostrou o caminho do quarto ao agente funerário. Durante todo o tempo, Caroline olhava alternadamente para Leah e Ginny. Leah parecia petrificada.

Caroline contornou a cama e a abraçou. Por duas vezes, quando trabalhava no escritório do promotor, havia presenciado a remoção de um corpo. Sabia o que esperar. Leah não.

O agente funerário e seu assistente, mesmo numa cidade pequena como Downlee, envergavam ternos escuros, sapatos engraxados e cabelos alinhados. Entretanto, nada além disso foi semelhante às experiências anteriores de Caroline. Quando o corpo de Ginny foi coberto, transferido para uma maca e carregado escada abaixo, ela estava tão arrasada quanto Leah e Annette.

As três pararam nos degraus da varanda, sob o alpendre, enquanto o carro fúnebre servia a seu propósito. Dali, acompanharam com os olhos a sua partida rumo ao sol e à estrada.

Leah tentou conter o choro angustiante. Caroline alcançou sua mão, mas Leah não estava olhando na direção do carro fúnebre.

Do outro lado do gramado estava Jesse Cray, que mantinha a distância por não saber se deveria se aproximar. Quando por fim decidiu se juntar a elas, Leah se pôs a chorar copiosamente. Soltando a mão de Caroline, ela correu para ele. Antes que as duas pudessem entender o que estava se passando, ela estava em seus braços.

Ficou claro então, e, apesar de assustada, Caroline achou que tudo fazia sentido.

Annette se aproximou, tão atordoada quanto ela. — Leah e Jesse?

— Isso explica sua saída ontem à noite.

— E por que a história de mamãe e Will a deixou tão tocada. Por que não nos contou?

— Teríamos entendido? Não quando chegamos aqui.

— Tem razão. Ele é o jardineiro.

— E filho de Will Cray.

— Acha que estão apaixonados?

— Estão alguma coisa. Veja o modo como se abraçam.

— Caroline imaginou como gostaria de ser abraçada por Ben naquele momento.

Leah e Jesse se aproximaram, de mãos dadas. Leah parecia assustada.

— Sinto muito sobre sua mãe — disse Jesse. — Pena que teve tão pouco tempo em Star's End. Teria gostado do jeito que o lugar está agora. E eu teria gostado de conhecê-la melhor.

— Sabia sobre ela? — inquiriu Caroline.

Ele sorriu um sorriso um tanto oblíquo, um tanto triste. — Durante anos ela foi o assunto preferido do meu pai. Significava tudo para ele. Will teria ficado feliz em vê-la aqui novamente.

Caroline teve a impressão de que ele e Leah haviam feito mais do que apenas conversar. Pelo modo com que ela se encostava nele, e como ele a protegia.

— Pretendem convidar a cidade para o enterro? — perguntou ele às três. — O povo daqui gostava de sua mãe. Ficaram sabendo que ela estava de volta, quando a viram tomando sorvete com vocês ontem à noite. Sentirão não poderem ir ao enterro. Tenho certeza de que gostariam de prestar sua última homenagem.

Caroline pensou nas muitas outras pessoas que também gostariam de homenagear sua mãe. Pensou nos telefonemas que teria que dar — para Gwen, para o único irmão vivo de Ginny e uma prima, para vários amigos da Filadélfia e de Palm Springs. Pensou em ligar para Ben e no que teria que fazer a fim de descobrir seu paradeiro. Guardara os nomes de alguns bons investigadores que usara em certas ocasiões. Se necessário, recorreria a um deles.

Então ouviu um ruído incompatível com os sons de Star's End. Seus olhos voltaram-se para a estrada. Desejou que o carro da funerária estivesse de volta — que Ginny houvesse despertado de um sono profundo.

O som não era suave como o motor do carro funerário. Mas lhe era familiar.

— Ben? — sussurrou, sem acreditar no que via, enquanto a motocicleta fazia a curva e emergia da luz. —*Ben.*

Deixando os outros nos degraus da varanda, ela correu até a entrada de carros. Ele estacionou a motocicleta a alguns metros da casa, desceu e tirou o capacete. Seu rosto estava pálido, preocupado. Ele olhou para trás, na mesma direção em que viera, e tornou a olhar para ela, e então para Annette e Leah.

— O que fazia o carro funerário aqui? — perguntou.

— Estou tentando falar com você há dois dias. Não, *três.*

— Sua mãe?

Ela meneou a cabeça.

Ele apertou os olhos, jogou a cabeça para trás, e então para frente outra vez, aproximou-se dela e a puxou para si. Ela jogou os braços em torno do seu pescoço e chorou.

Ben estava ali.

Vinte

— Jean-Paul — sussurrou Annette em resposta ao seu grogue alô. Sabia que o havia acordado. Era manhã de sábado, justamente as manhãs em que ele costumava dormir até mais tarde e mesmo assim apenas até as oito. Ainda não eram sete horas em St. Louis. Mas ela não pôde esperar nem mais um minuto. Fazia parte do casamento compartilhar certas coisas como a morte, e isso era apenas parte do que ela tinha a dizer.

Despejou no pobre, sonolento e desavisado Jean-Paul tudo o que, na noite anterior, decidira adiar por sentir-se suficientemente forte e independente. Agora, força e independência lhe pareciam irrelevantes. Em primeiro lugar vinha a necessidade de dividir sua dor com seu melhor amigo.

Contou a ele sobre a lenda de Star's End e que soubera mais tarde que Ginny fazia parte dela. Contou-lhe sobre o companheirismo que surgira entre ela e as irmãs quando da descoberta, da chegada de Ginny e suas subseqüentes revelações. Falou do passeio à sorveteria da cidade, de sua

349

insônia e visita noturna à cozinha. E, entre lágrimas, disse que retornara ao seu quarto sem saber que Ginny havia dado seu último alento.

— É tão doloroso, Jean-Paul — lamentou-se. — Soubemos de coisas incríveis sobre nossa mãe nesse lugar, coisas que nos ajudaram a compreender melhor seu comportamento para conosco, e quando começamos a resgatar nossos laços de uma forma tão fluida, ela morre.

— Sinto muito, meu bem, sinto muito.

— Não é justo que tenha acontecido dessa forma.

— Não. A morte raramente é justa.

As palavras foram ditas com tanta convicção e falta de censura que Annette sentiu-se envergonhada. Jean-Paul via a morte diariamente, em todas as suas formas — mortes inesperadas, prematuras, cruéis. Com Virginia fora diferente.

Mais otimista, ela disse: — Você devia tê-la visto. Estava tão diferente. Seus olhos brilhavam quando falava sobre esse homem. Parecia mais viva, mais jovem. Sorriu, gargalhou e até *chorou*. Foi mesmo inacreditável. A primeira vez que isso aconteceu, nós três nos entreolhamos, surpresas. Nunca a tínhamos visto chorar. Não achávamos que fosse capaz de se emocionar. Sempre foi tão estóica.

— É interessante que ela tenha guardado tudo isso para si e sobrevivido durante tanto tempo; que seu coração não tenha se rebelado mais cedo.

Annette arfou. Não havia ligado o problema cardíaco ao segredo que ela guardara por tantos anos, mas, tragicamente, aquilo fazia sentido. — Ela pagou muito caro pela decisão que tomou. Dizem que Will Cray morreu de amor.

De uma maneira ou de outra, ela também. Nós achávamos que ela não tinha sentimentos. Estávamos enganadas. Você devia tê-la visto. Foi como se alguém tivesse puxado o tampão que retinha suas emoções, e tudo tivesse escoado de uma só vez.

— Ela estava se divertindo?

— Muito. De vez em quando parecia um tanto ofegante, mas achamos que talvez pudesse ser a emoção forte das lembranças. Estávamos *todas* ofegantes. Creio que o caso dela era mais sintomático do que o nosso.

— Ela estava tomando a medicação?

— Encontramos suas pílulas ao lado da cama. O vidro estava cheio.

— Ela havia sido alertada para evitar emoções fortes.

Os lábios de Annette esboçaram um doce sorriso. Afinal, os homens eram mais mecânicos do que as mulheres. Mesmo Jean-Paul, mais sensível do que a maioria, agia mecanicamente quando se tratava de orientações médicas. Como seus colegas de profissão, ele queria que seus pacientes sobrevivessem. Para ele, era difícil entender que o preço que se pagava para continuar vivo muitas vezes era alto demais.

— Como se diz a uma mulher nessa situação para não se emocionar? —perguntou Annette. —Ela estava aliviada por finalmente estar aqui. Havia visitado o túmulo de Will Cray. Seus olhos brilhavam. Seu rosto estava corado. Parecia mais feliz do que nunca, Jean-Paul. — O destino continuava a afligi-la. — Não é justo. Nós a encontramos e a perdemos no mesmo dia. *Não é justo.*

—Sinto muito, *cherie*. Queria estar aí com você. Como estão Caroline e Leah?

Annette se acalmou. — Estão bem. Magoadas, naturalmente. Caroline mais do que Annette.

— Uhmmm. Surpreendente.

— Há uma semana talvez fosse. Agora, nem tanto. Pude observá-la melhor nesses dias. Não é tão intransigente quanto gosta de parecer. Está mais doce.

— Talvez nunca tenha sido intransigente, mas só agora você foi capaz de perceber. Do mesmo modo que percebeu que sua mãe era humana. Vocês já pensaram no enterro?

Annette não havia feito tal analogia, entre o profissionalismo de Caroline e o estoicismo de Ginny. Mas deixou a reflexão para mais tarde e disse: — Apenas que a enterraremos aqui.

— *Aí?*

Annette teve que sorrir. — Chocado, é? Isso porque você não ouviu sua história, Jean-Paul. Não a viu contar sua própria versão. Não há dúvida quanto a isso. Nós três concordamos. Ela gostaria de ser enterrada aqui.

— Mais do que ao lado de Dominick?

Annette inspirou profundamente e endireitou o corpo. Do seu quarto, ela tinha apenas uma visão oblíqua do mar, mas podia avistar a relva, o penhasco e a nuvem cor-de-rosa que o recobria. A simples visão das rosas litorâneas evocava seu perfume. Eram parte da história.

Precisou explicar a Jean-Paul o quanto aquilo seria importante para Virginia St. Clair.

— Na primeira vez que soube sobre a mamãe e Will

— ela começou — fiquei ofendida pela memória do papai. Então a mamãe continuou falando, e nós entendemos o que ela sentia por Will e do que abrira mão pelo papai, o quanto fora digna por ele. Permaneceu ao seu lado e construiu uma família. Foi esposa e mãe dos seus filhos, e se lhe faltou carinho para com a família, ainda assim ela deu tudo de si.

Houve uma pausa, e então ela ouviu: — Uau! Quem diria que um dia vocês fariam tal concessão.

Annette sorriu, encabulada. — Quem diria. —Sentia-se mais forte, mais corajosa agora. Jean-Paul sempre a deixava assim. — Quer saber o que mais? A princípio, eu me identifiquei com o papai. A mamãe era casada com ele, eu sou casada com você, e jamais me apaixonaria por outro homem. Fiquei pensando na imoralidade de seu ato. Fiquei imaginando que tudo não passou de um verão na sua vida e que deveria ter sido esquecido. Mas ela continuou a falar. Continuou a nos contar as coisas que sentia ao lado de Will, coisas de amor, de paixão, e podíamos ver isso em seu rosto.

— Ela prendeu a respiração. — Senti isso, Jean-Paul. Foi *com isso* que me identifiquei.

Ele soltou um gemido suave.

—Adoro você—ela se apressou em dizer, pois parecia a hora certa para se confessar. — Se eu exagero às vezes...

— Xiii...

— Não é minha intenção exagerar. Apenas não consigo evitar.

— Amo você, Annette.

— Mas você não me sufoca. Estou tentando me controlar. Senti falta de nossos bate-papos e tive medo de ligar.

Novamente ele gemeu. — Ah, não, não.

— Talvez tenha razão. Eu estava tentando compensar o carinho que não recebi de Ginny, mas só agora enxerguei o outro lado da história. Sempre pensei que nosso relacionamento era muito melhor do que o dos meus pais. Orgulhava-me disso. Tínhamos o que eles não tiveram. Mas ela também construiu uma relação maravilhosa com Will. É por isso — concluiu Annette com um suspiro, subitamente extenuada pelas horas de emoção que se seguiram à descoberta de Caroline — que vamos enterrá-la aqui.

— Está certo. Já sabe o dia e a hora?

— Ainda não. Falaremos com o pastor daqui a pouco.

— Vai me ligar assim que souber?

— Vou. Mas não precisa vir.

— É claro que irei. Sou seu marido. Ela era minha sogra, e eu também a amava.

— Jean-Paul, é uma longa viagem até aqui. Ficarei feliz em saber que você e as crianças estarão pensando em nós. Além do mais, será uma longa viagem para quase todos os amigos dela. Não entenderão por que o enterro será aqui, e acho que não vamos querer explicar. Se ela não viu sentido em contar a eles a vida inteira, não vejo por que nós contaríamos agora. Diremos apenas que ela adorava esse lugar desde o verão em que papai e ela estiveram aqui e que faremos uma missa na Filadélfia na próxima semana. Desse jeito, você e as crianças também poderão ir. Será melhor assim.

— Quero estar com você.

Ela sorriu. — É tudo o que preciso saber. — Como estava orgulhosa de si mesma! — As crianças precisam de você aí. Faça alguma coisa boa com elas, todos juntos. Comemorem a volta de minha mãe ao lugar que ela amava. Ela estava feliz. Morreu sorrindo. —O tom de sua voz mudou bruscamente. A lembrança daquele sorriso era por demais dolorosa. —Leve as crianças à igreja amanhã e façam uma oração por ela. —E mais timidamente disse: —Ligarei mais tarde. Apenas para ouvir sua voz. Está bem?

—Está bem. Amo você, meu bem.

—Eu também —disse ela com os olhos umedecidos. Odiava ter de desligar o telefone. Jean-Paul era toda a sua vida. —Jean-Paul? Obrigada por me fazer vir. Teria me arrependido se não viesse.

—Xiii. Vá ficar com suas irmãs agora. Elas precisam de você.

—Amo você.

—Vá —sussurrou ele.

Fubá. Farinha. Fermento. Mel. Leah avaliou o que havia na bancada e rapidamente acrescentou manteiga, leitelho e ovos. Esvaziou um terço dos mirtilos numa peneira e os deitou sobre a água corrente, enquanto catava os talos e as folhas. Fez o mesmo com a segunda terça parte e depois com a última.

—Leah —Annette aproximou-se. —O que está fazendo?

—Broas de milho com mirtilos. Na verdade, eu queria fazer alguma coisa com framboesas, mas não estão na época e não havia muitas no supermercado. —Começou a medir as xícaras de fubá. —Farei oito dúzias. Imaginei em dar quatro delas para Julia e guardar quatro para nós. Virá muita gente aqui. Juntaremos as broas ao que Julia ficou de trazer. — Haviam marcado o enterro para segunda-feira. Não restava muito tempo para preparar mais.

— Não precisa fazer isso agora.

— Preciso sim. — Quanto mais atarefada estava, melhor se sentia. — Já que você e Caroline se incumbiram dos telefonemas, isso é o mínimo que posso fazer. Além disso, é muito mais fácil do que ter que dar a notícia a Gwen. Como ela ficou?

— Não muito surpresa. Mas imensamente triste.

— E os amigos da mamãe? Não estava com vontade de falar com eles. Sei que vocês pensam que os adoro, mas não é verdade.

— Precisamos conversar — disse Caroline.

— Onde está Ben? — quis saber Annette.

— Dormindo. Atravessou metade do país parando apenas duas vezes para dormir. É um louco.

— Um doce louco.

Caroline ponderou e acrescentou num tom mais suave: — É. — Leah olhou para elas e voltou a atenção para o fubá. Mas havia perdido a conta de quantas xícaras medira. Não tinha certeza se foram cinco ou seis. Olhou para o monte de farinha, desalentada.

— Então, enquanto Ben dorme, falemos de Jesse — sugeriu Caroline.

Leah voltou ao início, retirando o fubá do monte com a xícara e despejando-o em outra tigela.

— Leah?

— Não há nada a dizer — murmurou ela.

— Não acredito que não haja nada a dizer.

— Tem de haver *alguma coisa* — inferiu Annette.

Quatro xícaras. Leah mediu a quinta. — Talvez.

— Desde quando? — inquiriu Caroline.

E a sexta. — Desde segunda-feira. Domingo, se contar que ele acercou-se de mim enquanto eu dormia no balanço.

— Que tipo de *resposta* é essa? — indignou-se Annette. Leah pôs de lado a lata de fubá semi-vazia e alcançou a farinha de trigo. — Que tipo de *pergunta* é essa?

— A de uma irmã preocupada.

— De duas irmãs preocupadas.

— Aconteceu — retrucou Leah secamente.

— Sim.

— Largue a farinha, Leah. Fale conosco.

Sentindo que não a deixariam em paz até que respondesse suas perguntas, ela largou a farinha, apoiou-se na beirada da bancada e disse, voltada para o armário de madeira na parede. — Não é nada demais. Nós nos conhecemos. Começamos a conversar. Ele é um homem interessante. Mas é o jardineiro. Ele mora aqui, eu moro em Washington. Ele usa *jeans*, eu uso seda.

— Não está usando seda — observou Caroline.

Leah limpou a mão na calça *jeans*. — É, bem, aqui é diferente, e estou cozinhando... ou pelo menos estava. Honestamente, estão fazendo tempestade em copo d'água. Jesse e eu não combinamos em nada. Está certo, esqueça o *jeans* e a seda. Que tal cerveja e *champagne,* ensopado de carne e *crepes Suzettes*? Ele tira férias no inverno, e eu no verão. Quer dizer, não posso ficar aqui. Estou indo embora.

— Para onde está indo?

Improvisando, disse: — Montana, eu acho. Não está nada certo ainda. Mas se não for Montana, será qualquer outro lugar, e então voltarei para Washington, para minha festa de posse na Sociedade do Câncer, enquanto Jesse estará aqui podando o jardim. Sou clara, ele é misterioso. Gosto de óperas, ele gosta de reprises...

— Reprises de quê? — perguntou Annette.

Leah não fazia idéia. Nunca o tinha visto assistir televisão. Quando estavam juntos, ele ficava absorvido por ela. Mas reprises soava bem.

— Engraçado — disse Caroline. — Ele me pareceu articulado e esperto. Você disse que ele é autodidata, mas o chamou de horticultor. Deve ser inteligente.

— Ele é inteligente — confirmou Leah, sem se virar.

— E bonito.

— E educado.

— É tudo isso... — jurou ela, parando a tempo

— E muito mais — Annette completou.

Leah fez uma careta. Puxou a corda de um saco de lixo da gaveta e amarrou o cabelo. Os cabelos soltos eram adequados a uma caminhada no penhasco, mas definitivamente inconvenientes na cozinha. Pensou em cortá-los bem curtos, mas imediatamente sentiu uma pontada de remorso. O que foi mesmo que Ginny dissera? *E pensar que costumávamos esconder tanta beleza.* Como se os cabelos soltos de Leah fizessem Ginny se lembrar de tudo a que havia renunciado.

Seus olhos se embaçaram. Pondo a mão na testa, ela perguntou, ainda sem se virar: — Por que a vida é tão complexa?

— Às vezes ela apenas parece complexa — disse Caroline. — Com um pouco de reflexão, tudo se torna mais simples.

— Ah — suspirou Leah. — Não sei, não. Tenho tentado refletir sobre o que aconteceu desde segunda-feira. Não. Retiro o que disse. Tenho ignorado a situação e desde então estou cada vez mais envolvida.

— É amor? — perguntou Annette.

Leah suspirou. — Acho que sim.

— Sexo? — indagou Caroline.

Diabos. — Ah, sim.

— Isso é incrível — comentou Annette. — Onde estivemos todo esse tempo?

— Dormindo. Ou fazendo compras.

— Fazia isso enquanto fazíamos *compras?*

Leah olhou por sobre o ombro e respondeu lenta e pausadamente. — Enquanto faziam compras, nós conversávamos, à beira do penhasco. Eu o observava trabalhar.

— E um tanto mais desnorteada. — Pense no que a mamãe falou a respeito de seu relacionamento com Will. Foi o mesmo que aconteceu entre mim e Jesse. Foi a coisa mais excitante que já aconteceu comigo, e a mais assustadora. Quer dizer, primeiro mamãe e Will, agora Jesse e eu. É estranho.

— O que ele acha?

Leah revirou os olhos. — Ele acha que é o destino. É um romântico.

— Como Will.

— Uhm-hum.

— E você é como a mamãe.

— Não, não sou.

— Em termos de vida social você é, certamente mais do que nós duas — opinou Caroline.

— Aparentemente — admitiu Leah, ansiosa por desfazer o equívoco. Finalmente, virou o rosto para as irmãs.

— Talvez quanto ao estilo de vida em geral, apenas isso. A mamãe era obcecada em manter sua posição social. Adorava festas, adorava seus amigos. Era fútil por natureza. Eu não.

— Leah, dê uma olhada em sua vida!

— É o que estou fazendo. O fato de me vestir bem e manter o cabelo arrumado não significa que queira impressionar as pessoas. Vou à manicure e faço compras por hábito. Como também tenho o hábito de freqüentar reuniões e festas de caridade. É o que faço.

— Mas é o que quer? — perguntou Caroline.

— É o que faço. — Precisou repetir por estar sem argumentos. Estava acostumada com o tipo de vida que levava em Washington. Sabia o que esperar dela e como lidar com ela. Não havia surpresas.

— Ah, Leah.

— A mamãe escolheu levar essa vida — disse ela na tentativa de concatenar as idéias. — Eu simplesmente acordei um dia e era isso que estava fazendo.

— O que gostaria de fazer?

Constrangida, Leah cruzou os braços sobre o peito.

— Cozinhar. Sinto-me produtiva quando estou cozinhando. Quando termino, tenho em mãos o fruto do meu trabalho

— Então cozinhe — sugeriu Caroline. — Monte um serviço de *catering*. Abra um restaurante.

Leah suspirou. — Parece simples, mas não é.

— Por que não? — Annette desejou saber.

— Porque sou amadora e não uma cozinheira experiente, e não quero voltar a estudar. Nunca gostei de estudar. E ter de ir à escola certamente tiraria toda a graça de cozinhar. Além disso, existem restaurantes demais em Washington. Alguns até oferecem serviço de *catering*.

— Então saia de Washington.

— Mas eu *adoro* aquilo lá — insistiu ela, o que não era mentira. Washington era insuperável quando se tratava de cultura. E algumas partes da cidade eram simplesmente lindas. Mas é claro que ela poderia sobreviver sem os alpinistas sociais, os chatos e a umidade do lugar.

— Se ama Washington e Jesse, terá que abrir mão de um dos dois.

— Exatamente — disse ela. Sabia que tinha que tocar sua vida. Ela e Ellen haviam discutido esse assunto. Mas nunca imaginou que continuar a caminhar resultaria em tamanha revolução.

— Fique aqui e abra uma confeitaria — sugeriu Caroline.

Leah arfou. — Está brincando.

— Não.

— Não posso ficar aqui.

— Por que não?

— Acabei de explicar. Adoro morar em Washington. Tenho compromissos lá. Além do mais, agora que a mamãe morreu, teremos que vender Star's End.

Caroline virou-se para Annette. — Nós decidimos isso?

— Não me lembro de termos discutido esse assunto.

— Talvez fosse melhor.

Mas Leah estava inquieta. Decidir sobre o futuro de Star's End traria à baila outras questões. — Não agora. Ainda é cedo. Acho melhor pensarmos nisso depois do enterro da mamãe. — Ela virou-se para a bancada da cozinha e alcançou a farinha.

— Do que você tem medo? — perguntou Caroline calmamente.

Leah virou a cabeça. — Está falando comigo?

— Leah, por favor.

Esqueça a farinha. Ela girou nos calcanhares sem sair do lugar. — Não tenho medo de nada. — Exceto de mudanças. Exceto do fracasso.

— Você diz que ama Jesse.

— Você diz que ama Ben — ela atirou de volta.

— Estou começando a repensar muitas coisas. Talvez você devesse fazer o mesmo.

— Que coisas está repensando? — Annette perguntou a Caroline.

Leah também queria saber, mas Caroline não se intimidou diante da curiosidade das irmãs. — Acham que a mamãe tomou a decisão acertada deixando Will?

Leah deu de ombros. — Ela tinha o papai, e tinha a nós.

— Mas perdeu Will. Agiu com dignidade, e daí? Tomou a decisão certa?

— Como posso responder isso, Caroline? — bradou Leah, exasperada. — Não estou no lugar dela.

— Não. Mas está bem perto. Está apaixonada por um

homem cujo estilo de vida é a antítese da sua. Ficar com ele significa ter de fazer grandes mudanças em sua vida. Então, ou você faz tais mudanças ou não faz. A dignidade não está em jogo nesse caso. Você não tem marido. Segundo você mesma, faz as coisas mais por hábito do que por escolha. Talvez seja hora de mudar. Faça a sua *escolha*, Leah. —Jesse é o jardineiro.

—Ora, *por favor*—implorou Caroline. —Por que está bancando a esnobe? Está tentando antecipar o *nosso* julgamento a respeito dele? Bem, se está, enganou-se redondamente. O que eu disse outro dia, sobre meu problema com Ben, não tem *nada* a ver com ele ser graduado ou não, era verdade. As coisas eram diferentes no tempo da mamãe. As pessoas não se casavam com quem não tivesse a mesma posição social, religião ou raça. Hoje, essas coisas não são importantes. Pelo menos não deveriam ser. O fato de Jesse ser jardineiro é irrelevante.

—Se você o ama — arrematou Annette.

Leah suspirou e ergueu os olhos ao teto. — Estou custando a acreditar nisso. Tudo aconteceu rápido demais. — Baixou os olhos. — E ainda há a história paralela entre Will e mamãe. Não quero confundir sentimentalismo com amor. — Mas ela havia se apaixonado por Jesse antes de saber sobre Will e sua mãe, contudo, achou que não era relevante.

—Jesse diz que gostaria que você ficasse?

Leah soltou um gemido. — Em cada olhar.

Foi então a vez de Annette suspirar. — Isso é *tão* romântico.

Mas Leah não se deixaria levar pelo romantismo. —

Há muito mais que romance num relacionamento a dois. O romance fenece. Sei disso. Aconteceu comigo duas vezes.

— Eles eram dois patetas.

E Caroline acrescentou: — Concordo.

Leah sentiu sua velha insegurança se agitar dentro dela. — Mesmo? Por quê?

— Eu os observei em seus dois casamentos. Estavam mais interessados em olhar quem os olhava do que em olhar para você. Queriam que as pessoas rissem de suas piadas, que prestassem atenção ao que diziam. Você era um prêmio. — Ela balançou a cabeça. — Não combinavam com você. Nenhum dos dois. Estava na cara.

— Se estava na cara — acusou Leah — por que não me falou?

— Você teria escutado? — devolveu Caroline.

— Estava amando estar amando — disse Annette.

— Quem sabe ainda não estou? — perguntou Leah, desafiante. Contudo, asssustava-se com sua própria inadequação ao amor. — Conheço Jesse Cray há cinco dias. É *patético*.

— Talvez precise de mais tempo.

— É o que estou tentando lhes dizer.

Caroline jogou as mãos para o ar. — Certo. Dê-se algum tempo. Mas vou lhe avisar, não posso ficar aqui para sempre. Independente do que eu decida fazer, minha vida é em Chicago. Mais uma semana é tudo do que disponho. Idem para Annette. A casa é sua.

— Mas não *podemos* ficar com a casa — argumentou Leah.

Caroline virou-se para Annette. — Até onde chegou na lista?

— Mais ou menos na metade. Lillian está ajudando a ligar para algumas pessoas. Não se mostrou mais surpresa do que Gwen. Disse que a mamãe foi bastante meticulosa em suas despedidas.

— Ela morreu — Leah continuou a argumentar. — Não podemos ficar com a casa.

Mas poderia ter poupado seu discurso, pois Caroline já estava a caminho da porta, perguntando a Annette, que a seguia: — Lillian virá ao enterro?

— Virá. Passarão a noite de domingo em Portland e guiarão para cá na segunda de manhã. Será um grupo grande.

— Ei! — tentou Leah mais uma vez.

Caroline virou-se. — Gwen está a caminho. É melhor aproveitar a cozinha antes que ela chegue. Talvez não queira dividi-la com você.

Incomodada por não estar sendo levada a sério, retrucou: — Ela não pode fazer isso. A mamãe construiu essa cozinha *para mim*. Vou usá-la o quanto quiser. — E voltou-se, resoluta, para as broas.

Caroline sentou-se na beirada da cama e se pôs a admirar o homem maravilhoso que era Ben. Ele havia deixado seu trabalho de lado na época mais criativa do ano e enfrentado a ventania em sua motocicleta para estar com ela. Não sabia que Ginny havia morrido. Não sabia nem que ela havia chegado em Star's End. Queria estar com Caroline. Só isso.

Ao vê-lo dormir, seu coração se enterneceu; o que sentia por ele ia além da atração física, que também era forte. Ele estava esparramado, o rosto enterrado no travesseiro, coberto apenas da cintura para baixo. Acima, havia uma grande extensão de pele, firme e bronzeada, os ombros cobertos de pintas, o pescoço forte, os cabelos em desalinho. Ela conhecia cada músculo de suas costas, mas não quis tocá-los. Não agora. Já os havia sentido. Muitas, muitas vezes.

Ele se mexeu sob o lençol, e sua respiração profunda provocou uma ondulação em seu dorso. Virando a cabeça, ele abriu um dos olhos. Ao vê-la, sorriu e estendeu-lhe a mão.

Ela se inclinou para alcançá-la e a segurou contra o peito e em seguida contra a boca.

— Em que está pensando? — sussurrou ele, sonolento.

—Que você é lindo. Que ainda não acredito que esteja aqui. Fiquei imaginando coisas horríveis.

— Como o quê?

— Que você havia me trocado por outra.

— Sentiu mesmo a minha falta, hein?

Ela sorriu. — Senti. — Delicadamente, ele a puxou para si e ela se deitou ao seu lado. Ela o beijou na boca com suavidade e deslizou seus dedos por seu rosto, descendo até seu pomo-de-adão.

O pomo-de-adão era algo másculo. Como pêlos no

corpo, músculos e ereções que revelavam o desejo matinal. Coisas másculas. Típicas de Ben. Ela sentiu a vibração em sua garganta quando ele disse: — Quero me casar com você.

— Eu sei. Acho que estou fraquejando. O pomo-de-adão saltou. — Sério? De que jeito?

— Porque você está certo em relação a certas coisas. Como minha firma. — Contou a ele sobre Luther Hines e tudo o que aconteceu enquanto estava na estrada.

— Se eu tivesse ouvido a notícia — jurou Ben, tomando suas dores — teria telefonado para você na mesma hora.

— Mas aí eu não teria tomado conhecimento da deslealdade dos meus sócios. Você acertou em cheio, Ben.

— Uhm-hum. — Ele abriu o fecho da calça dela, deslizou as mãos por trás, apertou suas ancas e a puxou para si.

Murmurando em seu pescoço, aspirando o cheiro provocante do despertar, ela disse: Como pôde enxergar isso e eu não?

— Você também enxergou — disse ele num sussurro, retirando pouco a pouco o *jeans* que ela vestia. — Você sabia com quem estava lidando.

Suspirou. O toque de Ben a fazia suspirar. Ele sabia como deixá-la assim. — Detesto ter que voltar lá.

Ele estava de joelhos, abaixando o *jeans*. — Não volte. Abra seu próprio escritório.

Ela ergueu o quadril a fim de ajudá-lo. — Onde?

— Perto de mim.

— Mas não posso advogar no campo — protestou ela, chutando o *jeans* e a calcinha para o lado. — Não posso fazer lá o que faço na cidade. Preciso estar próxima do palácio da Justiça. É onde as coisas acontecem.

— Então more comigo e trabalhe lá — disse ele, sentando-a em seu colo. — Monte um escritório na minha casa para os dias que não precisar ir ao tribunal. — Ele a embalou sobre si.

Ela sussurrou seu nome. Ah, sim, ereções eram coisas másculas. Grandes ereções eram típicas de Ben. — Sua casa é pequena demais — disse ela, tentando ater-se à conversa.

— Então reforme-a — sua voz retumbante soou em seu ouvido.

— E quanto aos livros de direito? Hummm, Ben. — Ele estava entrando, cada vez mais.

— Compre os malditos livros. — Tocou o fundo, deitando-a e deitando-se sobre ela.

Com as pernas, ela o abraçou e puxou-o ainda mais fundo. — E a se·retária? O contínuo?

— Contrate-os — disse ele, empurrando-a contra os lençóis.

Caroline agarrou-se em seu pescoço, ofegante, queimando por dentro. — Que tal... um sócio? — Abandonou o pensamento quando ele a impeliu novamente, e deixou a realidade para trás. Ben saciou seus desejos, controlou seu corpo, fê-la corar, suar e se contorcer, levando-a ao limite do prazer. Ela implorou por mais e tornou-se totalmente dependente até que finalmente ele a soltou.

Teria ficado furiosa se não tivesse consciência da reciprocidade de sua dependência.

— Deus, como senti sua falta — disse ele baixinho, ainda ofegante, à medida que seu corpo se aquietava.

— Não seria por muito tempo.

— Tempo demais longe de mim.

— Você vai muito mais longe quando está trabalhando.

— Tempo demais. Acho que estou ficando velho. — Ele rolou para o lado e apoiou o corpo sobre o cotovelo. — Encontre um sócio. Ou dois. Alguém em quem confie.

— E se não conseguir clientes?

— Com a sua reputação? Pouco provável.

— Litigantes não trabalham por contrato anual. Nossa clientela muda o tempo todo. Nunca sabemos com antecedência o quanto de trabalho teremos pela frente. Os clientes surgem aos poucos.

— Que problema haveria nisso?

— Numa firma é diferente. Ela cobre a fase de excassez de trabalho.

— Então cobrirei essa fase — disse ele com um sorriso. — Poderá experimentar a vida de artista comigo, lutando, faminta, rezando para que apareça um caso, qualquer um...

Ela tapou sua boca com a mão. Ambos sabiam que dinheiro não era o problema. — Não quero fracassar.

Ben respirou fundo e beijou seus dedos, afastando-os com a boca. — Ninguém quer — disse ele gentilmente. — Mas o sucesso ou o fracasso depende de seus objetivos. Se seu objetivo principal é mostrar àqueles bastardos da firma que pode jogar o jogo deles e que renuncia à sua parte na sociedade, estará falida. Por outro lado, se seu objetivo principal é ser uma boa advogada...

—Nunca estive no controle, estive?—perguntou ela.

— Eles sim. Tudo o que fiz foi me iludir.

— Não. Nem por uma vez você comprometeu sua integridade. Essa é uma forma de controle.

—Ben?

—Hum?

—Nossas vidas mudariam se fôssemos casados?

— Aparentemente não. Presumo que gostaria de manter seu nome de solteira, uma vez que é assim que a comunidade legal a conhece. Manteria seu apartamento, se trabalhasse na cidade, e seu carro. A mudança se daria dentro de nós. Sabendo que o outro está esperando. Desejando que o outro esteja esperando.

Caroline imaginou as longas noites em que se prepararia para os julgamentos até o dia clarear. Pensou nos advogados que conhecia, cujos casamentos não sobreviveram a isso. — Não ficaria furioso?

—Não.

—Por que não?

Ele deu de ombros. — Tenho meu próprio trabalho. Posso me manter ocupado. Além disso, os julgamentos chegam ao fim. Mesmo os melhores litigantes precisam de descanso. E você será minha nesse intervalo. Eu sei esperar.

— E quanto a filhos? — perguntou sem planejar, e sem poder voltar atrás. Nunca pensara em filhos antes. Mas também nunca esteve tão perto de estar envelhecendo para tê-los.

—Depende de você — respondeu Ben.

—Você os quer?

— Posso viver sem eles. Mas seria bom tê-los. Para mim, tanto faz. Só não posso viver sem você.

Annette tentou manter-se ocupada. Terminou os telefonemas para os amigos e a família de Virginia, para que Caroline pudesse ficar com Ben. Ligou para Portland e reservou quartos para os que viriam ao funeral e chamou o táxi de Downlee para transportá-los. Confirmou seus planos com o pastor e deu instruções ao agente funerário.

Os cheiros que vinham da cozinha diziam que Leah terminara de assar as broas e preparava outros pratos. O ar recendia a torta de maçã. E a galinha frita. Mais tarde, almoçaram sobre o deque, com Leah preparando, Ben servindo e os quatro sentados em meio ao esplendor e à tristeza do cenário. Falaram de Ginny. Das flores e do mar. Falaram abertamente sobre o funeral, tentando imaginar algo que Ginny aprovaria.

Caroline parecia mais tranqüila ao lado de Ben, mais calma, mais doce. Annette sentiu uma pontada de inveja ao ver os dois. A forma sutil com que trocavam carícias — no toque das mãos, na troca de olhares — fazia Annette lembrar de seu relacionamento com Jean-Paul.

Sentia saudade. A perda de Ginny tornara-se ainda mais pungente com a falta dele. Ainda assim, teria sido tolice ele ter vindo.

Caroline tinha sorte de ter Ben ao seu lado.

Ocorreu a Annette que Jesse deveria estar ali, ao lado de Leah, mas se Leah achava a mesma coisa, nunca diria nada. Havia se sentado de costas para a relva e os canteiros de flores cultivados por Jesse. Pobre Leah. Sentia-se tão confusa quanto Annette sentia-se sozinha.

Quando Caroline levou Ben para um passeio e Leah voltou para a cozinha, Annette resolveu subir ao seu quarto. Teria ligado para Jean-Paul, caso não lhe tivesse dito para sair com as crianças. Imaginou o que estariam fazendo. Imaginou se sentiriam sua falta.

Enrolada na cama ainda desfeita, ela adormeceu. Quando despertou, eram quase cinco da tarde. Leah continuava na cozinha, preparando coisas diferentes agora, se seu olfato estava certo. Sentiu o aroma fugaz de vinho, tomates e *curry*, e imaginou um ensopado de alguma coisa. De legumes. Uma sopa encorpada. Especialidade de Gwen.

Os aromas eram ricos, como o barulho do mar, mas ela ainda sentia um vazio dentro de si. Sentou-se na beira da cama e alcançou o telefone. Então pensou no fuso-horário entre Maine e o Missouri, e voltou a mão para o colo.

Pensou em Ginny, para quem o tempo não possuía mais significado. Levantou-se e caminhou até o quarto da mãe. Gwen devia ter retornado, pois a cama havia sido arrumada, embora todo o resto estivesse como no momento da morte de Ginny.

Annette tocou a toalha de linho que cobria a cômoda. Uma salva dourada jazia no centro. Sobre ela havia um vasinho com uma ramagem miúda de floxes, um porta-retrato delicado com uma fotografia de Annette e suas irmãs ainda meninas e um belo vidro de perfume.

Levou o vidro ao nariz e maravilhou-se com a exatidão alcançada pelo perfumista de Ginny ao copiar a essência das rosas litorâneas. Tentou imaginar como teria sido para Ginny ter convivido com aquele aroma durante tantos anos, a lembrança da perda sempre presente.

Como se sentisse tal perda com tamanha profundidade, Annette soltou um gemido de tristeza. Passou a mão sobre a cômoda, depois sobre a penteadeira e pelo encosto da cadeira que havia diante dela. Abriu o guarda-roupa e olhou as roupas que os homens da mudança haviam trazido, uma coleção de seda, linho e lã, tudo nos tons pastéis preferidos de Ginny — com exceção de uma delas, num tom mais carregado.

Empurrou algumas peças a fim de alcançar a que chamara sua atenção. Era um vestido florido, amarelo e vermelho, e, ao vê-lo, ela teve a sensação de que já o conhecia. Já o tinha visto há muito, muito tempo atrás, ao remexer nas coisas da mãe. Lembrou-se, à época, de tê-lo achado bonito, mas uma vez que nunca vira Ginny usá-lo, imaginou que pertencera à sua avó.

Só então entendeu — e naquele instante percebeu — que o *tailleur* de cor marfim que entregara ao agente funerário não era a vestimenta adequada.

Virou-se rapidamente, desesperada para remediar a situação antes que um erro terrível fosse cometido. Então parou. Jean-Paul estava à porta, parecendo hesitante, porém mais bonito do que ela jamais vira.

Seus olhos se umedeceram. Pensando absurdamente que se não arrumasse uma explicação racional para o que trazia nas mãos, seria a prova de que Jean-Paul também era uma miragem. Então, debilmente, ela disse: — A mamãe deve ter usado isso naquele verão com Will. Tem que ser enterrada com ele.

— *Oui* — concordou *Jean-Paul docemente.*

Não era miragem então, era sua voz, calma e tranqüilizadora. — Jean-Paul?

— Está certo que queira ser independente, mas em outra ocasião, está bem?

Ela sorriu entre lágrimas. — Jean-Paul — repetiu.

— Você disse para fazer alguma coisa com as crianças para que se lembrassem de sua mãe, e não pude pensar em nada melhor. Nem eles.

Nem ela, compreendeu Annette tardiamente.

Vinte e Um

Embora o enterro estivesse marcado para o meio-dia de segunda-feira, o povo da cidade começou a aparecer no domingo à tarde. Se havia entre eles alguns curiosos, não se sabia. Não houve perguntas. Nenhum deles explorou a casa secretamente. Os que vieram eram tímidos, agradáveis e apologéticos, e, em geral, não se demoravam.

— Viemos apenas oferecer nossas condolências.

— Eu me lembro de sua mãe. Ela era toda sorrisos.

— Pena ela não ter tido mais tempo aqui.

Raramente apareciam de mãos vazias, e quando aproximou-se a hora do jantar, a mesa estava repleta de tortas, saladas e uma enorme quantidade de doces, coisas que Leah levaria uma semana inteira para preparar.

Não que ela tivesse parado. Se parasse, começaria a pensar, e não queria pensar.

Misericordiamente, Gwen compreendeu a situação e cedeu-lhe a cozinha, ao mesmo tempo em que pôs de lado seu próprio pesar e passou a coordenar os detalhes de última hora. Leah continuava a cozinhar — sopa temperada, compota de frutas e pães de todos os tamanhos, formatos e sabores.

— Oi.

O som da voz de Jesse a fez estremecer. Confusa como estava, e *amedrontada*, não conseguiu disfarçar o riso nervoso. — Oi — respondeu, sem olhar para ele. Estava recheando cogumelos, um trabalho delicado.

— Não está cansada?

— Estou bem.

— Suas irmãs estão preocupadas.

— Elas o mandaram aqui?

— Não. Estou preocupado também. Já tem bastante comida, Leah. Não precisa continuar com isso.

— Mas nós convidamos a cidade inteira. Se vierem aqui após o enterro, vamos precisar de tudo isso e muito mais.

— Eles trarão comida. Julia está trazendo um caminhão cheio.

— Mamãe ficaria feliz em ouvir isso — observou Leah, emocionada, desejando rir e chorar ao mesmo tempo e beirando a histeria. — Seu maior medo era que faltasse comida em suas festas.

Jesse a puxou para si. Com os lábios contra sua testa, ele disse: — Ela aprovaria tudo o que fez. Mas também gostaria que ficasse com suas irmãs.

— Mas preciso terminar isso aqui. Não terei tempo pela manhã. Estarei preparando as flores.

— Eu prepararei os arranjos. É o meu trabalho.

— Mas eu quero fazer isso — insistiu ela e só então

ergueu os olhos. Ele usava calça preta e um suéter, parecendo tão urbano quanto Jean-Paul e Ben. Ela olhou fixo para ele e quis dizer alguma coisa, mas não conseguiu. Jesse ergueu ligeiramente o queixo. — O que foi? Ela engoliu. — Não está parecendo um jardineiro. — Nem tampouco agia como um. Durante as últimas vinte e quatro horas, ele havia conversado amenidades com Ben, discutido sobre a preservação do meio ambiente com Jean-Paul e levado os filhos de Annette a um passeio no penhasco, dando uma folga aos adultos.

Era um homem admirável, capaz de passar de uma roupagem à outra com facilidade. Leah desejou ser assim, mas a mudança nunca foi seu forte. Interessava-se apenas pelas coisas que conhecia. Não gostava de correr riscos.

Amar Jesse era *o maior* dos riscos. Mas era inevitável. Bastava olhar para ele para que questionasse a vida que levava. Pensar nisso a atemorizava.

Sem querer discutir o assunto, sem querer *pensar* no assunto, ela perguntou: — O que achou da minha família?

— Boa gente.

— Dominadores?

— Nããão.

— Eu acho.

— Porque você se compara a elas. Mas você é diferente, Leah. É mais doce.

— Ah, não. Eu sou uma *socialite*. E durona.

— Você foi feita para este lugar.

— Meus amigos em Washington não concordariam. Organizo as melhores festas da cidade.

— Estou vendo.

—Isso não é uma festa, Jesse. É um funeral. Não conta.

—Poderia abrir Star's End para a cidade uma vez por mês e dar uma *grande* festa.

—Mas tenho que voltar para Washington.

—Não tem, não.

—Mas *quero* ir.

—Quer mesmo?

Esse era, em suma, seu dilema. Com um leve gemido, ela voltou-se para os cogumelos.

Sem nada dizer, Jesse apenas beijou sua testa e saiu.

O dia despontou — uma ensolarada manhã de junho que teria feito Virginia vibrar. Lutando contra a tristeza da data, Leah levantou cedo para colher as flores e preparar os arranjos. Possuía bom gosto e habilidade, e sentia-se recompensada por estar sendo útil.

Mas estava cansada. Não dormira muito à noite. Ficara até tarde na cozinha e, já em seu quarto, prostrara-se horas a fio na janela, desperta, até que finalmente deu-se por vencida e atravessou a relva até o chalé de Jesse. Lá, não dormiu mais do que vinte minutos. Não conseguiu. Sua mente girava sem parar.

Às onze, os convidados de fora da cidade haviam chegado de Portland e estavam tomando café com bolo no deque. Às onze e trinta o povo da cidade chegou à propriedade. Às onze e quarenta e cinco, veio o pastor, e às onze e cinqüenta, o carro funerário. Ladeado pelos parentes e amigos mais chegados, o caixão foi levado ao local do penhasco onde cresciam as rosas litorâneas.

Ao meio-dia, com o sol a pino, as gaivotas voando alto e as ondas regurgitando sua espuma contra o promontório rochoso, o pastor proferiu algumas palavras sobre amor, união e retorno. Então deram início à lenta caminhada ao longo do penhasco até o cemitério na colina.

Leah mal ouviu as palavras do pároco. Estava afogada em pensamentos de amor e perda, enquanto as lágrimas enchiam seus olhos e anuviavam o abismo da cova e o vasto horizonte adiante.

Ela chorou baixinho, apertando o lenço de papel contra o lábio superior, apoiando-se em Jesse, que a envolvia. Incapaz de resistir, ela aceitou o consolo que ele lhe oferecia, sem pensar em esconder seus sentimentos de quem quer que fosse.

De volta à casa, portou-se como a perfeita anfitriã que tanto se esforçara para ser, agradecendo a presença de uns, conversando com outros, verificando se a comida e o vinho estavam sendo servidos a contento. Mais tarde, não soube dizer com quem conversara ou o que comera. Lembrava-se apenas da profunda tristeza que sentira ao ver o caixão de sua mãe baixar à terra e de sentir a cabeça girar diante da proximidade de Jesse.

Lembrava-se de ter lutado contra tudo isso durante o dia e de ter perdido a batalha com a chegada da noite. O chalé de Jesse era um paraíso que fazia aflorar toda a sua sensualidade. Em seus braços encontrava conforto, amor, segurança, excitação, e ainda que ali também não conseguisse dormir, sabia como fazer o tempo passar.

Inevitavelmente, o dia raiou. Ela voltou para a casa principal a fim de tomar banho e se trocar. Perdera o gosto pela maquiagem e a vontade de arrumar o cabelo. Passou a escova pelos cachos úmidos e juntou-se aos demais na cozinha.

Deixou que Annette fizesse o café e Caroline preparasse o bule de chá Com o corpo dolorido e emocionalmente esgotada, encontrou refúgio num canto do sofá, deitou a cabeça no encosto alto e enfiou os pés descalços sob o corpo. Cerrou os olhos e deixou-se embalar pelo burburinho dos filhos de Annette.

—Está se sentindo bem, tia Leah?

Ela abriu os olhos e sorriu para Devon. —Estou bem.

—Parece cansada. E triste.

—E estou.

—Quer uma xícara de chá?

—Hummm. Seria bom.

Pouco tempo depois, uma caneca fumegante foi aninhada em suas mãos. Algum tempo depois, a cozinha estava em silêncio. Ela ouviu o tilintar dos pratos na lavalouças e a água escoando pela pia. Escutou o silêncio e passos macios. Então sentiu uma movimento ao seu lado no sofá.

—Leah? Precisamos conversar. —Era a voz de Caroline, mas Leah percebeu que ela não estava só. Ao abrir os olhos, avistou Annette sentada na mesinha de centro.

Olhou para uma e então para outra. — É tão sério assim?

—Muito sério —respondeu Annette. —Você e Jesse. É importante.

Leah tornou a fechar os olhos. Não estava disposta a discutir, ainda mais sobre Jesse. Podia pensar nele como acabara de vê-lo, nu, esparramado na cama. Nada além disso.

Caroline balançou seu joelho. — Não nos ignore. É sobre seu futuro.

— Certo. *Meu futuro.* Não precisam se preocupar com ele.

— Se não nos preocuparmos, quem vai se preocupar?

— A mesma pessoa de sempre. Eu.

— Ora, deve estar mesmo preocupada — observou Caroline. — Parece que acabou de sair de um ringue. A questão é se isso está adiantando alguma coisa.

— Não pode reprimir seus sentimentos, Leah.

— Talvez possamos ajudá-la.

Ellen McKenna tentara ajudá-la. Ensinara a Leah a colocar-se de lado e analisar sua vida de forma objetiva. Mas falar era fácil. Não podia ser objetiva quanto a Jesse. Ele mexia tanto com ela, a um nível tão visceral, que a impedia de separar os elementos da atração.

— Estou muito cansada — recuou. Queria que fossem embora. Pelo menos pensava que queria. Não tinha nada a lhes dizer. A menos que fossem insistentes demais. Sim, queria que fossem embora. Pelo menos por enquanto.

Como nenhuma das duas se manifestou, Leah imaginou que tivessem ido, mas ao abrir os olhos, descobriu-as ali, esperando.

Suspirou. — O que querem de mim?

— Queremos que tome uma decisão.

— Não — corrigiu ela. — Querem que eu chegue à mesma decisão que vocês. Mas não é assim que as coisas funcionam. Não sabem o que eu quero ou do que preciso. Não podem saber se Jesse é bom para mim.

— Ele é bom para você — opinou Caroline.

— Como pode ter certeza? — quis saber Leah, desesperada para ser convencida.

— Ele só tem olhos para você.

— Pelo amor de Deus, Caroline, isso não é base para se fazer um julgamento.

— Claro que é.

— Talvez seja uma obsessão. Tal pai, tal filho.

— Leah — ralhou Annette. — Sabe que não é isso. Ele é tão normal. Tão racional. Tão... sensato.

Leah sabia de tudo isso, droga. Afundou-se ainda mais no sofá e fechou os olhos.

— Não poderá se esconder para sempre — avisou Caroline.

Seus olhos se abriram na mesma hora. — Por que não? Não foi o que você fez?

Caroline balançou a cabeça. — Não mais.

— Decidiu-se afinal? — perguntou Annette esperançosa.

Caroline coçou a cabeça num gesto acanhado. — É. Acho que vamos nos casar. Nada muito formal, apenas uma cerimônia civil à tarde.

— Sem vestido de cauda, véu comprido e uma penca de damas? — provocou Annette, mas Leah estava feliz, e pôde ver que Caroline também estava.

— E quanto à firma? — indagou Leah, lembrando-se bem da última discussão que tiveram. — Disse que nunca daria certo casar-se com Ben e trabalhar na firma.

— E não dará.

— Então o que pretende fazer?

Caroline pensou por um minuto. Em seguida, levantou-se do sofá e foi à cozinha. Leah ouviu o clique do telefone, seguido de onze melodiosos bipes e uma campainha. A voz que veio do aparelho viva-voz era ligeiramente ríspida. Escritório de Graham Howard.

— Aqui é Caroline St. Clair. Graham está aí?

Caroline olhava especulativamente para Leah e Annette, enquanto aguardava na linha.

— O que está fazendo? — indagou Leah.

Caroline enrugou os lábios.

— Caroline — chamou Annette.

Caroline cruzou os braços sobre o peito.

— Caroline! — gritou Graham. Sua impaciência atravessou a sala íntima. — Ainda bem que ligou. Estou tentando falar com você desde ontem. Não recebeu meu recado?

— Não recebeu o meu?

— Sim, e sinto muito sobre sua mãe, mas estamos com uma emergência aqui, problemas com o caso FenCorp. Há meses que Pete Davis estava representando a companhia e preparando-se para o julgamento, mas agora se meteu numa enrascada e...

— Que tipo de enrascada?

— Não foi nada sério...

— Que *tipo* de enrascada?

Graham suspirou. — Pegaram ele na cama com a mulher errada...

— Não era a esposa dele?

— Uma garota de programa barata que fazia parte de um grupo de fraudadores que, por sua vez, estava na mira do governo. Pete estava no lugar errado e na hora errada. Não teria sido problema se o *Sun-Times* não tivesse publicado nomes, mas agora a FenCorp não o quer mais à frente do caso. Disseram que não será bom para eles, e no fundo têm razão. Então queremos que você o substitua. Ele já fez todo o trabalho. Vai lhe explicar o que fazer. Você não está dormindo com o prefeito, está?

Caroline havia se aproximado das irmãs. Enquanto o homem se punha a desfolhar a podridão do quarto poder, ela virou-se para elas: — É um exemplo perfeito do que tenho agüentado. Ele não liga a mínima se acabei de perder minha mãe. Não liga a mínima se estou de férias. Não demonstrou o *menor* sinal de solidariedade quando um dos nossos colegas roubou um caso que era meu. E não possui um pingo de moral e decência.

— Caroline, ainda está aí? — indagou Graham.

Sem pressa, Caroline voltou ao aparelho. — Estou aqui.

— Quer pegar o telefone? A ligação não está boa. Estou ouvindo vozes no fundo. Melhor ainda, pegue o primeiro avião de volta para cá.

— Desculpe, Graham, mas estou de férias.

— Pode tirar férias em outra hora.

— Estou enterrando minha mãe.

— Eu compreendo e até admiro isso. — E usando um tom mais grave: — Mas você tem responsabilidades para com a firma.

— Como a firma teve para comigo?

—A firma tem sido boa para você.

—Conversa fiada —disse ela, soltando o verbo. —A firma tem ganhado dinheiro em cima de mim desde o primeiro dia. Eu não era uma principiante saindo da faculdade. Ninguém precisou me treinar. Fui nomeada para o cargo. Cheguei onde cheguei por meus próprios méritos, meus contatos, minha reputação. Vocês tiveram sorte em me ter como sócia, mas agora estragaram tudo.

—O que está dizendo?

—Estou dizendo que contrataram uma mulher experiente e se acharam no direito de dispor dela. Tive que esperar mais do que os outros para conseguir uma parte na sociedade. Vigiavam meu trabalho... e não adianta negar, Graham. E faziam referências à minha suposta tensão prémenstrual.

—Talvez com razão —disparou ele. —Está claro que parece estar insatisfeita, mas não está sabendo se expressar.

—Serei mais clara então —disse ela, sorrindo para Leah e Annette. —Estou me demitindo.

Fez-se um silêncio e em seguida ele saiu em sua defesa. —Está chateada. Emocionalmente abalada. Acabou de sofrer uma grande perda.

—Na verdade —ela recostou-se sobre a bancada e cruzou os calcanhares —estou me sentindo muito bem.

—Olhe. Por que não conversamos mais tarde?

—Não, Graham. Conversaremos na segunda-feira quando eu voltar ao escritório, e o único assunto em pauta será quais dos meus casos ficarão com você e quais deles levarei comigo. Adeus. —Caroline desligou o aparelho e sorriu ainda mais satisfeita para as irmãs. — Nossa, estou me sentindo bem melhor agora.

Leah parecia atordoada. — Não acredito que fez isso.

— Tem certeza de que era isso o que queria? — quis saber Annette.

Caroline soltou um suspiro de alívio, sugerindo que acabara de se livrar de um pesado fardo. — Tenho. Era o que eu queria. Acabou-se a fase de trabalhar num grande escritório de advocacia. Estava perdendo tempo.

— Perdendo tempo — ecoou Leah. — Meu Deus, e agora?

Caroline aproximou-se do sofá. — Não sei ainda. Talvez abra meu próprio escritório. É isso. *Meu* escritório, *meus* honorários, meus próprios funcionários. Daqui por diante, seguirei minhas próprias regras.

Leah olhou para Annette. Até onde sabiam, Caroline vivia sob suas próprias regras há anos.

Mas Caroline interceptou os olhares. — É engraçado, criamos uma imagem de nós mesmos e às vezes até a compramos. Eu achava que vivia sob minhas regras, mas vejo que não. Estava sendo governada pela imagem da grande advogada durona que queria conquistar o mundo. E consegui, por assim dizer. Mas paguei um preço alto por isso.

— Ben? — perguntou Annette.

— Ben. Mamãe. Vocês. Eu.

Leah estava surpresa. Aquela não podia ser a Caroline durona, arrogante e autoritária de antes. — Mas era isso o que você mais queria na vida. Como pode ter mudado tão rapidamente?

Caroline franziu o cenho e olhou em direção às janelas

e então para o chão. Caminhou distraidamente em torno do sofá e sentou-se. Num tom mais tranqüilo, anunciou:
— Meu trabalho está em segundo plano agora.

— Claro que está — ponderou Annette — depois de tudo o que tem acontecido por aqui.

— Tem razão — concluiu Caroline. — A mamãe morreu. Talvez a minha obsessão pelo trabalho tenha ido com ela. Talvez fosse apenas uma rebeldia minha.

Leah não estava acreditando. — Não pode ser só isso. Você é a filha mais velha. Os filhos mais velhos sempre ditam as regras.

— Mas o laço foi cortado — insistiu Caroline. — Está certo, então é da minha natureza ir até o último extremo, por isso, mesmo que abra minha própria firma, irei até o fim. Mas me sinto diferente agora. Não preciso mais provar nada para a mamãe. — Seus olhos se encheram de lágrimas. Os de Leah também. — Mas ela provavelmente apoiaria minha mudança. Seu maior sonho era me ver casada. Agora que sei sobre Will, posso apostar que ela adoraria me ver casada com Ben.

E que eu me casasse com Jesse, pensou Leah. Ela *adoraria*. Embora talvez não fosse o melhor para Leah. Afinal de contas, a vida era sua. Baixou os olhos.

— Então — anunciou Caroline, dando um tapinha no joelho de Leah — só está faltando você.

— Por que apenas não nos contentamos com a sua felicidade por enquanto?

— Porque queremos a sua também.

— Eu me arranjo.

—Queremos ajudá-la —argumentou Annette. —Somos tudo o que você tem, agora que a mamãe se foi.

— A mamãe nunca nos ajudou — lembrou Leah, e após alguns segundos sentiu a força do olhar de Caroline. — Então faremos melhor do que ela. Não foi isso o que nos uniu?

Ah, claro. Mas ajudar *como?* Leah não sabia nem se Ginny deveria ter abandonado tudo e ficado com Will. Não sabia se Ginny teria sido feliz com ele. Nenhuma delas sabia. Não havia *como* saber.

— Do que você tem medo? — perguntou Caroline mais gentilmente.

Ela suspirou. — Do fracasso.

—Mas se o ama... —começou Annette.

Leah lançou-lhe um olhar de súplica. —O amor funcionou para você. Mas nunca funcionou para mim.

— Então se não der certo, não deu, mas pelo menos terá tentado.

—Não *agüentaria* se não funcionasse.

—Porque o ama demais.

—Porque o amo de uma maneira *estranha.* É diferente de tudo o que já senti. Isso me assusta.

— Por que é muito forte?

— Por que é irreal?

— Porque é algo insaciável — respondeu Leah. — Quanto mais me satisfaço, pior. Onde será que termina tudo isso? O que devo fazer? Tenho a *minha* vida. Não posso abandoná-la.

Annette soltou um gemido de desespero. —Foi o que aconteceu com a mamãe.

Caroline recostou-se no sofá. — É a síndrome do tudo-ou-nada. Deve ser genético. Mas será que precisa ser assim? Será que tenho que ser apenas uma advogada na vida? E você, Annette, tem que ser apenas esposa e mãe? Será que precisa mesmo escolher entre Washington ou Maine, Leah? Por que não podemos ser um pouco da cada?

— Porque um pouco não basta — bradou Leah.

— Está certo. Por que então não pode ser *muito* de cada?

— Porque não posso *dar* muito de cada. Isso não está em mim.

— Quem disse?

— Eu sei.

— Alguma vez tentou?

— Como poderia? Nunca conheci ninguém como Jesse.

— Ele é tudo o que você sempre quis — disse Annette.

— Não pode jogar fora o seu amor.

Leah deu uma risada. — E como posso *mantê-lo*?

— Tem medo de fracassar.

— *Foi o que eu disse* — gritou Leah e, num movimento brusco, levantou-se do sofá.

— Leah!

— Não saia.

— Preciso de ar. — Mas foi seguida pelos passos apressados de suas irmãs.

— Precisamos conversar, Leah.

— Queremos ajudá-la.

Ela rodopiou e jogou a mão para o ar. Quando elas

desistiram de segui-la, Leah disse simplesmente: —Preciso pensar. Por favor? Embora relutantes, elas pararam e aquiesceram. — Obrigada — sussurrou, saindo pela porta. Cabisbaixa, ela atravessou o deque, passou pela piscina, em direção à frente da casa. Não tinha nada em mente. Deixou-se levar por seu instinto, caminhando em meio à bruma tépida de um mundo surrealista.

Caminhou pela relva a passos determinados, os pés descalços trotando ao ritmo do clangor longínquo da sirene de Houkabee.

Eu o amo.

Mas tenho minha vida em Washington. Uma vida a qual estou acostumada.

Poderia cozinhar aqui. Cuidaria do jardim. Poderia tricotar um suéter para Jesse.

Não sei tricotar.

Poderia aprender, mas não sou boa em costura, e Jesse ficaria desapontado.

Não quero desapontá-lo. Desiludi-lo. Não quero fracassar novamente.

Mas eu o amo.

Leah desandou a correr. As pedras no caminho a atrapalhavam, mas logo ela alcançou a grama. Deixou a casa para trás, cruzou o matagal, os jardins, o urzal, as rosas. Seguiu em direção ao penhasco e parou, ofegante, sobre o rochedo.

O penhasco estava coberto por um denso nevoeiro, e Leah não conseguia enxergar coisa alguma — o mundo real estava tão opaco e impenetrável quanto seu mundo interior.

Munida de coragem, Leah embrenhou-se na mata. Encontrou a trilha e seguiu por ela a passos firmes, cambaleando apenas sobre as raízes e as agulhas de pinheiros. Quando o bosque finalmente se abriu para o prado, ela parou. Ofegante e com a mente ocupada apenas com a beleza das flores-do-campo enevoadas, ela deu um passo à frente, hesitou, e deu mais um. Por fim, à superfície de um mar de azuis, brancos e amarelos, ela se ajoelhou e se sentou sobre os calcanhares. Com as mãos no chão, buscou o ar.

Gradativamente, sua respiração e as batidas de seu coração voltaram ao ritmo normal, deixando-a destituída de energia e mortalmente cansada. Apoiando o corpo sobre uma das mãos, e sem se importar com a umidade da relva, ela deitou-se de costas entre as flores-do-campo. Cerrou os olhos. O mundo à sua volta estava repleto do aroma almiscarado de terra molhada e grama. Inspirou profundamente e afastou o emaranhado de idéias que insistia em povoar sua mente. Então adormeceu.

Washington estava quente e úmida. Ela precisou esperar vinte minutos por um táxi, parada em meio ao ar pesado, trajando roupas urbanas, uma saia que cilhava a cintura e sapatos que jogavam o peso do corpo para os calcanhares. O táxi não tinha condicionador de ar e, em deferencia ao desfile de automóveis presidenciais, o tráfego sobre a Arlington Memorial Bridge não saía do lugar.

O interior de seu apartamento estava sufocante. Na sua ausência, o aparelho de ar-refrigerado havia enguiçado. Ligou para a assistência técnica, mas o homem que fazia os consertos estava na rua. Prometeram-lhe que ligariam no dia seguinte. Resignada, Leah encontrou lenitivo no banho. Mas a maquiagem que tentara colocar derretera rapidamente. Seus cabelos também não cooperavam. Insistiam em se enrolar. Ela os puxou para trás e os amarrou, mas os cachos escapavam e tornavam a se anelar. Com a ajuda de um pouco de água, tornou a penteá-los, sem sucesso. Tentou o gel. Os fios se assentaram. Por cinco minutos. Então se enroscaram de novo.

Desesperada, ela se olhou no espelho. A futura presidente da Sociedade do Câncer não poderia ir a lugar algum daquele jeito.

Pôs então um par de óculos escuros, um desengonçado chapéu de palha na cabeça e apanhou um táxi até o cabeleireiro, onde, abençoadamente, estava mais fresco. O cabeleireiro secou seus cabelos e, sem nada avisar e antes mesmo que ela pudesse contestar, sacou da tesoura e cortou-lhe uma franja.

Odiou o novo corte. Consternada, tentou abrandar a tristeza indo ao maquiador, mas ele lhe pintou de vermelho as bochechas e de amarelo as pálpebras. Leah estava horrorizada. *Nunca* usara vermelho no rosto. Talvez um rosa-claro ou bronze, mas nunca nada tão berrante como vermelho. E quanto ao amarelo, seu *cabelo* já era amarelo. Precisava de contraste, de preferência lilás ou cinza esfumaçado. O amarelo lhe emprestava uma aparência doentia.

Ainda assim ela nada disse. Se tivesse um acesso de fúria, o mundo inteiro saberia. As fofocas se espalhavam com uma incrível rapidez numa cidade como Washington, e podiam ser fatais. As pessoas eram banidas da lista A por muito menos do que um ataque de raiva.

Não que ela estivesse em tal lista. Estava mais para a lista A-menos. Ou a B-mais. Nunca estivera na Casa Branca.

Sentindo-se feia, pálida e socialmente rejeitada, fechou-se na cabine telefônica, depositou uma moeda e pressionou o número de Susie MacMillan.

— Residência dos MacMillan.

— A Sra. MacMillan, por favor.

— Sinto muito. A Sra. MacMillan não está.

— Aqui é Leah St. Clair. Pensei que ela tivesse chegado ontem de viagem.

— E chegou. Mas ela e o embaixador foram convidados para passar o fim de semana no iate Dunkirk. Estarão de volta na segunda-feira.

Leah depositou outra moeda e ligou para a casa de Jill Prince. — Jill. É Leah. Acabei de chegar de viagem e estou derretendo nesse calor. Pensei em me refrescar jantando no Occidental. Quer jantar comigo?

— Desculpe, Leah, mas não posso. Uma multidão está vindo para cá agora. Foi um jantar de última hora, quer dizer, sabe, acabamos de chegar de Quebec. Convidaria você, mas a mesa já está completa. Você entende essas coisas, não entende?

— Claro. Está certo. Talvez outra hora.

Sentindo-se solitária, feia, pálida e socialmente rejeitada, ela enfiou no aparelho outra moeda. Dessa vez, ligou
para Monica Savins. Monica era divorciada. Não teria nenhum compromisso de última hora.

— Ei, Monica, como vai? — perguntou ela quando
Monica atendeu o telefone.

— Leah? Meu Deus, você é exatamente a pessoa de
quem preciso. Nem acredito que esteja de volta. Aconteceu
uma coisa incrível. Totalmente acidental. Preciso da sua ajuda, Leah. Estou realmente em apuros esta noite. Marquei
um encontro com Davis, conhece o Davis, do judiciário, e
então recebi um telefonema de Michael, do executivo, e ele
me convidou para ir à Casa Branca. Sabe, será um grupinho
bastante seleto, o presidente, a primeira-dama, Michael e
eu, e alguns outros casais, mas não posso recusar esse convite. É a *Casa Branca*. E David espera que eu vá com ele a
um jantar na Embaixada da Bolívia, e se ele tiver que ir
sozinho, vai ficar furioso. Você o conhece, Leah. Irá
por mim?

Leah o conhecia bem. Sabia que era gordo, que só falava de leis, que suava demais e fumava charuto.

— Ah, Monica, não posso. Tenho outros planos. Talvez Donna Huntington possa ajudá-la.

Depositou a última moeda e fez a derradeira chamada. — Oi, Ellen. Preciso de você.

— Não, não precisa, Leah. Sabe o que deve fazer.

— Tenho que me afastar dos meus problemas e enca-
rá-los objetivamente, mas *nada* na vida me preparou para
Jesse. É um homem totalmente diferente dos que conheci
até hoje.

—Bem, já era hora! Os outros que escolheu eram uns bastardos, Leah.

—Não eram bastardos.

—Então como os chamaria?

—Imaturos.

—O que mais?

—Egocêntricos.

—Tente mais uma vez.

Leah suspirou. —Bastardos.

—Então por que os escolheu?

—Não sei.

—Claro que sabe. Estava tão desesperada para amar que meteu os pés pelas mãos. Escutou seu coração, mas seu cérebro estava fechado para balanço. Se estivesse funcionando, teria lhe dito para não se precipitar em casar-se com aqueles sujeitos, mas você só tinha olhos para o romance e temia ficar sem ele.

—Também estou com medo agora.

—Isso é natural. Está dando um grande passo. Mas dessa vez seu cérebro está tomando o lugar do coração. Faça isso, Leah. Não posso fazê-lo por você. É você quem está guiando sua vida.

—Mas sou uma péssima motorista.

Ellen suspirou. —Não tenho tempo para isso agora, Leah. Tenho outros pacientes que precisam de mim. Você não.

Ellen desligou. Percebendo o estado de abandono em que se encontrava, ela depositou o fone no gancho, ajeitou a bolsa no ombro e saiu pelas ruas da cidade. Seus cabelos começaram a se anelar. Sem conseguir apanhar um táxi na avenida Connecticut, ela prosseguiu até a Dupont Circle. Ali, encontrou um táxi, mas como àquela altura já estava banhada em suor, seguiu direto para casa e voltou para o banho.

Enrolada na toalha, refugiada em seu apartamento, sentiu-se mais sozinha e desamparada do que nunca. A campainha soou. Em um rompante de esperança, ela correu até a porta e espiou pelo olho mágico, mas o cheiro que veio por debaixo da porta era um aviso nada promissor. Não se surpreendeu ao ver um rosto gorducho, brilhando de suor, fumando charuto.

Virou-se e escorregou para o chão, de costas para a porta; agarrou os joelhos contra o peito e, apesar do intenso calor, começou a tremer.

Nem quente, nem frio. Deitada de lado, a orelha contra alguma coisa mais macia do que o mármore da antesala. Abriu os olhos e viu a grama alta e as flores. Flores-do-campo. O prado.

Sentiu-se imensamente aliviada. Não estava em Washington, mas em Downlee. Não estava calor, estava fresco. No lugar das avenidas congestionadas havia veredas polvilhadas de pinhos. No lugar de ruas enfestadas de mendigos, havia um prado salpicado de plantas. David não estava ali. Jesse estava.

Jesse.

Sentou-se e afastou o cabelo emaranhado do rosto, uma profusão de longos cachos dourados, sem franja, que combinavam com o lugar e com ela.

Estavam ao natural, seus cabelos. Não sabia por que lutara contra eles durante tanto tempo, não conseguia pensar numa única razão plausível. Deitou a cabeça e encheu os pulmões com o ar úmido do prado. Estava fresco e claro, um clima inspirador, acalentador, restaurador. Ergueu a cabeça e o viu. Jesse. Parado, a alguns metros dela, o peito acima das flores, olhando-a.

Sentou-se sobre os joelhos, despetalando uma flor, sem tirar os olhos dele. Não parou o que estava fazendo quando ele a alcançou e só o fez quando ele a envolveu em seus braços.

— Não sei o que está havendo comigo — sussurrou ela. — Não quero voltar. Quero ficar aqui.

— Mas você tem sua vida lá — argumentou ele, do jeito que ela o fizera tantas vezes.

— Vivo lá porque não tenho lugar melhor para ir, e porque me sinto segura, mas não é a vida que quero. — Lembrou-se de cada detalhe desencorajador de seu sonho. Sim, amava Washington. Mas suportaria voltar para lá? Sabendo que Jesse ficaria aqui? — Tentei me convencer de que nada disso era real. Era bom demais, forte demais.

— Ainda é.

— Eu sei, mas real ou não, eu quero o que encontrei aqui. — Ela notou que os braços de Jesse a seguravam firme, mas gentilmente.

— Downlee é uma cidadezinha provinciana — ele a avisou.

— Provinciana, não. É apenas uma cidadezinha. Mas gosto dela. Sinto-me à vontade aqui. — É verdade que todos sabiam da vida de todos, mas havia algo de familiar nisso, pela maneira com que as pessoas se importavam umas com as outras. Ninguém em Washington jamais se importou com ela, não da maneira que queria. A fofoca lá continha uma certa dose de mordacidade. Aqui, era apenas uma linha tênue que unia a cidade.

— A vida aqui pode ser monótona.

— Num lugar que vende *cappuccino*? Tenho dez vezes mais coisas a fazer aqui do que jamais tive em Washington — disse ela, percebendo que era verdade. Afastou-se um pouco para olhar para ele, para admirar sua beleza máscula e mergulhar em seus olhos que falavam do ontem e do amanhã, do brilho do sol e da bruma, das ondas que eclodiam em pequeninos pontos de luz. Ela sabia que tinha razão. — Não será monótona. Nunca. — Deslizou os dedos em seu rosto e em sua boca. E então sorriu.

Vinte e Dois

Wendell Coombs franziu o cenho ao se sentar na extremidade esquerda do banco comprido de madeira. Seus ossos doíam. Não fora um bom dia. Não fora uma boa semana. Não fora um bom mês. Havia coisas acontecendo em Downlee de que ele não estava gostando nem um pouco.

Com um grunhido de descontentamento, deitou a caneca sobre o joelho. A caneca continha suco de verduras. Desistira do café.

— Clarence — resmungou ele em direção à extremidade direita do banco.

Clarence Hart meneou a cabeça. — Wendell.

— Vai sê um dia abafado.

— Ô, se vai.

Wendell ergueu a caneca, levou-a à boca e baixou-a sem sorver um único gole. Não queria suco de verduras. Queria café, mas não aquela coisa que a mercearia estava vendendo. Queria café de verdade, como Mavis costumava preparar. Mas Mavis fechara as portas e se mudara para

399

Bangor. Para viver num retiro. Nunca que iriam mandá-lo para um lugar desses. Não que continuar ali fosse tão bom assim, com Downlee indo pelo esgoto. Cada dia surgia uma novidade.

— Ouviu a última?

— Depende de qual delas *ocê tá* falando.

— *Num* vão mais *vendê* Star's End — disse ele com a mesma consternação de quando ouviu a notícia pela primeira vez.

— Ah, é?

Ele olhou irritado para Clarence. — Como é que *ocê* sabe?

— Imaginei.

— Tolice. O lugar é uma monstruosidade.

Antigamente. Mas os St. Clair haviam-no deixado uma beleza. Pelo menos era isso que Clarence achava. June também. E Gus, e Cal, e Edie.

— Toda aquela madeira branca e aqueles vidros — resmungou Wendell. — Tapetes caros. Comida esquisita.

— *Ocê num* precisava ir lá.

— Precisava sim. Tinha que *apresentá* minhas condolências como todo mundo.

Clarence sacou o cachimbo do bolso e alcançou a bolsa de fumo.

— Meu irmão Barney disse que o enterro *custô* mais de dez mil dólares — criticou Wendell.

— *Quê isso!*

— Foi sim, *sinhô*. E a maior parte tiveram que *pagá* o *pastô prá dizê* alguma coisa bonita.

— O *pastô num* cobra nada. O povo é que faz as doações.

— E quanto mais doam, melhor ele fala. Talvez tenham pago a ele os dez mil. E eu *num* acreditei em tudo que ele disse. Não, sinhô. "Grande filantropa", *tá bão...* Ela era uma avarenta. Como todos os ricos. E também *num* gostei do que ela fez com Star's End. *Ficô* de mau gosto, se *ocê qué sabê.*

Clarence abriu a bolsa, tirou o cachimbo da boca e mergulhou-o lá dentro. — *Num ficô* tão mau.

—Diga isso daqui a cinco anos; quando aquelas crianças estiverem perambulando pela cidade durante o verão; quando os arruaceiros que vivem aqui tiverem tomado o poder.

Clarence encheu o cachimbo com o fumo, colocou-o na boca e dobrou a sacola.

— A morte dela foi um sinal — alertou Wendell. — Ela veio para cá, *botô* o pé naquela casa e, *bum*, morreu. Deviam vender o lugar. Se antes pensamos que teríamos problemas, imagine agora.

Clarence acendeu o fósforo. — Nem todo mundo pensa *que nem ocê.*

— Ora, o que eles sabem? *Num* são velhos o bastante para *sabê.* Os jovens e os artistas. E os *computadô.*

Clarence estava ficando cansado de ouvir Wendell falar besteira. Tinha dias que pensava em ficar em casa com June. Mas ela o faria lavar e pendurar a roupa. Melhor mesmo era agüentar as rabugices de Wendell.

Sugou o cachimbo algumas vezes até que o fogo pegasse, atirou longe o palito e soltou a fumaça no ar.

Wendell espanou a fumaça e disparou. —Tem alguma coisa *prá dizê?*

—*Num* tem *computadô* em Star's End.

—Por enquanto.

—*Ocê* já mexeu em um? —Pelo olhar horrorizado de Wendell, foi o mesmo que perguntar se já tinha usado um vestido. Mas Clarence não via nada demais na pergunta.

—Howard *tava* me mostrando como funciona. Mostra notícias que *num* deram no jornal. E o resultado dos últimos jogos do oeste. O Red Sox perdeu.

Wendell grunhiu.

Clarence virou-se para olhá-lo. —Aposto que *ocê num* sabia disso.

—Já imaginava — rosnou Wendell.

Clarence tirou uma longa e gostosa tragada. E havia acabado de exalar a fumaça quando Callie Dalton alcançou os degraus, tocando a ponta do chapéu. —Dia, Callie.

—Dia, Clarence. —E rapidamente desapareceu dentro do armazém.

—Mulherzinha detestável — resmungou Wendell a meia-voz.

Clarence não concordava. Callie e George jogavam mexe-mexe com ele e June, às vezes. Clarence gostava deles.

Wendell o encarava, carrancudo. —Aposto que gosta das St. Clair também.

Clarence passou os olhos pela rua principal. Estava uma manhã tranqüila em Downlee, como sempre. —Eu e muitos outros. Encare os fatos, Wendell. *Ocê tá* perdendo a batalha.

— Porque pessoas como *ocê* se aliaram ao inimigo.

— Eu *num tô* vendo inimigo algum.

— Claro que não. — Wendell bufou e virou-se para o outro lado. Então lhe ocorreu abrir os olhos de Clarence. Wendell era vizinho de Potts, que era vizinho do agente funerário. Virando-se de volta, ele disse: — Ouviu falar do vestido dela?

Clarence cruzou as pernas.

— Potts disse que era todo vermelho e amarelo — zombou Wendell. — Imagine enterrá-la com um vestido desse. — Estalou a língua com desdém. — Ainda bem que o caixão *tava* fechado. — Balançou a cabeça. — Pobre Will.

— Will está morto. Ele *num sabe* de nada.

— Ela *num* devia ter sido enterrada lá.

— Tinha esse direito.

— Jesse deveria ter impedido que isso acontecesse. — Estalou a língua novamente. — Jesse. Que belo *traidô* ele me saiu. Vai *casá* com a mais moça.

— Vai.

— Como é que *ocê* sabe?

Clarence suspirou. — A cidade toda já sabe, Wendell.

— E sabe por que ele vai *fazê* isso? Potts diz que é por dinheiro. O xerife diz que é porque ela está grávida. Elmira diz que é por amor — resfolegou — mas o que Elmira sabe? Eu digo que ele *tá* interessado em Star's End. Eu estaria, se fosse ele.

— *Inda* bem que *num* é — murmurou Clarence com impaciência, pousando os olhos sobre a rua. Estava realmente cansado de ouvir a opinião de Wendell. Quase sempre amarga.

— Tem alguma coisa a *dizê?* — perguntou Wendell.

Clarence tirou o cachimbo da boca e olhou direto em seus olhos. — Ainda bem que *ocê num* é o Jesse. Se fosse, a moça estaria perdida.

— Nós é que estamos perdidos. Ela vai morar aqui. Sabe o que vai *fazê?* Orgias.

Clarence revirou os olhos. — Quem lhe disse isso?

— Minha prima Haskell. De Washington. Fazem isso o tempo todo lá. — Carregou a expressão. — É exatamente do que precisamos. Políticos. Virão aqui, falando pelos cotovelos. Vou lhe *dizê* uma coisa, Clarence. Se ela e seus amigos políticos pensam que podem *chegá* aqui e *tomá* conta da cidade, vão *arrumá* confusão. Nós *num* precisamos de políticos, nem de orgias. E *num* precisamos que um de nós se case com um deles.

Clarence avistou a picape de Hackmore Wainwright cruzando a rua e virando em direção ao cais. De repente, o cais lhe pareceu um bom lugar para ir. Com esforço, levantou-se do banco.

— Onde é que *ocê* vai?

— Ao cais.

— O que *ocê* vai *fazê* lá?

— *Procurá* sossego.

— *Num* gosta do que eu falo? Então vá para o cais. Sabe quem está lá? Buck Monaghan. Sabe o que ele vai *dizê?* Buck vai *dizê* que temos que passar os cobres para ampliar o cais, do contrário o barco novo que ele *comprô num* vai *podê ancorá* ali. Acontece que o velho cais ainda está muito bom. Ele é o problema. Tem os olhos maiores que a barriga. E-qui-pa-men-tos so-fis-ti-ca-dos. Bah! Quem precisa de barcos novos! *Num* vai *conseguí pescá* tanto assim. Nosso mar *tá* ficando sem peixe.

— *Num tá*, não.

— *Tá* sim, *sinhô*. *Num* tem mais peixe. Se *ocê qué sabê*, fora da doca seca todos os barcos são iguais.

Munido de súbita coragem, Clarence encheu o peito.

— Ninguém *qué sabê*, seu velho babão — retrucou e, com uma ponta de satisfação, partiu.

Posfácio

 $\mathcal{E}$ rgui os ombros, cerrei os olhos e inspirei profundamente o ar fresco da manhã de setembro. Enchi os pulmões e senti uma onda de excitação percorrer-me a espinha. Surpreendente. Após quatro anos vivendo em Star's End, eu já deveria estar acostumada. Mas cada dia era novo para mim.

Quatro anos. Difícil de acreditar. Acontecera tanta coisa, fora tudo tão natural.

Jesse e eu nos casamos em agosto daquele primeiro ano, numa cerimônia simples no meio do prado. Caroline e Ben, recém-casados naquele mesmo verão, estavam lá, juntos com Annette, Jean-Paul, as crianças e um punhado de amigos íntimos de Jesse.

A mãe de Jesse recusou nosso convite, compreensivelmente. Testemunhar o casamento da filha de sua Nêmesis com seu filho na cena do crime, por assim dizer, teria sido duro demais para ela. Desde então a tenho visto. Jesse e eu costumamos visitá-la em nossas viagens de inverno. Apesar de tudo, ela tem sido cordial e até mesmo afetuosa.

Gosto de pensar que está começando a se afeiçoar a mim, e até arrisco dizer que se o casamento fosse agora, ela viria Foi um dia maravilhoso. Após a cerimônia, oferecemos a casa à cidade, e que festa houve aqui! Pessoas dançando no gramado, comida e bebida à vontade e uma enorme fogueira à beira do penhasco. E essa foi apenas a primeira de uma série de outras festas. Jesse e eu adoramos convidar os amigos da cidade. É uma pequena forma de agradecer a simpatia que nos dispensam.

— Mãe! Veja, mamãe!

O doce som da voz de Joshie me traz de volta. Ele está correndo vigorosamente em minha direção com as pernas curtas de um menino de três anos, trazendo na mão um punhado de ásteres.

— Flores roxas! — grita ele, orgulhoso.

Eu me ajoelho a fim de receber o presente, passando o braço ao seu redor. — São roxas mesmo — digo, tão orgulhosa quanto ele, e aponto para as demais. — E flores cor-de-rosa e cor de lavanda.

— Gosto dessa — decide-se ele, puxando uma do ramalhete e segurando-a contra meu nariz. — Cheire.

— Cheirosa. — Viro a flor para o seu nariz. Ele a inala exageradamente e então se põe a observá-la como se fosse uma peça intrincada de uma máquina. Eu, por minha vez, estou fascinada com sua observação, intrigada com os pensamentos que estariam povoando sua cabecinha.

A maternidade me pegou de surpresa, literal e figurativamente falando. Jesse e eu havíamos decidido que os filhos viriam mais tarde, mas engravidei tão logo nos casamos, e não me arrependo nem por um minuto. Adorei o período de gestação, adorei até mesmo o momento de dar à luz — se contasse isso às minhas irmãs, zombariam de mim eternamente. E mais do que tudo, adoro ser mãe de Joshie. Ele herdou do pai o temperamento doce e sereno. Jesse o ama um bocado.

Com um gritinho de alegria, Joshie atira o punhado de flores no ar. Elas recaem sobre ele, mas não por muito tempo, pois ele torna a correr pelo penhasco. Pára abruptamente e então se agacha. Segundos depois, ergue da terra uma minhoca.

Detesto minhocas. Detesto qualquer coisa que se arraste e ponto final. Minhas irmãs sempre acharam que eu usava luvas de jardinagem para proteger as unhas. Nem tanto. Embora raramente lixe as unhas agora, ainda uso luvas quando cavuco o solo.

— Olhe, mamãe.

— Estou vendo, querido. — O que vejo são dedinhos segurando com força uma coisa pequena e comprida que me revolta o estômago. — Está tendo cuidado para não machucá-la?

— Estou. Veja. Está se mexendo.

— Minhocas gostam de se mexer. Principalmente na terra. Penetram nela e a deixam mais saudável. O papai sempre diz isso. Está lembrado?

Joshie meneia a cabeça.

— Quer colocá-la de volta?

Joshie sacode a cabeça mais uma vez, mas o movimento é suficiente para que seus olhos encontrem alguns poucos dentes-de-leão mais abaixo no penhasco. Soltando a minhoca, ele parte.

Permaneço ali, observando-o, pensando que não há
visão mais linda no mundo que meu filho, vestindo minia-
turas de *jeans* e suéter, ajoelhado na grama, soprando a
lanugem dos dentes-de-leão, com o promontório cor de
granito, o oceano e um céu pontilhado de nuvenzinhas ao
fundo. Sinto-me plena — claro que tem a ver com o novo
bebê que está crescendo dentro de mim — porém mais
ainda com a vida que Jesse e eu construímos.

Inspirando novamente o ar revigorante da manhã,
começo a caminhar em direção a Joshie. Assim que alcanço
o que resta dos dentes-de-leão, ele está escalando o afloramento de um rochedo. Conhecendo o caminho, ele me
guia um pouco adiante. Alcançamos um declive, ele corre,
então se joga ao chão, rola na relva e torna a se levantar.
Bem ao cume, em meio a uma passagem ervosa, Joshie pula
e se vira para mim com um sorriso amplo nos lábios.

Pode vê-lo, mamãe? Penso alto, para que ela possa me
ouvir. *É uma criança linda, tão doce que a faria derreter. Jesse diz
que ele se parece com Will. Eu acho que se parece com Jesse.*

Encontrando Joshie no alto da colina, faço-o sentar
entre minhas pernas e encosto minha boca em seu ouvido,
enquanto ambos admiramos os carneirinhos do mar. —
Está vendo o barco? Não é bonito?

— Parece com o do tio Ben.

Ben alugara um barco à vela quando ele e Caroline
estiveram em Star's End. Foi bastante divertido, com Annette e sua família aqui, e esse não foi o único verão que
passamos todos juntos. Desde a morte de Ginny, combinamos nos encontrar com mais freqüência. Passamos os dias
de Ação de Graças em St. Louis, na casa de Annette, as

noites de Natal ao norte de Chicago, numa pousada próxima ao chalé de Ben, e os verões em Star's End.
Foi o combinado.

Mas nem sempre é tão fácil assim. Os três mais velhos
de Annette estão na faculdade, os compromissos de Jean-
Paul não perdoam e a própria Annette tem um emprego
de meio-expediente no departamento de serviço social do
hospital. Caroline, ironicamente, possui uma agenda mais
flexível. Agora que montou seu próprio escritório, com três
sócios confiáveis, ela escolhe seus casos com cautela.

Boas novas. Ela e Ben estão esperando. Para dezem-
bro. Com sorte o bebê vai nascer quando estivermos
todos lá.

Annette e eu estamos torcendo para que isso aconteça.
Se ela tiver um parto difícil, queremos estar lá para ajudá-la.

Caroline é mesmo uma lutadora. Se uma mulher pode
ter seu primeiro filho aos quarenta e quatro, essa mulher
é ela.

— Onde está o tio Ben? — pergunta Joshie em tom
de tristeza. Não é a primeira vez que ele pergunta. Ele e
Ben tornaram-se amigos nesse verão. A separação foi difícil
para ambos.

— Está em Chicago com a tia Caroline.

— Quero brincar com ele.

— Eu sei, querido. — Dou-lhe um abraço. — Vai brincar. Vai vê-lo no dia de Ação de Graças e no Natal. Antes
que perceba, vai ser verão, e ele estará aqui de novo.

— Com o barco?

— Pode ser. Quer colher algumas flores?

Mal acabo de perguntar e ele já está se levantando do

meu colo e correndo em direção aos malmequeres que florescem próximo ao cemitério. Não muito longe dali, em surpreendentes tons de azul-violeta e cor-de-laranja estão os napelos. São as últimas cores que teremos até a primavera, mas tal idéia não é nem um pouco desencorajadora. O inverno em Star's End tem seu charme. Felizmente, não estamos aqui na pior parte do tempo de frio, embora, dentro de casa, em torno do fogo crepitante da lareira, seja aconchegante.

Colhemos flores até encher as mãos. Joshie também connece essa rotina. Num tom monótono, ele começa: — Para o vovô Will. —Deita algumas delas aos pés do túmulo de Will e, em seguida, do túmulo da mamãe. — Para vovó Ginny. —Põe as restantes em uma só mão e sorri para mim.

— E para *nós*.

Concentrado, ele escolhe um dos malmequeres e, imitando o pai, deposita a flor entre meus cabelos.

Engasgada, apanho a flor que a brisa derruba ao chão e reponho-a com mais firmeza junto à raiz de meus cachos.

— Para mim?

Ele meneia a cabeça e me envolve com seus bracinhos. E então sai correndo. Reflito como fui abençoada em ter um filho tão doce, antes de me levantar e segui-lo.

Rumamos para casa, pelo declive escarpado. Joshie avança aos saltos. O resultado é quase um trote, fruto de puro contentamento. É uma criança feliz, principalmente quando está prestes a ver o pai.

Jesse chegará a qualquer minuto. Está na cidade, deixando meus pães e broas no restaurante de Julia e comprando mudas de outono na loja de suprimentos. Joshie e eu teríamos ido com ele — normalmente vamos, para acompanhá-lo e rever os amigos — mas a idéia de uma caminhada matinal pelo penhasco foi irresistível.

Mais tarde, enquanto Jesse planta suas mudas e Joshie tira uma soneca, guiarei até a cidade para tomar um café com Julia. Estamos planejando outra viagem de espionagem, dessa vez aos restaurantes de Berkshires. Pensamos em aproveitar a viagem para passar o dia num spa.

Existe melhor maneira de nos prepararmos para uma noite de espionagem?

Na volta, Jesse e eu iremos a Washington resolver a papelada da venda da casa. Não a visitamos com uma freqüência que justifique mantê-la, com tantos bons hotéis por perto. Adoramos a cidade, porém, meus laços com ela se afrouxaram. Criei raízes em Downlee. Não me imagino vivendo em nenhum outro lugar.

Nem Jesse, é óbvio. Ele continua sendo o jardineiro, e embora contrate outros para fazerem as tarefas mais monótonas, faz questão de supervisionar tudo. Star's End é seu orgulho pessoal, e com razão. Parece impossível, mas o lugar está ficando cada vez mais bonito.

Como minha vida, pondero, enquanto vejo Joshie escalar a saliência do rochedo e correr. Quando imagino que as coisas são tão boas que não podiam ser melhores, elas melhoram ainda mais. Seja com a chuva que forma um arco-íris de tirar o fôlego sobre Star's End, ou com o gesto tocante de Joshie ao enfeitar meus cabelos com uma flor.

Penso em como era minha vida antes dele, repleta de etiquetas, porém árida. E pensar que hesitei em deixá-la para trás.

Fui uma tola.

Nem tanto. Por fim, fiz a escolha certa.

Mamãe disse, naquele derradeiro dia em que passamos juntas, que não se arrependia da decisão que tomara. Mas nem um dia se passa em que eu não agradeça por ter tomado um rumo diferente. Tenho o amor que ela experimentou por tão breves momentos e que se multiplica a cada dia.

À minha frente, Joshie dispara a toda velocidade. Como suas pernas não conseguem acompanhá-lo, ele cai, mas, num movimento contínuo, levanta-se e volta a correr. E não admira. Ele vê Jesse.

Paro para olhar a cena. Joshie se lança em direção ao pai, que o segura num abraço. Eles recuam. Dizem algo um para o outro. Então Jesse o suspende e o põe em seus ombros, e os dois seguem em minha direção.

A cena é tão emocionante — pai e filho — que me paralisa. Mesmo após quatro anos, Jesse ainda faz meu coração acelerar.

— Oi — ele diz, e eu ainda me pego sem fala. Os olhos castanhos, a pele bronzeada, as pernas longas, o andar fluido — nem mesmo o fato de Joshie despentear seus cabelos deprecia sua beleza devastadoramente máscula. Acho que nunca me acostumarei com ela.

Ele sabe disso e sorri. — Como foi a caminhada?

— Excelente. Conseguiu encontrar as mudas que queria?

— Consegui. Julia agradeceu pelas guloseimas. Disse também que está procurando as algas marinhas. — Piscou os olhos. — Um novo negócio?

Jesse sabe que não. Sorrio. — Pode ser.

Ele joga o braço em torno de meu pescoço, e caminhamos juntos. — Nauseada? — ele indaga.

— Não. O café da manhã ajudou.

— Acha que é menina?

Olho para ele com um sorriso e encolho os ombros.

— Talvez. Quem sabe...

Nossos braços unem nossos corpos. Ao caminharmos, meus sentidos se aguçam. Escuto as gaivotas, as ondas, o vento. Inalo o cheiro salgado do mar, o aroma penetrante dos pinhos, o perfume almiscarado de Jesse. Sinto o frio de setembro e o calor de Jesse. E algo mais. Uma luz. Não é tangível. Nem material. Mas está bem aqui, guiando-nos para casa.

Impresso no Brasil pelo
Sistema Cameron da Divisão Gráfica da
DISTRIBUIDORA RECORD DE SERVIÇOS DE IMPRENSA S.A.
Rua Argentina 171 – Rio de Janeiro, RJ – 20921-380 – Tel.: 2585-2000